ABDELHAK SERHANE

Le Deuil
des chiens

ROMAN

ÉDITIONS DU SEUIL

LE DEUIL
DES CHIENS

Du même auteur

AUX ÉDITIONS DU SEUIL

Messaouda
roman, 1983
Prix littéraire des Radios libres, 1984

Les Enfants des rues étroites
roman, 1986

Le Soleil des obscurs
roman, 1992
Prix français du Monde arabe, 1993

AUX ÉDITIONS AL KALAM

L'Ivre Poème
poésie, 1989

À L'ATELIER DES GRAMES

La Nuit du secret
livre objet, 1992

AUX ÉDITIONS L'HARMATTAN

Chant d'ortie
poésie, 1993

AUX ÉDITIONS PUBLISUD

Les Prolétaires de la haine
nouvelles, 1995

AUX ÉDITIONS EDDIF

L'Amour circoncis
essai, 1995

Le Massacre de la tribu
essai, 1997

ABDELHAK SERHANE

LE DEUIL DES CHIENS

roman

ÉDITIONS DU SEUIL
27, rue Jacob, Paris VIe

ISBN 2-02-032051-7

© ÉDITIONS DU SEUIL, JANVIER 1998

Pitié pour la nation où l'on n'élève la voix que dans les processions de funérailles, où l'on ne se glorifie qu'au milieu des ruines et où l'on ne se révolte que lorsqu'on a la nuque coincée entre le glaive et le billot.

Khalil Gibran

L'abîme ne s'est pas encore ouvert sous nos pas, mais nous le frôlons de nouveau, avançant en aveugles, anesthésiés, tétanisés.

Edwy Plenel

1

Nous sommes parties avec la naissance du soleil. Pas un
oiseau ne chantait ce matin-là. Même les chiens avaient
cessé leur rogne contre les poubelles dégarnies. Nous étions
quatre silhouettes mangées par l'épaisse muraille pleine de
trous et de rêves anciens. La mer était calme. Je marchais
en tête, le long du mur d'enceinte qui encerclait la ville
comme une vipère préhistorique. Mes sœurs suivaient mes
pas, silencieuses et tremblantes, le visage ruisselant de
larmes et de morve. Moi, je refusais de pleurer. Je voulais
tuer les larmes dans mes yeux. Mon cœur était loin de moi.
Je l'avais chassé hors de ma poitrine et l'avais remplacé par
la haine du père et le mépris du mâle. Le sol fuyait sous
mes pas. Des envies de meurtre se bousculaient dans ma
tête. Je marchais droit devant moi sans même savoir où je
mettais les pieds. J'avais les poings et les mâchoires serrés.
Je résistais à la tentation de me retourner pour contempler
mes sœurs. Notre enfance, notre passé et nos souvenirs cre-
vaient au fur et à mesure que nous avancions. Tu venais
d'enterrer l'innocence de notre regard et de piétiner notre
jeunesse. Nous étions quatre enfants sans défense. Frêles
dans la fraîcheur du petit matin. Presque invisibles. Les
pierres et les gravats lacéraient la plante de nos pieds nus.

Si la foudre avait pu s'abattre sur nous, elle nous aurait
délivrées. A peine des enfants, nous devions déjà affronter
les affres de l'existence, seules, désarmées. Tu nous avais
chassées de ta vie, nous abandonnant à notre sort, sans

pain, sans argent, sans rien. Nous étions écrasées par l'immensité du silence, par ce vide qui oppressait nos jeunes poitrines. Toi, tu dormais de ton sommeil criminel dans la chair grasse de ta nouvelle épouse. Elle avait promis de nous traiter comme ses propres filles. Le temps avait rendu la cohabitation intolérable. Son intérêt simulé s'était transformé en pitié. Très vite, la pitié avait fait place au rejet, puis le rejet à la haine et à l'épouvante. Toi, tu dormais toujours dans sa chair grasse sans jamais te soucier de nous. Un jour, elle t'avait fait part de ses exigences sous la forme d'un ultimatum. Ton choix était simple, arrêté depuis des siècles. Tu n'attendais que l'occasion pour te débarrasser de notre teint cadavéreux. Ton épouse pourrait alors étaler toute sa graisse sans être gênée par notre présence. Revoir et recevoir son amant sans avoir à se cacher, à mentir ou à feindre. Le premier jour, elle nous l'avait présenté comme son frère et s'était enfermée avec lui dans sa chambre pour de longues heures. Tu acceptais. Leurs râles se mêlaient à nos silences. Tes larmes étaient de lâcheté et d'impuissance. Tu étais incapable de lui dire non. Incapable de nous protéger contre sa tyrannie. Tu as tué la vie en nous et autour de nous. Quatre fillettes sorties de tes entrailles l'une après l'autre comme des erreurs, des virgules malheureuses ponctuant ta vie de déceptions et d'échecs. Des ombres sans âme qui assombrissaient ton ciel...

L'horloge sonna soudain dans la pièce à côté et ma sœur aînée sursauta au premier coup. La dernière phrase resta suspendue à ses lèvres. Je comptai les heures dans ma tête. Exactement comme je le faisais lorsque j'étais petite fille. Ghita, la plus jeune d'entre nous, n'était pas encore arrivée. Chama, Tamou et moi étions assises sur des peaux de moutons autour de la civière sur laquelle gisait le cadavre fraîchement lavé de notre père. On l'avait parfumé à l'encens et au benjoin, et on l'avait enroulé dans un drap safrané. Nous avions fermé la porte de la chambre à coucher à double tour pour nous isoler avec lui afin qu'il écoute jusqu'au bout le récit de nos vies. La voix des lecteurs du Coran nous parvenait de l'autre pièce, mêlée aux lamentations incessantes des femelles et aux incantations des mâles indignés. Alignées sur les sofas comme des épouvantails mécaniques, les voisines partageaient la douleur de la marâtre en pleurant avec énergie, exagérant le mouvement des doigts sur leur visage. Un mendiant installé sous la fenêtre répétait à qui voulait l'entendre que la vie n'était qu'un clin d'œil, un reflet d'écume sur la surface d'un océan parfois calme, souvent déchaîné. Nous sommes à Dieu et nous retournerons à Lui! Poussière, nous ne sommes que poussière et poussière nous redeviendrons! Pour faire bonne impression, l'épouse du défunt, retenue par sa mère, versait toutes les larmes de son corps sur le carrelage mal lavé. Son frère hypothétique distribuait le pain et les figues séchées aux mendiants qui avaient pris d'assaut la demeure du mort aux premières lueurs du jour. Les enfants jouaient dans la rue, insouciants, indifférents à la douleur des adultes. Ils étaient de l'autre côté du temps et du chant funèbre qui rongeait les consciences sereines et consumait le sommeil des gens paisibles.

Avant d'entamer son récit, Chama avait découvert le visage du mort. J'avais retenu un cri d'horreur. Dix ans avaient creusé dix fois ses rides. Des espèces de balafres mal cicatrisées. Je n'avais pas reconnu son visage. Ses paupières étaient noires. La marque de la malédiction, avait affirmé Chama en s'emparant d'un cierge pour éclairer la face blafarde du cadavre. Les yeux étaient deux trous d'encre noire rappelant les ténèbres et le péché. Je baissai les paupières pour fuir cette image maudite. Je n'aurais pas dû revenir. Il fallait veiller malgré la fatigue et le dégoût. Veiller au-delà de la fatigue et de notre dégoût. L'écho des voix nous parvenait toujours de l'autre pièce, éclaté en procession cacophonique au milieu des pleurs des femmes, des lectures rythmées des saints hommes du Coran, des lamentations des mendiants, des cris des gamins, des jérémiades des vieillards. Chama passa ses mains sur son visage avant de poursuivre son discours. Sa voix brisée par l'émotion et la fatigue résonnait comme des coups de gong dans ma poitrine. J'avais les yeux baissés, le regard rivé sur le pied du lit en fer forgé.

Nous sommes parties dans le feu de l'aurore, continua Chama en étouffant sa rage. Le vide et la peur étaient nos seuls compagnons. Le soleil et le ciel portaient notre deuil. Les larmes perlaient, abondantes, sur les joues creuses de mes sœurs. Tu étais délivré de notre fardeau. Quatre bouches de moins à nourrir. Mon regard était plein d'inquiétude et de haine. Quatre cadavres errants dans le matin gris de ta trahison. Nous ne savions pas où aller ni quelle direction prendre. Toutes les routes nous paraissaient semées de dangers. Nous avons marché droit devant nous. Les chiens de la ville ont suivi nos pas pendant plusieurs heures avant de rebrousser chemin, découragés par nos larmes et le silence du matin. Les murs sans âge retenaient des bribes de nos souvenirs. Une seule question habitait mon corps et mon âme : où aller ? Le temps et la peur mangeaient notre mémoire et toi tu dormais de ton vieux sommeil dans la chair épaisse de ton épouse. Tu es mort aujourd'hui pour échapper à la violence des récits de celles que tu as chassées de ton foyer et de ton cœur voilà dix ans. Mais tu vas quand même nous écouter jusqu'au bout. Tu emporteras dans ta tombe le récit de chacune de nous. Rien ni personne ne pourra te délivrer de nos mots. Nous sommes ici pour rendre ton sommeil plus douloureux.

2

Nous étions parties sans nous retourner. Chama nous l'avait interdit. Je tremblais de froid. Ou de peur. Je marchais comme mes sœurs, les mains vides et la tête remplie de larmes et d'images incertaines. Nous étions sans mystère parce que nous n'avions pas d'histoire. Notre passé était enterré dans la folie du patriarche et notre avenir avait un goût d'amertume. Toutes les portes s'étaient refermées derrière nous. Aucune ne s'ouvrait à l'horizon. Chama marchait en tête, avec précipitation. J'avais du mal à suivre ses pas. Mes larmes coulaient sans discontinuer malgré les reproches de Chama :

– Tu vas t'arrêter ? Ne me casse pas les pieds avec tes larmes ! Tu ne vas pas pleurer pour cette serpillière ! Sèche tes larmes et avance ! Tu ne vois pas que nous avons mieux à faire !...

J'avais la sensation bizarre de marcher nue dans un brouillard. J'étais poursuivie par la honte et les fantômes du petit matin. Avais-je mérité mon sort ? Les gens riraient de nous, construiraient des énigmes autour de notre infortune, inventeraient des anecdotes sur notre malheur. Nous avions marché longtemps en file indienne et nous avions laissé derrière nous notre passé, nos souvenirs, nos secrets d'enfants, nos âmes meurtries et notre mémoire. Arrivées au cimetière, nous voulions nous recueillir une dernière fois sur la tombe de notre mère avant de quitter la ville. Nous avions cherché, erré à travers les pierres et l'odeur de la mort. Les herbes sauvages couvraient les tombes et l'ortie régnait sur les lieux. Nos jambes étaient en feu. Quelques mendiants dormaient encore entre les tombes, la bouche ouverte, le corps couvert de fourmis et de mouches. Je les observais avec une sorte d'envie et de pitié mélangées. Ils avaient réussi à maîtriser l'absence et à annuler en eux la limite entre la vie et la mort. Leur calme m'intriguait. Ni les mouches ni les fourmis n'arrivaient à bout de leur sommeil, ni de leur isolement. Chama dégageait les pierres tombales d'un geste sec et décidé. Elle arrachait les herbes avec rage, dépoussiérait les dalles en marbre pour déchiffrer le nom des morts. Certaines épitaphes calligraphiées rendaient la lecture ardue. Chama n'insistait pas trop. La tombe de notre mère portait une épitaphe toute simple écrite à la peinture noire. Nous avions du mal à la retrouver car nous ne lui avions rendu qu'une seule visite, le premier vendredi après sa mort. Son enterrement s'était effectué dans la précipitation et le silence. Le père nous avait interdit de pleurer sa disparition impromptue. La veille, elle se portait bien. Elle nous avait couchées et bordées comme d'habitude. Le lendemain elle était morte. Le père avait offert une grosse somme d'argent aux laveuses, qui n'avaient rien révélé des ecchymoses autour du cou de la défunte. Le médecin légiste avait conclu à une insuffisance cardiaque et avait été généreusement récompensé par le père. Avant la fin de la matinée, elle était déjà sous terre et nous, exposées à toutes les péripéties du destin et à la sauvagerie du géniteur.

Au bout d'une heure, nous avions renoncé à nos recherches et repris notre marche à travers les sentiers déserts. La fatalité du patriarche s'était abattue sur nos têtes. Rien ne pouvait le faire changer d'avis et nous ne connaissions personne. La marâtre se délectait de sa victoire sur le corps poilu de son amant. Je ne comprenais pas ce qui nous arrivait et ne réalisais pas tout à fait l'immensité du désespoir où nous étions jetées. Je pensais que c'était un jeu ou un cauchemar qui finirait par prendre fin. La route était longue et déserte. Quelques chiens, perdus comme nous, aboyaient sur notre passage. Je les entendais à peine. J'avais envie de rebrousser chemin et d'aller me blottir contre l'un des mendiants endormis entre les tombes. Je sentais encore la morsure de l'ortie sur mes jambes. Retrouver la tombe de ma mère. Embrasser son épitaphe une dernière fois. Le soleil tardait à montrer sa face. Je marchais en espérant rencontrer la mort à chaque pas. Je ne pouvais rien imaginer en dehors de notre malheur. Même le souvenir de ma mère échappait aux images de ma mémoire exubérante. J'espérais l'absence. Celle des morts. Celle des mendiants endormis entre les tombes et l'herbe sauvage. Nul doute que le chemin qui s'ouvrait devant nous ne pouvait mener que vers la folie, l'exil et la perdition. J'étais persuadée que la mort ne tarderait pas à frapper dans le tas. Chama me cria soudain de hâter le pas. Ma mère ! Elle était en bonne santé. Et un matin, il fallait l'enterrer. Notre destin était injuste. Le ciel était limpide. Les bruits avaient cessé et je n'entendais que le bruit de nos pas contre les pierres et les gravats. Un nuage de poussière s'élevait derrière nous. Je ne ressentais ni fatigue, ni faim, ni soif. Uniquement une forte haine pour le père. Avait-il retrouvé le sommeil entre les jambes grasses de son épouse ? Avait-il déjà oublié nos visages blafards et nos silhouettes squelettiques ? Devrions-nous marcher toute notre vie ? Étions-nous condamnées à errer ainsi jusqu'à la fin des temps ? Les visages défaits de mes sœurs me faisaient peur. Rien ne venait perturber notre marche forcée vers l'enfer. Je souhaitais avoir le courage de Chama pour tuer mes larmes au fond de mes yeux. De temps en temps, un oiseau quittait son nid, effrayé par notre apparition. Je levai les yeux vers le ciel. Dieu était absent de notre drame. Le père devait dormir de son sommeil criminel dans la chair grasse de son épouse. Mon imagination refusa de se représenter l'Ogre dans sa faiblesse, gémissant de reconnaissance à l'approche de la délivrance. Je l'entendais souvent suffoquer, haleter, gémir, glousser, prier avant de laisser échapper son râle extrême contre le corps absent de sa compagne. Leurs ébats m'assourdissaient et me donnaient la nausée. Mes sœurs marchaient devant moi comme des fantômes surpris par la clarté naissante du jour. Je les observais et fus surprise par la vivacité de leur démarche, la fermeté de leurs gestes. Comme des condamnés se dirigeant vers la potence. Je continuais à verser toutes mes larmes. Je voulais les verser une fois pour toutes et les oublier ensuite, décidée à ne plus jamais pleurer. C'était mon destin. Il serait sans pleurs à partir de cet instant. Pour le moment, mes larmes coulaient sur mes joues brûlantes et mouillaient ma robe. Le chemin me paraissait très long. Le vent caressait mes cheveux. Mais je ne faisais attention ni au vent ni à la sérénité du jour naissant. La ville avait disparu. Je ne distinguais plus sa haute muraille. Je n'entendais plus les chiens exprimer leur rogne contre le vide dévastateur qui habitait les lieux. Mes rêves d'enfant commençaient à prendre congé de ma mémoire. J'avais acquis la certitude que je devais désormais grandir sans rêve et sans grande émotion. Debout dans une sorte de gêne, les arbres avaient perdu leur ombre.

« Ne sois jamais étonnée de rien, m'avait dit ma mère quelques jours avant sa mort. Tu vas grandir, ma fille, et tu auras tout le temps pour comprendre la vie et les gens. Ne t'inquiète de rien tant que je continue à respirer ! Je protégerai ta vie au prix de la mienne !... »

Le destin ne lui avait pas donné la satisfaction de nous voir grandir. En la rappelant auprès de Lui, Dieu avait assassiné la moitié de notre corps, de notre âme, et tous nos rêves et nos espoirs. Nous devions marcher, au hasard de notre infortune, marcher sans discontinuer, dans la peur et dans les larmes, exposées à tous les risques et à l'insulte du temps. Nous avions largué les amarres vers l'inconnu de nos destins.

3

A l'appel du muezzin pour la première prière du matin, nous étions arrivées à un carrefour. Chama s'était arrêtée et nous l'avions imitée. Un soleil timide se levait derrière la montagne. Il ne tarderait pas à inonder la campagne de sa lumière éclatante. Une journée torride s'annonçait. Ma sœur aînée était debout devant nous comme une statue. Nous n'osions pas bouger. Nous attendions un signe ou un ordre. Le silence et le vide. Mes mains tremblaient. Je remarquai que la douleur convulsait les traits du visage de Ghita. Chama releva la tête et je distinguai une expression indéfinissable dans son regard. Je surveillais ses gestes avec attention. Aucun bruit ne venait perturber notre chagrin. Le jour arrivait sur nous comme la gale, avec sa part de démangeaison, de putrescence, de puanteur, de purulence et d'appréhension. Aucun bruit ne perturbait notre chagrin. Le temps était suspendu aux lèvres de Chama qui s'était emparée d'une branche pour tracer une croix dans la poussière. Nous regardâmes ce signe comme une énigme. Chama posa son regard noir sur chacune de nous et nous contempla longuement l'une après l'autre. Elle s'approcha de Ghita, lui passa délicatement la main dans les cheveux avant de nous annoncer :

– Nous avons été condamnées par un père indigne. Nous ne devons désormais compter que sur nous-mêmes. Ce croisement de routes ne doit constituer qu'une étape pour nous. Une étape ouverte sur le hasard et l'imprévu. Rien ne doit plus nous effrayer. Nous allons nous séparer ici. Ainsi, nous avons quatre fois plus de chances de nous en sortir. Au moins quatre destinées différentes et quelque espoir de survie. Chacune de nous prendra un chemin. C'est notre destin. Ou l'existence nous brisera ou alors c'est nous qui arriverons à bout de cette chienne de vie...

Chama luttait désespérément contre les larmes qui se bousculaient dans ses yeux et étranglaient sa voix. J'épiais ses gestes. Vraisemblablement, elle hésitait à nous annoncer une grave décision. Ses mains tremblaient. Les mots n'arrivaient plus à trouver leur chemin jusqu'à ses lèvres. Elle bredouilla quelques incantations pour chasser le mauvais sort. Comme si notre sort n'était pas déjà inscrit en encre noire sur les pages de notre vertige. La déchirure était si profonde qu'aucun djinn n'aurait été capable d'arriver à bout de l'hémorragie qui vidait nos corps de leur substance pour les remplir de larmes et de haine tenace. Le vent qui s'était levé emportait les bribes de paroles que ma sœur prononçait dans le désordre des faits. Je voulais qu'on en finisse au plus tôt. Debout dans le vide et dans le silence, nous ressemblions à des épouvantails recouverts de haillons qu'aucun moineau ne venait importuner. Dieu lui-même avait refermé toutes ses portes derrière nous. La catastrophe pesait sur nos épaules fragiles. Seules. Nous étions la proie d'un destin aveugle. Chama fouilla un moment sous sa robe et en sortit un petit livre. Elle le plaça sur une pierre qu'elle avait auparavant essuyée avec la paume de sa main gauche, s'agenouilla avec révérence, posa sa main droite sur la reliure en cuir et dit d'une voix contenue :

– Je jure par le Livre sacré ! Je jure par Dieu et par son Envoyé ! Je jure par tous les saints réunis que je compterai les jours et les nuits, les semaines, les mois et les années... Je jure de revenir dans dix ans, jour pour jour, pour raconter au vieux ce que la vie a fait de moi depuis qu'il m'a chassée de sa maison et de son cœur. Je le forcerai à écouter le récit de dix années d'existence sans lui et il ne pourra pas échapper à la violence de mes mots !...

Nous dûmes imiter Chama, nous agenouiller, poser la main droite sur le Livre et faire le serment du retour. A chaque engagement, Chama déclarait à notre intention :

– C'est bien ! Tu as fait le serment du retour. Tu dois tenir ta promesse, sinon Dieu te damnera jusqu'au jour du Jugement et te précipitera en enfer avec les maudits et les assassins ! Rien ni personne ne doit vous empêcher d'accomplir ce pèlerinage le moment venu. Vous devez prendre vos dispositions dès à présent si vous voulez éviter les flammes de la géhenne !... N'oubliez jamais mes paroles et rappelez-vous la promesse solennelle que vous venez de faire devant Dieu, son Prophète et tous les saints de l'univers !...

Puis, après un temps qui me parut interminable, elle serra très fort Ghita contre sa poitrine et nous fit ses dernières recommandations :

– Faisons en sorte que la haine stimule notre volonté. Essayons, chacune de notre côté, de transformer l'échec en réussite et d'ouvrir les portes de l'avenir. Il faut que le vieux crève de remords quand nous reviendrons toutes pour lui raconter notre vie. Soyez courageuses et dites-vous bien que vous êtes seules et que vous devrez vous battre contre tout et contre tous pour arracher votre place dans la société ! Dieu sera avec nous parce qu'Il est miséricordieux et qu'Il doit stigmatiser l'acte du vieux !...

Nous nous séparâmes sans prendre le temps de nous embrasser ni de mêler nos larmes. Chama avait enfoui le Livre sous sa robe et avait pris la direction de l'ouest sans se soucier de notre désarroi. Elle marchait avec la rapidité du désespoir. Le vent jouait avec ses cheveux défaits et gonflait sa robe. Les chemins s'ouvraient devant nous comme des monstres attendant notre premier pas pour se jeter sur nous et nous dévorer. J'avais envie de courir après Chama, d'embrasser ses mains et de la supplier de me garder auprès d'elle. L'image des mendiants endormis au milieu des pierres tombales dans le cimetière occupa mon esprit. Chama avait décidé que nous nous séparerions et je savais que les mots ne changeraient rien. Nous étions condamnées à l'errance. Ça aussi je le savais. Par conséquent, nous devions éviter de partager le même sort. Je regardai la croix tracée par ma sœur dans la poussière et me dis que mon destin se trouvait au bout d'une ligne. Quel destin ? Quel avenir ? Quel espoir en ce matin triste et rempli de fantômes ? Chama disparut complètement au tournant d'un sentier bordé de figuiers sauvages. Une traînée de poussière s'élevait dans le ciel. Après le départ de mes sœurs, je pris l'unique direction qui restait et marchai seule, la tête bourdonnante de pensées criminelles et les yeux ruisselants de larmes. Je n'avais aucune notion du temps. J'ignorais totalement quelle heure il était et le jour n'était pas bien précis dans ma tête. Nous devions être mardi ou mercredi. Peut-être jeudi. Je n'en savais rien. Une question pertinente occupait mon esprit : comment réussirais-je à compter les jours, les mois et les années pour pouvoir revenir à temps et éviter ainsi les flammes de la géhenne ?

Le chemin me paraissait interminable. Je me sentais vide, vulnérable, à la merci de n'importe quelle mésaventure... La mort m'entourait de partout et la peur habitait mon corps puéril. J'étais sûre d'une chose : je devais marcher jusqu'à ce que mon destin m'arrête. Le chemin était long, parsemé de ronces, de pierres, d'épines et d'herbes sauvages. J'étais une fillette et, déjà, mes rêves d'enfant s'égaraient dans la poussière de ce sentier scabreux. Mes espoirs périssaient à chacun de mes pas. Le suicide se manifesta dans ma tête comme une solution salutaire. Je craignais trop Dieu pour accomplir un tel acte. Je me rendis à l'évidence et acceptai mon sort comme une épreuve que je devais surmonter pour mériter le paradis. L'horizon était sombre dans mon regard. J'étais une fillette mais j'avais déjà le courage des femmes mûres.

4

L'odeur de l'encens s'infiltra soudain dans la pièce par les fissures de la porte. Chama dessina une grimace sur son visage. Je devinai l'expression que ses lèvres ébauchèrent. De l'étonnement mêlé à une sensation de dégoût. Cependant, elle ne dit rien. Elle se contenta de s'approcher de la civière et passa une main paresseuse sur le rebord du drap qui couvrait le cadavre. Un frisson traversa tout mon corps. La chaleur était accablante. Quelques mouches voltigeaient au-dessus de nos têtes puis allaient explorer les narines et les lèvres émaciées de la dépouille. Les murs suintaient l'humidité et le plafond dessinait des formes étranges sur les poutres en bois mangées par les capricornes. Chama jouait avec ses doigts comme une gamine en manque d'inspiration. J'évitai son regard inquisiteur. La voix des lecteurs du Coran, mêlée à celle des pleureuses et des mendiants, arrivait jusqu'à nous dans une cacophonie infernale. De temps en temps, nous parvenaient les cris perçants des enfants ou les grognements d'une bête. Nos yeux cherchaient une issue. Chama continuait son manège avec les doigts. Rien ne laissait prévoir un changement de situation. Elle tenait à raconter sa vie la première. Elle était l'aînée et l'instigatrice de cette scène.

La pièce était plongée dans une demi-obscurité éclairée par deux cierges de très mauvaise qualité. Ils fumaient comme deux cheminées mal ramonées, encrassées par la suie et négligées de longue date. Noircis et craquelés, les murs avaient pris un coup de vieux depuis notre départ. Encroûté par endroits, le plafond laissait pendre des morceaux de mortier et des plaques de chaux. Dans l'autre pièce, les tolbas récitaient des versets coraniques sur le même ton désolé. Les pleureuses sanglotaient avec énergie pour mériter leur salaire. Le calme revenait par intermittence. Allongé sur le dos, emmailloté dans son drap blanc, le cadavre me semblait avoir une présence réelle, presque magique. Poussière nous sommes et poussière nous redeviendrons! Bien que ses yeux fussent fermés, j'avais la sensation désagréable que le mort nous transperçait de son regard chargé de haine et de reproche. Je devinais les vers entreprenant leur travail de destruction. Des vers aussi gros que des baleines et des fourmis aussi féroces que les scorpions. La chair partait, lambeau après lambeau. Déchaînées, les bestioles plantaient leurs canines tranchantes dans la matière devenue rigide du cadavre. Rien ne pouvait les arrêter. La chair avait maintenant entièrement disparu sous l'acharnement de la vermine. Après la chair, les bêtes s'attaquèrent aux os. Rien n'échappait ni ne résistait aux mâchoires en dents de scie des vers et des fourmis, à l'exception du cœur. Il était si résistant, si dur et si puant que les bestioles durent abandonner leur lutte inutile. Elles disparurent en confiant l'organe à mon étonnement et à ma frayeur. La chose inerte ressemblait à du charbon consumé. Elle dégageait une odeur de soufre et de mort. Je me bouchai le nez pour éviter l'asphyxie et respirai par la bouche. L'odeur putride pénétra mon corps et habita tous mes pores. J'avais la nausée. Chama refusa qu'on ouvre la fenêtre. C'était une affaire entre nous et lui. Personne n'avait le droit d'écouter nos secrets. Je résistai tant que je pus puis me laissai aller à la honte. Le drap blanc reçut une partie de mon vomi. Chama ricana. Je m'attendais à des réflexions désobligeantes de sa part. Elle se contenta de m'adresser un sourire de commisération. Tamou ne dit rien. Son visage avait pris une expression de dégoût et elle baissa les yeux. Je portai une main timide à mes lèvres, que j'essuyai négligemment. Chama se racla la gorge et cracha par terre. Son crachat alla rejoindre mon vomi sur le carrelage défraîchi. Le sourire qui suivit ce geste disait sa pensée. Je devinai son excitation. Dix années avaient complètement transformé ma sœur aînée. Son corps avait pris des allures masculines et sa voix de stentor faisait vibrer les murs. J'avais peur d'elle. Comme au temps où j'étais encore petite fille. Chaque fois que j'avais gagné un sou ou un bonbon, elle guettait mes mouvements, me barrait le chemin en prenant son air le plus menaçant. Quand un adulte se trouvait dans les parages, il accourait m'arracher à ses griffes. Quand il n'y avait personne, je m'inclinais devant son agressivité en déposant mes biens dans le creux de sa main criminelle. Si par malheur l'un de mes parents la punissait pour l'une de ses agressions, elle s'acharnait alors sur moi en m'obligeant à faire toutes ses corvées pendant de longues semaines, m'accusant d'avoir été la cause du châtiment qu'elle avait subi. Une fois, en l'absence de mes parents, elle m'avait enfermée dans les toilettes, où je passai toute la nuit malgré mes larmes et mes supplications.

L'air devenait étouffant. Le mort reposait en face de nous comme une poutre qui ne tarderait pas à être attaquée par les vers et les fourmis que je m'étais imaginés. Cette pensée me donna la chair de poule. Comme un mort est impuissant ! Des voix, des cris, des lamentations, des bribes de Coran nous parvenaient toujours de l'autre pièce. Enrouée, la voix des lecteurs et des pleureuses diminuait d'ardeur à cause de la fatigue et du sommeil. Les fourmis et les vers occupèrent toute ma pensée et remplirent la pièce à ras bord. Le cadavre était noyé dans sa propre purulence. Quel destin est celui des vivants ! Un cri perçant nous parvint de l'extérieur. Chama leva sur moi des yeux interrogateurs. Probablement la marâtre qui jouait son numéro d'épouse désespérée par le décès de son époux d'une trentaine d'années son aîné. Leur mariage avait quelque chose de comique et de tragique à la fois. Restée vieille fille, elle avait trouvé en mon père une bouée de sauvetage. Qui se serait intéressé à elle à part un vieillard sénile ? Elle avait déjà passé le cap de la vingtaine et son destin était tracé. Inépousable, et même indésirable, elle devait se résigner à vivre cloîtrée jusqu'à la mort dans le foyer paternel. Son père était associé avec le mien. Quand ma mère fut rappelée auprès de son Seigneur, les deux hommes s'arrangèrent pour consolider leurs liens et leur commerce. Nous fûmes, mes sœurs et moi, les principales victimes de cet arrangement. Le frère présumé de la marâtre nous prenait souvent sur ses genoux et caressait furtivement nos fesses et nos poitrines. Nous pensions qu'il avait des sentiments nobles à notre égard. Son affection pour nous n'avait pas de limites, répétait-il à notre père, qui le remerciait pour la noblesse de son cœur. Nous étions très jeunes et notre père n'avait jamais eu un geste prévenant ou une particulière attention pour nous. Il gardait à notre égard une méfiance maladive. Nous étions sa honte, disait-il à ses proches. Notre mère n'avait réussi à lui donner que des femelles, des naissances négatives qui avaient assombri son existence. Sa déception était à la mesure de son malheur. Il disait être victime du mauvais sort et que son épouse portait la poisse. Chaque naissance éprouvait sa virilité et remettait en cause son statut d'homme. Le décès de notre mère l'avait soulagé. C'était elle qui portait la malédiction puisqu'elle était morte avant lui. J'aimais ma mère parce qu'elle était bonne, généreuse, sécurisante et parce qu'elle était femme.

5

Chama me regarda de biais. J'évitai ses yeux de lynx. Une sorte de répulsion gagna mon corps. Je regrettais d'être revenue. L'atmosphère étouffante me prenait à la gorge et je sentais des crampes à l'estomac. Enfermée dans cette pièce, je n'avais aucune chance d'échapper au délire de Chama ni à l'angoisse grandissante qui m'habitait. Tamou et moi n'avions pas prononcé un mot depuis notre arrivée. Ghita avait failli au serment scellé dix ans auparavant sur le Livre. Dieu seul savait où elle était. Était-elle toujours en vie ? Je chassai très vite cette idée de mon esprit. Chama jouait avec ses doigts sur le drap safrané. Les sanglots des pleureuses avaient cessé, mais pas pour longtemps. Quelqu'un les avait probablement rappelées à l'ordre. N'étaient-elles pas payées pour pleurer ? Je me demandais où elles trouvaient toutes ces larmes. Toute cette énergie du malheur exprimée à chaque deuil. Pleuraient-elles leurs propres misères ? Souvenirs atroces d'une vie cloîtrée. Père phallocrate. Époux indigne. Frère brutal. Oncle ou cousin intraitable. Elles avaient toutes les raisons de pleurer ainsi chaque fois. Chama regarda autour d'elle, contempla longtemps les murs et le plafond. L'humidité mangeait la surface des murs. Le mortier tombait comme tombe la peau d'un lépreux. Dix années avaient suffi au temps pour tuer la vie dans cette maison. Une araignée noire grimpait avec difficulté sur les étagères recouvertes d'une épaisse couche de poussière. Nous sommes poussière et poussière nous redeviendrons ! En attendant, ma sœur aînée jouait avec ses doigts sur la bordure du drap blanc. J'essayai d'imaginer le père vivant et nous autour de lui. L'image n'arriva pas à se fixer dans ma tête. Je la chassai pour imaginer autre chose. Les doigts de Chama captèrent toute mon attention. Des doigts d'homme. Les mendiants du cimetière passèrent rapidement devant mes yeux. Je voulus les retenir mais la forte voix de ma sœur m'en dissuada.

Écoute mon histoire ! disait-elle. Elle est chargée de tant de larmes que tu pourrais t'y noyer. Tu m'écouteras jusqu'au bout car tu m'as toujours empêchée de parler. De ton vivant, toi seul pouvais crier, tonner, donner des ordres, injurier, hurler... Toi seul existais, et nous vivions à l'ombre de ton ombre, à côté de ta vieillesse, en marge de ta sénilité. Rien que des silhouettes oubliées dans les ténèbres de ta mauvaise humeur, promises à tous les maux et à tous les tourments.

Une mouche se posa sur l'œil droit de la dépouille. Chama l'écrasa d'une gifle sur la chair fripée du visage. Elle continua son récit en nettoyant la paume de sa main sur le drap blanc.

Je suis Chama. Tu te souviens de Chama ? Je suis le tatouage, la trace. Celle de ta honte et de ta damnation. Nous sommes venues au monde par erreur, mes sœurs et moi. Nous y avons vécu par erreur et continuons à y vivre par erreur. Était-il nécessaire de nous condamner, comme tu l'as fait, à l'errance et au rejet ? Je vais te raconter mon histoire bien que tu sois mort car je sais que tu m'entends. Même dans cette mort, tu dois m'écouter jusqu'au bout parce que j'ai envie que mes mots te tuent une seconde fois. Tu emporteras dans ta tombe le souvenir de nos visages et la résonance de nos voix. Désormais, tu ne goûteras plus au sommeil, ni à celui des morts ni à celui des vivants. Tu continueras à vivre dans la mort pour mourir à chaque seconde de remords et de souffrance. Tu ne connaîtras pas le repos dans ta tombe car tu seras toujours poursuivi par nos mots remplis de dix années d'échos, de fantômes et de scorpions...

L'horloge sonna la demie dans la pièce à côté. Elle continuait son chemin, imperturbable, indifférente aux sanglots de la marâtre, aux larmes des pleureuses, aux cris des mendiants et des enfants, aux voix des lecteurs du Coran, insensible aux mots de ma sœur, distante par rapport à la vie et à la mort. Je savais qu'elle portait toutes les prémonitions et qu'elle n'oubliait jamais rien. Ni nos cris, ni nos larmes, ni nos lamentations, ni nos multiples échecs. Sa présence était énorme. Son silence, perturbé par le tic-tac régulier de son mécanisme, ponctuait chacun de nos gestes, chaque instant de notre parcours. Chama avala sa salive et je perçus le bruit que produisit le passage du liquide dans sa gorge. Elle arrêta le mouvement de ses doigts sur le drap et continua son discours.

Ta mort ne m'impressionne pas! dit-elle. Pourtant, je n'arrive pas à trouver le fil de mes idées. Je m'étais préparée à ce jour fatidique. J'ai appris par cœur toutes les paroles que je devais te dire. Je les ai récitées chaque jour au fond de moi. Chaque mot avait pris sa place et une dimension monstrueuse. Assise là devant ta face sans âge et sans expression, tes yeux élimés par la rouille de la honte et du péché, mon esprit tourne en rond comme celui d'une gamine devant son instituteur le premier jour de classe. Les paroles du reproche désertent ma pensée. Mes souvenirs s'embrouillent dans ma tête vieillie avant terme. A dix ans, je paraissais vieille et laide. Mon corps enfermait les années de son malheur dans les plis du temps. Mon corps refusait de répondre à sa propre souplesse. Il s'alourdissait chaque jour un peu plus. A chaque épreuve, à chaque tourmente.

Mes épaules tombaient sous le poids de mes angoisses et de mes interrogations. Je suis partie ce matin criminel comme les autres, en rasant les murs de la ville, puis la haute muraille qui vous encercle. J'ai marché comme une somnambule dans le matin naissant. Il faisait très beau. Mais je ne remarquais pas la beauté de la nature. Mon cœur était gonflé de suie ce matin-là. J'ai pleuré après le départ de mes sœurs. Je me rappelle que mon cœur me faisait si mal que j'avais l'impression qu'il allait s'arrêter de battre. Devant moi, le vide et le silence. Si les chiens aboyaient, je ne les entendais même pas. Mes larmes et mes idées noires se mélangeaient. Je me suis arrêtée un moment. Une idée venait de traverser mon esprit. J'ai pensé revenir sur mes pas. Te surprendre dans la chair grasse de ton épouse et vous trancher la gorge à tous les deux avec le couteau qui a toujours servi à tuer le mouton de l'Aïd el-Kébir. J'ai dû faire une centaine de mètres puis je me suis arrêtée. J'ai réfléchi en me demandant si ta vie valait la peine que je sacrifie la mienne contre elle. Et j'avais peur de me salir les mains avec ton sang noir. J'ai continué mon chemin en gardant cette idée dans ma tête. Puis j'ai compris que la meilleure façon de te supprimer était de survivre à ces dix années passées loin de toi, de revenir ensuite te faire le récit de notre disgrâce ou de notre réussite. Nous devions revenir pour régler une fois pour toutes nos comptes avec toi. J'ai refusé plusieurs demandes en mariage parce que je devais être libre ce jour funeste. J'ai refusé de m'engager dans tout ce qui pouvait m'empêcher de revenir vers toi pour te dire le fond de ma pensée. Ta mort est une bonne chose. Vivant, m'aurais-tu permis de te parler ? Aurais-tu accepté que je prenne la parole pour usurper le pouvoir des mots ? Écoute-moi attentivement et répète aux morts que tes filles sont revenues et qu'elles t'ont assassiné avec leurs propres mots. Ceux de la douleur et de la trahison. Des mots comme des boulets de forçat...

J'avais fermé les yeux un moment pour mieux écouter les propos de ma sœur. Elle les jetait comme des sangsues à la face du mort, suçant le peu d'humanité qui pouvait encore lui rester. Ghita n'arrivait toujours pas. Je me demandais ce qui lui était arrivé. Morte ? Épouse et mère ? Combien d'enfants avait-elle ? Son mari me paraissait beau et grand de taille. Ses enfants couraient dans tous les sens. Elle avait des garçons et des filles. Elle était rayonnante de bonheur. Elle le méritait car elle était la plus belle de nous toutes. Elle avait les cheveux de la nuit la plus profonde. Des yeux de gazelle qui faisaient rougir le soleil de pudeur et d'humilité. Des lèvres comme deux croissants de lune, dessinées par la main du plus grand des artistes. Des doigts fins comme des tiges de cannelle et une taille à faire rêver le plus récalcitrant des princes. Elle était gracieuse également et agréable. Admirable de beauté et de générosité. J'étais sans aucune nouvelle d'elle depuis dix ans. Dix ans paraissent une éternité lorsqu'on compte les années, les mois, les semaines, les jours, les heures et les minutes. Un jour, j'avais failli lancer un avis de recherche pour essayer de retrouver mes sœurs. Je fus découragée par le caractère à la fois tragique et burlesque des annonces émises sur les ondes nationales : « Untel, fils d'Untel et d'Unetelle, recherche son frère Untel, qu'il a perdu de vue depuis quarante-cinq ans. Signe distinctif du recherché : il portait un pull bleu, des sandales en plastique et un short kaki quand il a quitté le foyer familial. Toute personne l'ayant vu ou susceptible de fournir des renseignements sur lui est priée de contacter la radio à l'adresse suivante... Si l'intéressé est à l'écoute, nous lui demandons d'appeler ce numéro de téléphone de toute urgence et merci... » Ou encore : « Mme X., fille de Y. et de Z., domiciliée au douar R'hamna, a déposé une plainte auprès du procureur de Sa Majesté de la province de... contre son époux M. W., fils de B. et de H., qui a déserté le domicile conjugal il y a trente-sept ans. Le disparu a abandonné son épouse enceinte et ses quatre enfants sans moyens de subsistance et sans effets vestimentaires. L'intéressé, M. W., est prié de se présenter devant la cour d'assises de la province de... dans un délai de un mois à compter de ce jour. Passé ce délai, la justice prononcera le divorce des conjoints aux torts exclusifs de l'époux, conformément à la loi en vigueur et merci... »

6

Le sirocco s'engouffra soudain par la meurtrière pratiquée au ras du plafond, interrompant Chama au milieu d'une phrase. Il racla les murs avant de venir fustiger nos visages fatigués. Chama leva les yeux dans la direction de l'ouverture et me fit signe de la tête. Je me levai, me hissai sur une chaise et enfonçai un oreiller dans la fente. Le vent chaud grogna contre les volets fermés et poursuivit son chemin à la recherche des fissures et des interstices.

Pourquoi as-tu choisi ce jour pour crever? continua Chama. Tu ne pouvais pas attendre encore quelque temps? Tu as survécu à notre absence pendant dix ans. Tu nous auras joué de mauvais tours jusqu'au bout. Ta mauvaise conscience! La mort! La mort!... J'aurais préféré que tu sois encore en vie. A présent, mes paroles ne rencontrent aucun écho. Malgré ce vide, je dois parler. Je suis obligée de le faire pour effacer mes peurs de dix années d'errance. Seule cette parole est capable de me libérer du poids de ta haine. Alors écoute et répète ce que tu vas entendre aux autres, ceux qui te ressemblent dans le mépris des femelles!...

Je la sentais embarrassée. Elle évoluait péniblement dans son récit comme si elle creusait dans un rocher. Les paroles qu'elle avait apprises l'abandonnaient. Son passé devait être si dense qu'elle avait du mal à choisir les souvenirs les

31

plus poignants, les moments les plus intenses de son existence pour les jeter au visage de la dépouille. J'attendais la suite, impatiente de savoir quel itinéraire elle avait suivi. La mort rôdait dans la chambre hermétiquement close. Enfoncé dans la meurtrière, l'oreiller déformait le mur, lui donnant l'aspect d'une femme enceinte. L'idée me parut cocasse. Je la chassai immédiatement de ma tête et me concentrai sur les paroles de Chama.

Rien ne m'est plus insupportable que cet instant! poursuivait-elle, les yeux baissés et les mains posées à plat sur le drap blanc. J'ai quitté mes sœurs à un croisement de routes. J'étais la première à partir. Un chemin s'ouvrait devant ma lassitude. J'avais peur de flancher devant mes sœurs. J'ai refusé de pleurer devant elles. Pourtant, les larmes n'attendaient qu'un prétexte pour jaillir de mes yeux. J'ai marché longtemps, résistant à l'envie de me retourner pour jeter un dernier regard sur mes sœurs. Je marchais sur mon cœur et sur l'affection que j'avais pour elles depuis la disparition de notre mère. Le premier patelin que j'ai traversé était vide, déserté par ses habitants. La sécheresse. L'exode vers les villes. La recherche d'un travail. La multiplication des bidonvilles et l'augmentation incessante du nombre des chômeurs. J'ai essayé d'imaginer le départ de toutes ces familles, chassées par l'ingratitude du ciel et la stérilité de la terre. Je pensais surtout aux enfants car je leur ressemblais. J'étais moi aussi chassée, à cause de la sécheresse de ton cœur et de tes sentiments. Chassée! J'avais quinze ans. Ma poitrine venait à peine d'éclore. Je marchais avec assurance pour donner l'impression que je n'avais pas peur et que je savais où j'allais. Le deuxième village que j'ai traversé était peuplé d'enfants et de vieillards accroupis contre les murs, face au soleil. Ils réchauffaient leurs vieux os, enturbannés et emballés dans de vieilles djellabas usées à hauteur des coudes. Des enfants et des vieillards. Les plus vigoureux s'étaient portés volontaires

pour une longue marche. Les promesses avaient germé
dans la tête des adolescents désœuvrés. L'appel des sables
était le plus fort. Un gamin m'a raconté tout ça en chemin.
Je ne lui avais rien demandé. Les marcheurs avaient
l'espoir de s'installer à la place de l'usurpateur et d'acquérir
ses biens. Les parents faisaient des recommandations à leur
progéniture. Tâche d'être vigilant ! Essaie de prendre un
logement pour toi et réserves-en quelques autres pour la
famille. Nous te rejoindrons dès que la situation se sera cal-
mée ! Sois un homme et ne te fais pas posséder par les
autres !... L'histoire des marcheurs ressemblait à la mienne.
Mais la mienne était sans espoir. Une marche noire et solitaire, remplie de larmes amères...

Il y eut un fracas brutal de porte refermée. Chama releva
la tête et interrompit son récit. Je regardai autour de moi
pour détecter d'où venait le bruit. Je me demandais pourquoi ma sœur n'entrait pas directement dans le vif du sujet.
L'odeur du safran, celle du benjoin et de l'encens envahi-
rent mes narines et me donnèrent la nausée. Une odeur
forte, prenante, rappelant la mort de très près. Je résistai
à l'envie de vomir une autre fois. Je me sentais mal à l'aise
et respirais avec difficulté. Je regrettais déjà mon retour.
A quoi cela servirait-il de lui parler à présent ? Au fond
de moi, je pensais que cela n'avait aucune importance
pour lui. Sa face blême n'exprimait que l'absence de ceux
qu'Allah avait promis aux affres de la géhenne. Ce qui est
beau est périssable ! Notre mère n'avait pas encore fait son
premier rêve qu'elle fut rappelée auprès du Seigneur. Nous
avions marché sur nos destins sans prendre la peine de voir
la couleur de nos espoirs. Tous les enfants que nous avions
laissés dans cette ville avaient vieilli très tôt. J'avais enfoui
un rêve massif dans ma tête de petite fille. Un rêve fait de
bambins et de casseroles. Comme celui de ma défunte
mère. Comme celui, en somme, de toutes les femelles de
chez moi. Le même rêve et le même destin. Le Prince char-

mant ! Passage obligé d'une prison à une autre. Et pourtant,
je voulais bien croire que c'était là mon destin. Je ne refusais rien. Je ne rejetais rien. De son vivant, ma mère m'avait
appris que le meilleur moyen de s'en sortir à bon compte
était de faire l'aveugle, la sourde et la muette devant les
hommes. Chama transgressait cette règle.

Quand je me suis arrêtée, après de très longues heures de
marche, disait-elle au mort, je me suis trouvée devant l'entrée d'un cimetière. Le soleil avait accompli son périple
depuis un moment et avait cédé la place à la nuit. Je me
suis glissée entre les tombes au milieu de l'ortie et de la
mort. Le sommeil et la fatigue avaient pris possession de
mon corps. J'ai cherché un endroit abrité pour m'allonger.
De hautes herbes camouflaient ma silhouette. J'ai choisi de
dormir au milieu des femmes. Plusieurs épitaphes autour
de moi portaient des noms féminins. Les dates indiquaient
qu'il s'agissait de jeunes filles. A peine mon âge. Je me sentais en sécurité parmi elles. Je ne sais pas à quel moment
j'ai sombré dans un gouffre de sommeil. Ma nuit fut peuplée de monstres et de scorpions. Quand je me suis
réveillée, deux mendiants étaient collés à moi. Je ne sais pas
ce qu'ils ont fait de mon corps. Tout ce dont je me souviens
est le regard de cet enfant, assis sur une tombe. Il ne me
voyait pas. Mais ses yeux avaient quelque chose de capti-
vant. Ce regard, je ne suis pas près de l'oublier. J'avais la
sensation étrange qu'il me parlait. Mon corps était rompu.
Pourtant, je ne pensais plus à la douleur, ni à la fatigue.
L'enfant avait réussi à dissiper toutes les sensations désa-
gréables que j'éprouvais. Et pour la première fois j'avais
oublié ton existence. Je n'ai jamais compris ce qui s'était
passé. A un moment donné, le gamin avait disparu. Volati-
lisé. J'ai cherché partout. Aucune trace de lui nulle part. Je
me suis dégagée du poids des deux mendiants et j'ai continué mon chemin.

De toutes les peines que j'avais vécues, celle-ci m'était la plus insupportable. Au fur et à mesure que ma sœur évoluait dans son récit, je me rendais compte que le destin avait privilégié mon existence. Le hasard, la jeunesse et le charme m'avaient probablement épargné quelques désagréments. J'étais très jeune. Par conséquent, je n'étais pas exposée au danger comme pouvait l'être Chama. J'avais marché moi aussi. Longtemps. A travers champs et forêts. Mes pas me conduisaient au hasard des sentiers. Je ne me rappelle plus si j'ai marché pendant des jours ou des semaines. Ma mère nous disait que notre destin était inscrit sur le Grand Livre du Seigneur et que rien ni personne n'était capable de le perturber. Le sirocco redoubla de force. Je l'entendais cogner contre le bois pourri des portes et des persiennes. Chama avait marqué une longue pause méditative. J'essayais de sélectionner les souvenirs les plus insupportables à raconter. Je ne voulais pas passer pour une bourgeoise aux yeux de mes sœurs. Pourtant, je ne pouvais pas m'empêcher d'être reconnaissante au vieux pour son geste. Peut-être m'avait-il sauvée. J'étais destinée à vivre sous le regard haineux de la marâtre. Mon destin ? Un mariage précoce avec le premier vieillard venu. Une existence limitée aux expressions les plus simples des actes domestiques. Battue, cloîtrée, méprisée, j'aurais vécu la vie des chiennes de chez nous. Les lecteurs du Coran avaient repris leur psalmodie. Les pleureuses vociféraient à pleins poumons pour démontrer leur détermination à tous ceux qui avaient ou auraient besoin de leurs services. Les gamins devaient courir dans la rue. Les plus jeunes dormaient sans doute dans un coin, oubliés de leur famille. Il fallait être entièrement disponible dans cette douloureuse circonstance. La solidarité dans le malheur. Les deux cierges continuaient à consumer le peu d'air qui restait dans la pièce. La flamme était rigide. Rarement, elle vacillait comme une danseuse ivre. La fumée encrassait les murs et le plafond. Malgré les bruits divers, les paroles éparses de la nuit, je sentais que le vide m'entourait de partout. L'agitation extérieure concernait les gens de l'extérieur. Les rides du mort semblaient se creuser avec l'écoulement du temps. L'horloge marqua un autre arrêt mais je n'eus pas le réflexe de l'inscrire dans ma tête. Chama gardait le silence et cela m'inquiétait. Ses paroles avaient un sens. Son silence était plein de mystère. Je n'aimais pas ce moment calme où tout était incertitude, interrogation, malice. Je survivrais à tous les silences et à toutes les paroles de ma sœur. Exactement comme je l'avais fait dans le passé quand elle m'agressait physiquement et verbalement. Le courage que je me donnais en ce moment ne dissipait nullement mon inquiétude quant à son silence impromptu. Tamou gardait les yeux baissés et ne bougeait pas. Son immobilité augmentait mon angoisse. Je considérais mon retour comme une bêtise impardonnable. Le serment, l'enfer... Je pensais que rien ne pouvait être plus infernal que cet instant entre mort et paroles. Je ne faisais plus attention aux bruits de la rue. La voix des pleureuses et des lecteurs avait diminué d'ardeur. Toute mon attention était concentrée sur les mains et les lèvres de ma sœur aînée. Ses lèvres étaient closes et ses doigts avaient cessé leur mouvement sur le drap blanc aux taches safranées. Je tremblais d'indignation. Je me revoyais petite fille face à la toute-puissance de Chama. Je n'avais pas grandi. A ses yeux, j'étais toujours la fillette dont elle pouvait disposer selon son humeur du moment. Je voulais me lever et hurler ma rage au monde entier. J'avais envie de crier contre ma sœur pour la sommer de cesser ce petit jeu ridicule. Rien n'avait plus d'importance à mes yeux. La mort avait fait son œuvre et le temps avait gommé le passé et le présent.

Même si je ne dois vivre qu'une minute encore, je ferai en sorte que cette minute soit une éternité durant laquelle le vieux écoutera mon récit, dit Chama en me transperçant du regard. Je n'oblige personne à dire quoi que ce soit.

Mais moi, je reste fidèle au serment. Rien ni personne ne me fera changer d'avis! Je suis décidée à aller jusqu'au bout!...

Les paroles de Chama cognèrent contre mes tympans à les rompre. Ses mots m'étaient destinés. Elle avait pressenti le trouble qui menaçait son récit et avait réagi en conséquence. Mes lèvres restèrent closes. Mes muscles ne répondirent pas à mes réflexes, qui s'étaient grippés. Les mots de Chama bourdonnaient dans ma tête comme un essaim d'abeilles et j'avais du mal à maîtriser la migraine qui s'emparait de mes tempes. Tamou avait les yeux toujours baissés et son mutisme n'aida point mon entreprise. J'avais envie d'arrêter Chama. De lui dire que sa manœuvre ne servait plus à rien. Son histoire m'intéressait, certes, mais dénuée de toute agressivité et de toute mise en scène. J'avais des paroles moi aussi. Des paroles tissées dans la haine de dix années de solitude et de manque. J'avais au fond de moi des mots pour faire taire toutes les autres paroles. Je préférais les enterrer dans le labyrinthe de ma mémoire. Je ne voulais me rappeler que les paroles de ma mère. Des instants de bonheur rares offerts par la vie.

7

La petite fille que j'avais été avait la phobie du noir. Elle paniquait chaque fois qu'elle se retrouvait seule dans l'obscurité. Or les bougies de mauvaise qualité n'allaient pas tarder à rendre l'âme. Mais je n'étais pas seule et je n'étais plus une enfant. Les ombres dansaient dans la pièce mal éclairée. Le sirocco redoublait de violence. La petite fille apparaissait dans ma mémoire puis disparaissait comme par enchantement. J'aurais voulu retenir cette image un moment devant mes yeux. En vain. Elle était si rebelle qu'il me fallait faire d'énormes efforts de concentration pour la capter un bref instant. Il me fallut longtemps pour comprendre que ma mémoire me jouait des tours. La fatigue du voyage, l'angoisse, le manque de sommeil… avaient entrepris leur travail d'usure. Je devais rester sur mes gardes pour éviter toute confusion ou toute agitation intérieure. La nuit avançait lentement sur les pérégrinations de mon enfance. Le délire et la folie n'allaient pas tarder à s'emparer de mon être. J'avais peur de sombrer dans l'irrémédiable à un moment où je devais faire preuve de clairvoyance. Avoir fait tout ce voyage pour rien ! La petite fille apparut soudain, vêtue de blanc. Ses cheveux noirs tombaient comme une cascade le long de son dos. Ses yeux étaient vides de toute expression. Elle me regarda sans me voir. Marcha dans ma direction puis s'arrêta. J'étais intriguée. Ses pieds nus effleuraient à peine le sol et la traîne de sa robe la suivait comme des vagues de mousse. Je me regardais en elle comme dans un miroir magique. Les chiens n'aboyaient plus et tous les bruits avaient cessé d'un coup. Le mouvement de son corps ressemblait à une musique dont le rythme ne serait pas encore né. Sa démarche assurée était une caresse sur le carrelage. Elle paraissait voler tant elle était légère, fine, presque irréelle. Je me voyais debout face à la fenêtre. La mer, au loin, grondait sous les rafales de vent et de pluie. Mais je n'entendais aucun bruit. Je voyais les arbres se plier sous la violence du vent, les oiseaux étaient déviés de leur trajectoire. La petite fille marchait pieds nus. Sa longue robe blanche traînait derrière elle. Je ne savais plus si j'étais dans le rêve ou dans la réalité. Les vagues se fracassaient contre les rochers et les gerbes d'eau qui giclaient comme des projectiles retombaient avec fureur sur le sable fin. Je voyais mon existence défiler devant moi avec la rapidité de l'éclair avant de se briser en mille morceaux sur un écueil. Tout m'impressionnait. Mais malgré la brutalité et la virulence des choses qui m'entouraient, aucun son, aucun bruit ne me parvenait. J'étais dans une sorte d'intervalle où je pouvais tout voir sans rien entendre. J'avais l'impression de me trouver dans une présence-absence qui m'ouvrait la voie à certaines choses et me dissimulait certaines autres. La petite fille avait mes yeux et j'avais son regard. Celui de ce matin d'apocalypse qui m'avait jetée dans l'accablement du désespoir. Je sentais la présence des choses et des êtres beaucoup plus que je ne les sondais ou ne les vivais. A cause, peut-être, des sons et des bruits qui n'arrivaient plus jusqu'à moi. Je vivais tout dans un silence impressionnant. Je marchais pieds nus le long d'un sentier désert. Tous les bruits autour de moi avaient cessé. J'avais marché longtemps. Je ne sais même pas à quel moment j'avais perdu mes sandales en caoutchouc noir. Mes pieds foulaient les pierres et la poussière et je ne ressentais aucune sensation. La petite fille à la robe blanche marchait dans mes souvenirs, les mains crispées sur un pan de tissu. Ses yeux vides de toute

40

expression me mettaient mal à l'aise. Son regard ne parlait pas. J'avais peur de tout. Du vide qui m'entourait, du silence qui oppressait ma poitrine, du gouffre qui guettait chacun de mes pas. Entre toi et moi, s'était creusé un abîme sans fond. Tu dormais à l'aube de ton crime, englouti dans la chair grasse de ta nouvelle épouse. J'aurais souhaité oublier tout cela mais je n'y arrivais pas. Le poids du passé fut trop lourd. Pourtant, je m'étais promis de laisser dormir les vieux souvenirs. Je réalisai que la haine était tenace et que je devais nécessairement faire ce pèlerinage dans mon passé avant de rejoindre la rive de l'oubli, ou du moins celle de l'indifférence. Tu ne peux plus dire si ce silence fut une démesure de mon vertige. Quelle extravagance! Mon but? Détruire l'éternité de la mort dans laquelle tu t'es installé confortablement, créant ainsi la gêne dans nos paroles et le trouble dans nos pensées. J'avais marché longtemps. Une sorte d'aversion incontrôlable m'avait inspiré le crime du père. Mais j'étais très jeune pour un tel acte. C'était une espèce d'obsession qui dépassait mon corps et mes capacités. Te priver de la lumière du jour? Mais j'avais une priorité: survivre aux dix années qui nous séparaient de ce rendez-vous. Dérégler ton existence et précipiter ta conscience dans la confusion et la folie. Voir le remords dans tes yeux! Je marchais et pleurais sans discontinuer. La poussière avalait mes pas. J'avais la sensation étrange que je grandissais à chaque pas, comme un défi à ta propre lâcheté. Jamais auparavant je n'avais ressenti un tel frisson. Le vertige prenait possession de mon corps. Les larmes séchèrent sur mes joues et je me surpris installée dans ce silence dévastateur et intraduisible. Un silence qui préparait probablement l'oubli pour y emmurer les souvenirs de mon enfance. S'imposa alors à moi avec violence l'idée de la liberté. Comme une vibration, un état de vertige où j'allais perdre mes illusions et mes fausses croyances. Je devais passer par cette parole ravageuse afin de reconsti-tuer toutes les formes de mon passé nécessaires à la cristallisation de cette idée de liberté que j'avais cultivée durant toutes ces années où tes râles se confondaient avec la couleur de la nuit. Vois comme mes mains tremblent ! Je me souviens étrangement de ta nuit de noces. Tu étais ébloui et tu voulais que nous le soyons aussi. La chair de ta nouvelle épouse débordait de partout. Et tu nous répétais dans un délire exorbitant : « Allah est grand ! Il est miséricordieux ! Jamais, jamais je n'aurais espéré un si gros morceau. Quelle aubaine ! A partir d'aujourd'hui, je me sens revivre ! Dieu m'a comblé. J'aime Dieu et je loue ses bienfaits !... » Te rappelles-tu l'extravagance de tes révélations ? Je t'observais avec pitié. Je savais que la folie avait commencé à s'emparer de ta tête. La folie des hommes quand ils sont engloutis dans un sexe funèbre. Pourtant, je m'étais promis d'oublier tout cela. Enterrer le passé, comme on dit. Mais le passé est à jamais fixé devant nous. Derrière, c'est le noir le plus intense, le plus impénétrable. Il faut donc sortir de cette douleur innommable avant de franchir les limites de ce silence et de cette liberté indéfinissables. Le sentier défilait sous mes pas comme un vieux tapis berbère. Des paroles mortelles occupaient ma chair et mes moments d'angoisse. La malédiction circulait entre toi et moi. Je te maudissais au fond de moi comme tu devais le faire à chacune de tes prières. Tu devais ruisseler de mes crachats et de mes injures. Je n'avais aucune patience. La haine m'éblouissait. La tienne et celle de tes semblables. J'appréhendais cet instant. Je considérais que tu n'en valais pas la peine. Cracher ainsi sur ta dépouille ! A quoi cela m'avancerait-il ? Nous avancerait toutes, du moment que le vide et le silence de la mort auraient englouti ta mémoire et tes racines ? Mes mots devraient donc naître de cette absence, de ce vide excessif qui nous plaçait dans le paradoxe. Parler à ton cadavre. Parler de quoi ou de quoi ? Ce face-à-face macabre n'indique aucune réconciliation, aucun répit. Ta mort brutale a ôté son charme à notre vengeance. Tu peux rigoler sous cape puisque tu t'es payé deux fois notre tête.

Tu nous vois perdues devant ton silence et nous brodons des récits qui ne sont, somme toute, que le simulacre d'une dérision. Ce rien de mépris qui nous lie encore à tes entrailles devait suffire à provoquer cette double rupture que nous sommes revenues chercher auprès de tes os. Pourtant, je m'étais promis d'enterrer dans ma mémoire toutes les paroles de haine et de me rappeler uniquement des mots qui portaient moins de souffrance et moins de reproche. Je désirais autre chose que la violence. Et je suis surprise de trouver en moi autant d'irritation à ton égard. Passé ce moment, je suis sûre de franchir les limites qui me séparent des fragments douloureux de mon passé. Ce premier jet pour me protéger contre ton chant funèbre, contre tes os déjà éparpillés, contre la profondeur de ta mort... J'ai marché très longtemps dans la peur et la poussière. J'avais oublié le ciel et le soleil. J'étais entière dans ma douleur. Je ne me rappelle plus depuis combien de temps je marchais. Je désirais être la mort et venir te hanter au moment où ton corps serait pris de convulsions sur la chair épaisse de ton épouse. Te tuer au moment le plus crucial de ta jouissance. Mais je n'étais pas la mort et tu avais beaucoup de chance. Tu pouvais, à loisir, gigoter sur la poitrine généreuse de ton aimée, jusqu'à l'ivresse, jusqu'à la débauche, jusqu'à l'intoxication... Plus j'avançais et plus tu devenais invisible, et plus tu devenais invisible plus le désir de te détruire grandissait. Abject. Je ne trouve que cet adjectif pour dire la stase qui te foudroyait piteusement au moment de ta délivrance dans l'absence fulgurante de ta femelle. Dès la première nuit, j'ai compris que la mort venait hanter notre famille en s'infiltrant entre les draps nuptiaux et ta peau traversée par la décrépitude de la vieillesse. L'amant guettait dans l'ombre ta déchéance imminente et se glissait dans ton propre lit. Notre perte se lisait déjà dans cette abjection qui t'envoûtait chaque jour un peu plus. Nous étions affolées mais incapables de réagir. Tu étais subjugué par la chair plantureuse de ta nouvelle épouse. Tu ruisselais de reconnaissance et de remerciements. Quand tu retrouvais ta lucidité, tu la comblais de cadeaux. Son désir de se débarrasser de nous n'en était que plus encouragé. Tu t'éloignais de nous à chacun de tes assauts charnels. Tu devais te dire que nous ne comprenions rien à votre manège puisque nous étions rigoureusement placées en marge de votre furie. La cuisine et la remise étaient notre territoire. Ton image était déjà abîmée dans notre regard. Nous vivions dans la confusion de tes fantasmes hallucinants, comme des chattes traquées, grelottant d'indignation et d'impuissance. Saisies de panique au fur et à mesure que tes siestes s'allongeaient, nous nous étions rendues à l'évidence de ta perte. Le sexe de ta nouvelle élue t'avait englouti, t'enfermant dans la hantise de son odeur, de sa grâce et de sa désinvolture. Je luttais contre vos frissons, vos chuchotements au moment des repas. Tes regards lancinants. Horrifiée par la prodigieuse stratégie des deux amants, qui consumaient leur passion dans le désordre de ton excitation fantasque, il m'arrivait de t'observer avec compassion. Parfois avec pitié. Souvent avec rage et mépris. Au-delà de ton ivresse, tu te transformais en déchet humain. Tu tombas très vite esclave de la violence de sa chair. Je dois te dire tout cela aujourd'hui avant de passer à autre chose. Je me rends compte qu'il m'est impossible de faire table rase du passé. Mon présent et mon avenir en sont les otages. La voix de ma mère résonne encore dans ma tête, déchiffrant pour nous les secrets des signes et des symboles. Je ne devais laisser traîner ni mes ongles ni mes cheveux coupés. Je devais les enterrer ou les brûler pour qu'il ne reste aucune trace de moi susceptible de servir à la confection d'une amulette. Aucun chiffon qui aurait servi comme serviette hygiénique à mes menstrues ne devait échapper à ma vigilance. Mes souliers devaient toujours être droits et à l'endroit. Je devais éviter de pénétrer dans une salle d'eau avec le pied gauche. Parole essentielle. Faire attention aux anges juchés sur nos épaules, l'un à gauche inscrivant sur son registre toutes les mauvaises actions et l'autre, à droite, consignant les bonnes. Ne pas plaisanter avec les esprits et les fantômes de la nuit... Tu fixais ma mère de ton regard mauvais avant de lui lancer : « Laisse ces femelles tranquilles ! Rien ne peut leur arriver. Elles sont plus tenaces que le chiendent et plus résistantes que l'alfa. Si nous avions eu un garçonnet, il y a belle lurette que le mauvais œil l'aurait terrassé ! Rien n'arrive jamais à bout des femelles. Dieu est témoin de chaque parole que je prononce ! » Humiliée et confuse, ma mère baissait les yeux et regagnait ses casseroles. Je surprenais ses larmes, qu'elle essayait maladroitement de dissimuler. Je me retirais dans un coin et pleurais à mon tour. L'horrible silence que tu faisais régner dans la maison nous déroutait toutes. Quel désespoir ! Tu répétais avec délectation que l'enfer était peuplé de femmes. Je t'écoutais sans comprendre. A force de t'entendre répéter ces phrases, j'avais fini par les savoir par cœur. Tu disais aussi : « Les femmes manquent d'esprit et de religion. » Tu avais une préférence marquée pour cette parole de l'imam Ali, qui déclarait : « Hommes, n'obéissez jamais en aucune manière à vos femmes. Ne les laissez jamais aviser en aucune matière touchant même la vie quotidienne. Les laisse-t-on en effet aviser librement en quoi que ce soit, et les voilà à détruire les biens et à désobéir aux volontés du possesseur de ces biens. Nous les voyons sans religion quand elles sont livrées à elles-mêmes, sans pitié ni vertu dès qu'il s'agit de leurs désirs charnels. Il est facile de jouir d'elles, mais grande est l'inquiétude qu'elles donnent. Les plus vertueuses d'entre elles sont encore libertines. Mais les plus corrompues ne sont que catins ! Ne sont soustraites aux vices que celles à qui l'âge a fait perdre l'ombre de tout charme ! Elles ont trois qualités propres aux mécréants : elles se plaignent d'être opprimées alors même que ce sont elles qui oppriment, elles font des serments alors qu'elles mentent, elles font mine de refuser de céder aux sollicitations des hommes, alors que ce sont elles qui y aspirent le plus ardemment. Implorons l'aide de Dieu pour sortir victorieux de leurs maléfices. Et gardons-nous en tout cas de leurs bénéfices ! » Tu avais bâti des murs de silence et de mépris dans nos têtes. Chaque fois que ma mère répondait à l'une de tes invectives, tu ne trouvais que cette parole pour la remettre à sa place : « La femme tout entière est un mal, disais-tu, mais le pire c'est qu'elle est un mal nécessaire. » Tes déclarations m'affolaient même si leur signification m'échappait dans leur essence. Déjà j'étais atteinte du malaise féminin. Être de trop. Inutile. Née par erreur. Monstre atteint de quelque malformation honteuse. Impossible d'oublier cette satisfaction vicieuse qui brillait dans ton regard chaque fois que ma mère se mettait à sangloter, blessée dans son amour-propre et avilie dans sa féminité. Impossible d'échapper à tes sarcasmes assassins. Déjà, tu cultivais en nous le complexe féminin. J'avais honte d'être une femelle et je me sentais davantage diminuée d'être ta fille. Souvent, dans sa cuisine, ma mère répétait cette ultime prière : « Qu'Allah rende sa justice ! Qu'Il nous envoie sa lumière et que sa volonté soit faite ! » Je l'écoutais, m'interrogeant sur les mystères qu'elle devait garder dans sa tête. Mes secrets rejoignaient les siens dans une complicité muette. Inutile de me demander les feux de la haine devant ton orgueil démesuré. L'unique mâle de la maison et ma mère qui n'était capable de reproduire que la même erreur chaque année. Tu te pavanais comme un paon déplumé sur les débris de notre féminité. Tu disais que la chance ferme ses portes aux demeures qui ne connaissent pas la joie des naissances mâles. Ma mère pleurait en silence et nous pleurions avec elle dans une impuissance magistrale. Nos larmes se mêlaient dans une souffrance presque irréelle. Mon passé colle à ma peau comme la gale. Je pensais l'avoir oublié tout au long de ces années loin de ton tumulte. La petite fille habillée de blanc m'observait, absente. Ses yeux froids me glacèrent jusqu'aux os. Je la regardais sans comprendre. Elle vacilla soudain dans mon esprit et disparut dans mon vertige. Je compris que j'avais besoin de ce regard pour aller plus loin dans cette relation à la fois envoûtante et illusoire. Nos discours ponctués de rides et d'épouvante. Nous étions si innocentes, si jeunes et combien immobiles dans l'épaisseur de ta haine.

8

Maintenant, j'avais honte de toute cette haine accumulée. Toutes ces paroles dévastatrices me faisaient si peur que j'étais prise de panique. Je ne me reconnaissais plus. Traduire quelle misère et dire quel tourment ? Je n'avais aucune illusion sur les motivations de ce projet insensé, décomposé par la mort impromptue du vieux. Étrange sensation que celle de parler à un mort. Chama ne disait rien. Elle écoutait mon récit avec une extrême attention, analysant probablement chacun de mes mots, qu'elle devait disséquer dans sa tête avant de les ranger dans son abécédaire tragique. J'étais prête à donner n'importe quoi pour connaître ses pensées. Son souffle était régulier, ses yeux mi-clos. Elle releva la tête et son regard croisa le mien. Je compris qu'elle préparait son entrée sur scène. Le sirocco souffla si fort qu'il éjecta l'oreiller de la meurtrière. Un air chaud s'engouffra avec violence dans la pièce et fouetta nos visages défaits. Dehors, le silence. Aucun bruit, aucune parole, aucun son, aucun cri. Le calme plat. A part le chuchotement du vent contre les murs, tous les bruits avaient cessé. La meurtrière pratiquée au ras du plafond se transforma en bouche à four refoulant toute la chaleur de ses entrailles. Chama leva sur moi son regard déroutant, où je pus lire la satisfaction de quelqu'un qui n'a pas souffert seul. Je compris que mes mots avaient rejoint les siens dans une procession macabre. L'oreiller éjecté par la force du sirocco roula par terre et disparut sous la civière. Je suivis des yeux sa trajectoire mais n'eus ni l'envie ni la force de le récupérer pour le remettre à sa place. Le trou béant crachait sa colère contre nos visages. J'entendis l'écho de la voix de Chama grommeler dans la nuit :

– Raconte ! dit-elle.

Un silence se fit. Je savais que ma sœur s'impatientait. Je ne voulais pas l'encourager dans sa tyrannie. J'attendais, mal à l'aise devant ce silence inquiétant, dans cette pièce qui respirait la poisse et la mort. J'imaginais le regard de Chama posé sur moi. J'étais troublée. A la torture des mots s'ajoutait celle du regard. Je me perdais en suppositions, en extrapolations, en doutes, en supputations... Les cierges de mauvaise qualité continuaient d'enfumer la pièce et le sirocco fouettait les murs et brûlait nos visages.

– Continue ! m'apostropha Chama de sa voix caverneuse.

C'était le début du jour, dit Tamou en fixant le sol. C'était le début d'une longue souffrance. Je voyais à peine à travers mes larmes et la poussière du chemin s'agrippait à mes jupons. Mais je ne pensais pas à la poussière. Je ne pensais pas à l'avenir, ni même au passé. Je ne pensais pas. Je marchais comme une somnambule en plein cauchemar. J'espérais rencontrer la mort à chacun de mes pas. Je ne voulais pas me retourner pour ne pas faiblir, ne pas céder à la tentation de rebrousser chemin. Je marchais, marchais... et je ne voyais rien, n'entendais aucun bruit. J'étais absente du monde, hors du temps et de l'espace. Notre existence venait de basculer. Ma tête bourdonnait de migraine, vrombissait de vertige. La douleur habitait ma chair, une douleur diffuse, indéfinissable. Je refusais de penser à vous pour ne pas fléchir ou ralentir ma marche. Je t'en voulais, Chama, de nous avoir imposé cette séparation. Mortes pour mortes, nous l'aurions mieux supporté ensemble, dans la solidarité des exclus. Je considérais que tu désirais te débarrasser de nous. Étant l'aînée, tu ne voulais pas t'encombrer de nos cadavres ambulants. Tu cherchais à te sauver seule et je compris que nous étions un poids pour toi, un fardeau qui t'aurait empêchée de marcher vite et de gérer ta vie en solitaire. Je t'en ai voulu pour toutes ces années où nous avons vécu séparément notre folie et notre révolte sourde. Je t'en voulais si fort que j'avais oublié la traîtrise du père et ce que la main du destin nous avait offert...

Des étincelles explosèrent dans les yeux de Chama. Elle écoutait cette nouvelle voix, l'air ébahi. Il ne lui était pas venu à l'esprit que l'une d'entre nous pouvait remettre en question son autorité et ébranler son statut d'aînée. Tamou le fit si bien que j'en ressentis une indéfinissable satisfaction. Je respirai. Mes sœurs se regardèrent dans le blanc des yeux, comme deux ennemies prêtes à se battre. Je ne dis rien. Je n'avais rien à dire. L'ombre de la civière s'allongea du côté de la porte en épousant les bosses et les crevasses du mur, qui s'anima soudain comme un théâtre d'ombres. On aurait dit qu'il était habité par des âmes secrètes. Un mur fantôme grouillant de visages et de formes familières. Je reconnus des silhouettes, distinguai des configurations fantasques. Je suivais des yeux les sinuosités qu'avait décrites le passage de l'eau entre la pierre et les gros plâtras qui se détachaient par morceaux sans se décider à s'affaisser une fois pour toutes. A force de les observer, ces traces prenaient des formes humaines ou animales. Je distinguai nettement les contours d'un visage, les membres d'un corps, des yeux exorbités, des mains tendues, des têtes dolentes, un chien ou un âne. Le mur grouillait de vie et de personnages baroques. Une jeune femme passa entre des étalages de fortune, portant un panier sur la tête et un bébé dans le dos. Un porteur d'eau offrait ses services à qui les désirait. Un homme chargé d'un sac de blé traversa la scène en demandant aux passants de dégager le chemin. Un autre, le chapelet à la main, évoluait avec nonchalance sur le dos d'un mulet. Des gamins crasseux couraient dans tous les sens en lançant des cris stridents. Une femme jeune et belle, maquillée comme une poupée, s'approcha d'un marchand d'huile et le couvrit d'un regard languissant. Deux vieillards à qui manquaient des parties du corps jouaient aux dames en ironisant sur les postérieurs des femmes que le hasard plaçait dans le champ de leur vision : « *Allah ou aqbar !* Quel paysage splendide ! – Dieu a créé le paradis et le cul des femmes. Le premier est une aubaine. Le second est un paradis ! – Jette-moi un œil dans cette direction et dis-moi ce que tu penses de ce double volume d'Abou Nouwass ? – Allah est le plus parfait des créateurs... Il l'a ciselé dans le marbre le plus pur. Ni trop gros, ni trop plat, ni trop vaste, ni trop maigre. Un chef-d'œuvre sculpté dans la chair la plus gracieuse !... »

Les deux petits vieux s'évanouirent derrière une charrette qui s'était arrêtée pour décharger des tonneaux remplis à ras bord d'olives noires. Le bruit que produisait le choc des barriques m'empêcha d'entendre ce que disait Chama. Un nègre passa comme la foudre en hurlant à tue-tête contre un voleur hypothétique. Deux fillettes sortirent d'une maison dissimulée derrière une grosse tache d'humidité. Elles se tenaient tendrement enlacées par la taille. Deux gosses déboulèrent d'une ruelle. Dans leur course folle, ils renversèrent un fût dont le contenu se répandit sur le sol. Les olives noires roulèrent dans tous les sens. Je m'attendais à une bagarre magistrale entre toutes les silhouettes. Curieusement, l'incident n'engendra aucune rixe. Aucune injure ne fut proférée. La charrette se volatilisa soudain et, à la place des joueurs de dames, je ne distinguai plus qu'une silhouette informe qui s'allongeait le long du mur. L'homme sur le dos de la bête céda la place à un gribouillage malsain. Deux corps nus imbriqués l'un dans l'autre. Je chassai cette image de mon esprit en essayant d'imaginer autre chose. Les deux corps s'imposèrent à moi comme deux réalités indélébiles. Je me frottai les yeux et, quand je les rouvris, le mur n'était plus qu'un espace impur, mangé par l'humidité et l'acharnement du temps.

– Raconte ! ordonna Chama de sa voix autoritaire.

Je ne prêtai aucune attention à son injonction. J'épiais les bruits extérieurs comme pour m'arracher à la réalité de cette pièce où la confusion, la chaleur et la mort rivalisaient avec nos mots et notre fatigue. Sur le mur en face de moi, tous les personnages avaient disparu dans les courbes sinueuses de l'humidité. Les doigts de Chama s'acharnaient sur un pan du drap safrané jeté sur la civière. Les gestes étaient vifs, presque agressifs. Je ne voulais pas donner à ma sœur la satisfaction qu'elle attendait de mon récit. Pourquoi ne racontait-elle pas le sien au lieu de me presser de la sorte ? Je ne comprenais plus rien. Elle avait pourtant pris la parole la première et s'était embourbée dans ses propres mots. Elle aurait probablement préféré retrouver le vieux vivant pour le disputer à coups de griffes et d'injures triviales. La situation la déconcertait plus que nous, c'est pourquoi elle persévérait dans sa sommation, persuadée sans doute que mon passé était plus à plaindre que le sien. Prenait-elle quelque plaisir malsain à écouter toutes ces horreurs ? J'avais parlé comme elle, sachant que cela lui ferait plaisir. J'étais étonnée de découvrir tant de haine au fond de moi. Chama jubilait d'aise. Je me tus. Je devinais son regard transpercer mon corps comme la foudre. Je ne réagis pas. Elle pouvait fulminer contre mon silence ou reprendre son récit là où elle l'avait laissé. Je me demandai même si je n'allais pas lui jouer un mauvais tour. N'étais-je pas devenue, à son insu, l'organisatrice de cette narration ? En s'emparant de la parole la première, elle laissait le champ libre à toutes les spéculations. Je n'avais pas choisi cette corvée. Mais il fallait bien que quelqu'un expose les péripéties de notre mésaventure. Je l'avais fait parce que personne ne s'était chargé de le faire et que je ne pouvais pas laisser nos récits respectifs se mordre la queue. La face du mort avait changé de couleur sous l'effet de la chaleur, de la lumière des cierges et du temps qui passait inexorablement. Le sirocco redoublait de force et je recevais son feu comme des morsures de serpent sur le visage. Le mendiant installé sous notre fenêtre se réveilla soudain et entama le leitmotiv de la destinée : « Nous sommes poussière, et poussière nous redeviendrons ! » Aussitôt, les lecteurs du Coran entreprirent leur cacophonie rythmée dans le désordre des voix et des textes. Les pleureuses récupérèrent leurs larmes là où elles les avaient laissées et les voisines enchaînèrent avec le cri logique des femmes affligées. Cette explosion de voix et de cris me réconforta. Je me sentais comme isolée, à la merci des soupçons de Chama, qui devait, sans doute, deviner mon malaise. Les bruits emplissaient les lieux. J'imaginais les hommes et les femmes bredouillant dans le désordre de leur sommeil troublé. Le texte sacré, se mêlant aux lamentations, peuplait le vide et protégeait quelque peu ma vulnérabilité. D'ailleurs, j'étais décidée à jouer un mauvais tour à Chama, malgré la dureté de son expression et l'impatience de ses propos. Et si je la privais de parole ? Je ne lui permettrais pas en tout cas de m'imposer sa volonté comme elle avait l'habitude de le faire lorsque nous étions enfants. J'allais prendre ma revanche sur elle. L'empêcher de parler me paraissait un moyen efficace. Je lui bouclerais le bec une fois pour toutes. Il serait amusant que je la laisse répéter son refrain incessant : « Raconte ! »

Je la regardai droit dans les yeux. Mon insistance lui fit détourner le regard. J'avais gagné.

– Raconte ! répéta-t-elle, les yeux baissés.

Tamou n'avait pas desserré les dents depuis qu'elle avait éjecté ses premières phrases à la figure de sa sœur aînée. Le temps s'était arrêté soudain pour céder la place à cette parole sulfureuse. J'écoutais le vent cogner contre les murs avec rage. Ma main ne remuait plus. Chama n'avait pas encore réagi. Elle s'était contentée de foudroyer notre sœur du regard, avant de baisser les yeux. Sa vulnérabilité ne faisait aucun doute à présent. Je savourais ce moment précieux comme un début de victoire sur le caractère atrabi-

laire de Chama. Les chiens affamés avaient repris au loin
leur concert de rogne, de grogne et d'aboiement contre les
sacs de plastique éventrés. La chaleur accablait nos corps
et nos esprits, rendait nos gestes lents et imprécis, abrutis-
sait notre mémoire. Je regardai autour de moi pour faire
passer le temps, donner à Tamou l'occasion d'organiser sa
révolte et d'aligner dans sa tête les paroles qu'elle balance-
rait devant Chama. Nous attendions, les muscles tendus
malgré la chaleur. Les chiens récitaient toujours leur grogne
contre les charognes et les poubelles dégarnies. « Si tu veux
connaître un peuple, regarde dans ses poubelles ! » Les
nôtres étaient aussi vides que nos têtes, nos cœurs, nos
couilles et le reste. Un peuple silencieux, résigné, frappé par
la fatalité des indigents qui croient que les choses doivent
être ainsi et pas autrement. Figé dans la peur. Fou et désespéré, le vent continuait à gifler les murs et les persiennes
des maisons. Les voix avaient diminué d'intensité dans la
pièce à côté. Je devinai la fatigue des saints lecteurs du
Coran et la lassitude des pleureuses. Les mendiants
devaient dormir sous les figuiers, la bouche ouverte, le
corps à la merci des fourmis, des mouches, des punaises et
des moustiques.

Je ne voyais plus que ton regard dans ma solitude. Je
n'entendais plus que ta voix. Ta dernière phrase bourdonnait dans ma tête. Nous séparer. Partir chacune de son côté.
Nous effriter. Nous fragmenter. Il a fallu au père quelques
années avant de nous jeter à la rue. Toi, tu nous as liquidées
en un tournemain, sans te demander un seul instant ce qui
pouvait nous arriver, sans te soucier de notre destin, sans la
moindre tendresse. Et tu étais pire que le père dans son
acte. Lui au moins avait des circonstances atténuantes : la
peur, la lâcheté et la faiblesse de la chair. J'allais dire
l'amour. Or celui qui n'aime pas sa propre chair ne peut
aimer que l'illusion de l'amour. Mais tu ne nous as jamais
aimées, toi non plus. Tu cherchais à te sauver seule et nous

55

risquions d'alourdir tes pas et de rendre ta course plus lente. Tu étais l'aînée, et tu nous as abandonnées, comme ton père, à ce carrefour où les routes croisaient la misère. Tu es partie dans la précipitation, sans te retourner sur nos larmes, sans t'inquiéter un instant de notre sort.

Un chat miaula juste à ce moment-là et Tamou s'arrêta de parler. Chama s'ingéniait à froisser ses mains l'une contre l'autre, hésitant à nous regarder dans les yeux. J'imaginai son impatience et devinai sa colère. Mais comme elle s'était préparée à toutes les éventualités, je savais qu'elle n'aurait pas de peine à tirer son épingle du jeu, si bien qu'elle deviendrait la première victime de cette tragédie. Le vent continuait sa danse macabre dans les ruelles sombres du village. Les mendiants reniflaient de plus belle et les voix, brisées par la fatigue et le sommeil, nous parvenaient comme un demi-rêve. La meurtrière laissait passer le souffle de la géhenne qui nous brûlait le visage. L'eau ruisselait le long de mon échine et mes aisselles étaient trempées de sueur. L'air manquait dans la pièce et la face du mort continuait sa lente métamorphose.

Je fixai mon regard sur le mur en face de moi. Quelques formes dansaient à la lueur des cierges. Le visage du mort gardait son masque d'horreur et la chaleur du sirocco triomphait de nos silences et de nos hésitations. Je dissimulai ma gêne. Rien ne laissait prévoir un miracle en notre faveur. Provoquer l'événement pour dissiper l'étonnement. Je décidai que Chama n'aurait droit qu'à son leitmotiv, qu'elle répéterait, au moins dans ce chapitre, comme un perroquet qui n'aurait rien appris d'autre. Les voix qui provenaient de l'extérieur, confuses et fatiguées, me tenaient compagnie, offrant à la scène un fond sonore à la fois grave et cocasse. Le vent chaud continuait à fouetter tout ce qu'il rencontrait sur son passage, transmuant le peu d'air qui restait en fournaise. Je suais de l'intérieur comme une éponge imbibée d'eau. Je sentais de grosses gouttes froides couler le long de mon échine avant d'être absorbées par le tissu de ma robe. En face de moi, le mur demeurait de plâtre humide et de moisissure. Le mort reposait dans l'étuve sèche qui calcinait sa matière.

– Continue ! apostropha Chama.

Elle voulait m'avoir par surprise. J'ignorai son appel. Ses doigts continuaient à froisser un pan du drap qui recouvrait la dépouille du père. Son profil gauche se découpait dans la pénombre avec netteté. Le mur n'exprimait plus rien. Les lecteurs bégayaient un verset coranique d'une voix pâteuse. Un hurlement apocalyptique traversa l'espace et me transperça les oreilles. Probablement la marâtre qui jouait sa scène d'épouse infortunée. Les enfants avaient dû s'endormir, car leurs cris ne nous parvenaient plus. La pendule sonna dans la pièce à côté mais je n'eus pas le réflexe de compter les coups. La peau du cadavre se desséchait de minute en minute. L'usure attaquerait bientôt les os. J'imaginais les vers entreprenant leur travail de destruction. Chama balbutia une phrase inintelligible entre ses dents avant de cracher par terre. Elle pensait sans doute m'impressionner. Je l'ignorai, décidée à la faire tourner en rond autour d'une seule et même interjection : « Raconte ! »

En observant le mur tout à l'heure, une idée m'était venue à l'esprit. Chama se réjouissait sans doute de mon malheur. Elle buvait mes paroles avec un ravissement manifeste. Les mots du Mal et de la malédiction. Et si je racontais une histoire drôle maintenant que je l'avais neutralisée ? Sélectionner les souvenirs les plus amusants au lieu de nous entre-déchirer à coups de paroles tragiques. En nous quittant à ce croisement de routes voilà dix ans, Chama avait prétendu que nous aurions ainsi plus de chances de nous en sortir. Il était donc possible que je m'en sorte avec moins de dégâts qu'elle. Après cette bouffée de haine, pouvais-je passer à des paroles d'amour et à des histoires drôles ? De ma petite fenêtre qui donnait sur cette immense place, j'étais le témoin assidu de scènes multiples où le charme, le rire, le divertissement, la curiosité et l'action se combinaient pour la satisfaction des touristes et le mystère des petites gens.

– Parle ! me lança Chama.

Je fermai les yeux, pensive. La nuit, vouée à tous les maux, avançait lentement à travers nos rêves. Dans l'autre pièce, la racaille était au complet. Racaille des pleureuses, des mendiants, des lecteurs aux yeux collés sur la porte de la cuisine. Racaille des femmes hystériques, des vieillards gâteux, des curieux importuns, des chômeurs inéluctables... La maison paternelle était devenue fatalement le lieu de rendez-vous des marginaux et des laissés-pour-compte. Le sirocco accompagnait tout ce beau monde dans son délire funèbre. Larmes, cris, sueur, chaleur... traquaient nos récits au détour de chaque phrase, de chaque hésitation, de chacun de nos silences troublés. En face de moi, le mur gardait son opacité. Les taches humides ne parlaient plus. Elles refusaient de trahir leur secret, résistaient à dévoiler leur énigme. Le désordre des choses et des êtres. Un flot de pleurs me parvint de l'autre pièce. J'imaginai les enfants recroquevillés sur eux-mêmes, les fesses nues, dévorées par les punaises et par le regard avide des vieux et des homosexuels. Les cuisinières devaient être occupées à préparer la soupe du matin. Leur large fessier devait faire fantasmer les hommes qui se trouvaient dans les parages. La meurtrière soufflait son feu sur nos visages. Personne n'avait le courage de remettre l'oreiller à sa place pour nous épargner les brûlures du chergui. Je sentis les regards de mes sœurs converger sur moi. Je les ignorai, persuadée qu'elles finiraient par se lasser du silence que je confectionnais autour de moi. Les bruits avaient cessé à l'extérieur. Les gamins ne s'amusaient plus à hurler. Les chiens n'aboyaient plus, déçus sans doute par le sommeil des enfants et l'éreintement des adultes. Chama ferma les yeux un moment et je soupçonnai des larmes sous ses paupières. La nuit avançait lentement à travers mon délire. Je ne voulais plus m'indigner de mon sort ni m'assujettir au rôle de la victime à plaindre. J'avais envie d'être et d'exister autrement, même si, pour cela, je devais inventer une histoire ahurissante ou sublime. L'aube n'était pas très loin et je devais l'accompagner dans son ultime voyage. Mes mots étaient prêts. Je devais les lâcher comme des hordes de chiens sur le gibier et courir après eux à la recherche d'une plausible explication ou d'une hypothétique justification. Tous les mots m'appartenaient. Même ceux de Chama, que j'avais décidé de lui confisquer. Claustrée dans son mimodrame, Chama soupçonnait sans doute mon intention. Mais pouvait-elle mesurer les limites que je m'apprêtais à installer entre elle et la parole ? J'avais la paix. Une paix provisoire, certes, mais qui avait une importance capitale dans cette nuit tempétueuse à l'odeur poisseuse. Je n'avais plus envie d'entendre les lamentations de ma sœur aînée. Je voulais m'isoler dans mes propres mots avant de sombrer dans un sommeil profond. Une autre manière de me venger de Chama. M'endormir au milieu d'une phrase et suspendre le récit au-dessus de sa tête. Arrêter le temps entre deux idées. Rompre la syntaxe du récit et lui substituer l'attente, le mystère, l'énigme. Prolonger indéfiniment le suspens et laisser au temps le temps de s'activer pour échapper à notre double délire : celui de l'oubli et de la désolation.

9

Le mur allongea son ombre dans la direction de la porte et enveloppa la civière d'une tache opaque. J'avais l'impression qu'une fumée épaisse marchait sur moi, noire, menaçante. J'esquissai un mouvement de recul. Chama ne releva pas la tête. J'imaginais des formes dévoreuses de viande et suceuses de sang se répandre dans tous les recoins de la pièce. Le vent chaud continuait à s'engouffrer avec force par la meurtrière pratiquée au ras du plafond. Les doigts de Chama avaient cessé leur manège sur le drap safrané du macchabée. Aucune voix ne parvenait de l'autre pièce. Le silence était tombé d'un coup. J'étais seule face à mes mots, à mes sœurs, à un cadavre qui commençait à se décomposer et attendait la délivrance. Je me sentais prisonnière. Je devais m'acquitter de ma dette envers mes sœurs puisque j'avais pris la résolution de les priver provisoirement de la parole. Je me pensais incapable de tisser un récit cohérent. J'étais dans le doute. Avais-je quelque chose à dire ? Je sentais l'impatience de Chama. Les mains posées à plat sur le drap safrané du cadavre, elle était probablement sujette à un bouillonnement tumultueux, prête à se ruer sur moi pour m'accabler d'invectives. Il était donc dans mon intérêt de la priver longtemps de cette parole qu'elle risquait de retourner contre moi. Mais je ne pouvais continuer indéfiniment à faire la sourde oreille à ses injonctions incessantes. Heureusement, à ce moment précis, un homme passa dans la rue en répétant des paroles dans la nuit. Confuses,

ses phrases me parvenaient au début comme enveloppées dans un brouillard. Chama retira une main et son
geste me parut immense, comme un événement grandiose
qu'on n'attendait plus. Ce seul geste emplit toute la pièce.
L'homme à l'extérieur parlait toujours. Et plus il se rappro-
chait, plus sa voix devenait distincte. Il réveilla brutalement
le mendiant qui dormait sous notre fenêtre et une dispute
s'engagea entre les deux hommes. Leurs mots orduriers,
emportés par le sirocco, s'engouffraient avec violence dans
la pièce et écorchaient mes oreilles. Chama ne releva même
pas la tête. Elle se contenta de ramener l'autre main sur le
drap, qu'elle agrippa avec énergie. Le mendiant se réveilla
dans une pétarade d'injures et d'incantations :

– *Ach had achi !* Qu'est-ce que c'est que ça ? dit l'homme
dans sa panique. Maudits soient les pécheurs et les renégats !
Il n'est de dieu que Dieu et Mohammed est son Envoyé...

– Chante ta sérénade ! s'exclama l'intrus d'une voix
pâteuse.

– Tu passes le plus clair de ton temps dans les tripots à te
saouler et tu viens déranger ma paix chaque nuit... Je vais
te montrer de quoi je suis capable, espèce d'ivrogne impé-
nitent !...

– *Sîr Allah itoub alina ou alik !* Je ne viens pas te disputer.
C'est ma place et tu le sais bien... Va ailleurs et laisse ce
moment se dérouler sans effusion de sang... Je suis gai ce
soir et je ne permettrai pas à une punaise de ton espèce de
gâcher mon plaisir...

– *Ouald al qahba !* Fils de pute !

– Si tu veux ! Mais dégage à présent !...

– *In âl dîn ammak !* Maudite soit la religion de ta mère !
Tu ne penses tout de même pas que j'ai peur de toi !

– Tu veux peut-être que je te fasse contempler le soleil
dans le cul de la nuit !

– Mon cul, oui !

– Écoute tes vieux os craquer à chacun de tes gestes ! Tu
es désarticulé comme un épouvantail à morpions...

– J'ai peur de t'assommer et que les gens disent que j'ai profité de ton état. Un jour tu me trouveras. Et ce jour-là, même le diable bleu sera incapable de te soustraire à ma fureur !...

– C'est ça ! A présent, décampe et laisse le prince savourer une nuit paisible, chaude et calme... Dieu est Miséricorde, il a pitié des sans-abri. C'est pourquoi il fait marcher le chauffage sans interruption...

– Tu fais partie du bûcher de la géhenne à force de blasphémer sans arrêt... Tu verras ce que Dieu fera de tes os !

– Ça ne te regarde pas, face de rat ! Fiche le camp d'ici, c'est tout ce que je te demande... Dieu, j'en fais mon affaire !

– Je n'ai pas l'intention de bouger d'ici. Et si tu es un homme, fais-moi partir...

– Les ancêtres – qu'Allah les brûle un par un – avaient raison : qui te cache son visage dans le rêve te montre son cul au hammam ! *Noud, sîr t'qaouad !* Va te faire foutre !...

– Qu'Allah t'afflige de tous les maux de la terre ! Que le cancer te bouffe le cœur et que le sida te ronge les testicules !

– Ma patience a des limites, vieux croûton !

– La mienne n'a pas de bornes, cul de chimpanzé !

– Va-t'en ! C'est la dernière fois que je le répète !

– Le jour où tu me montreras ton titre foncier, je t'abandonnerai le lieu sans problème ! Pour le moment, je suis tout aussi chez moi que toi !

– Tu es une tête de limace et tu ne comprends que comme les bourriques : à coups de pied dans le derrière !

– *Wak wak a ibâd Allah !* Cet homme est devenu fou ! Il n'a aucune pudeur et aucune éducation ! Qu'Allah nous envoie sa lumière et sa miséricorde !

– Tu me fais chier à la fin !

– Surveille tes expressions ! Il y a des gens qui ne dorment pas et qui doivent être horrifiés par ton langage des poubelles !

– *Anoud assidi* ! Lève-toi et pars tout de suite si tu ne veux pas recevoir mon poing dans la figure !

– Même les poules commencent à nous effrayer ! Ce n'est pas parce que je ne dis rien que tu peux emmerder le monde à ta guise !

– Tu ne veux pas partir ?

– Non !

J'entendis un coup sec. Une gifle ou un coup de poing. L'un des deux hommes poussa un hurlement dans la nuit. Tamou leva les yeux dans ma direction. Chama se contenta de lancer sa sommation à mon intention :

– Raconte !

Le mendiant frappa le mur de son bâton et les coups résonnèrent aux quatre coins de la pièce. L'autre bougonnait. Le mendiant injuria méthodiquement l'ivrogne avant de quitter les lieux. Au son de sa voix, qui diminuait progressivement, je compris qu'il partait, chassé par la violence de l'ivrogne.

– Sois maudit autant de fois qu'il a plu, s'écria le mendiant à l'intention de l'ivrogne, autant de fois qu'il a fait beau, et autant de fois que le chien a marché pieds nus !...

Le calme revint dans la rue. Seuls les ronflements intermittents de l'ivrogne perturbaient le silence de la nuit. J'étais, une fois de plus, livrée à l'opportunité de mes propres mots. Je soupçonnai même Chama d'avoir tout manigancé pour que je me retrouve coincée dans cette situation incommode. Elle était capable de tout. C'est pour cette raison, probablement, qu'elle n'avait pas réagi aux invectives de Tamou. Elle nous préparait un sale coup. Pour l'instant, je m'étais laissé prendre à son jeu et m'étais installée dans une position inconfortable. La gêne gagnait ma voix et j'étais préoccupée par l'évolution du récit. Me dégonfler devant elle était la pire défaite que je pouvais supporter. Je devais donc continuer coûte que coûte à progresser dans la construction de mon récit. Maintenant que Tamou avait pris la résolution de parler à son tour, le poids devenait moins insupportable. Nos destins allaient se croiser pour accompagner le cadavre du père jusqu'à la tombe.

Un grognement animal nous parvint de l'extérieur. L'ivrogne disputait un chien qui dérangeait son sommeil :
– Clebs de malheur ! J'ai pas fini avec l'aveugle que tu viens m'emmerder... Tu me lèches les lèvres et le visage comme si j'étais ta maîtresse ! Attends un peu que j't'attrape ! J'te f'rai bouffer tes couilles ! Sale chien !...

Tamou rougit et détourna son regard. J'en fis autant. Cette parole incongrue m'indisposait, me gênait, bien qu'elle remplît le silence qui s'était installé. Cette voix soudaine dérangeait la progression de nos récits. J'avais en fait l'impression que cette parole me montrait du doigt le lieu de notre défaillance. Cracher notre haine à la face d'un absent. Parler sans destination. J'aurais voulu que le mort fût un chien ou un aveugle pourvu qu'il répondît à l'état de siège que nous lui faisions subir. Parole inerte, se trompant de partenaire et d'objectif. Inconsolation ! Nous étions condamnées à parler dans cette souffrance immobile. Ruser avec les mots. Donner un sens à notre agitation. Nous faisions l'apprentissage de la parole, nous qui avions été constamment vouées au silence des tombes.

L'ivrogne injuria longtemps, maudit tous les chiens de la terre et n'oublia pas ceux qui en possédaient. Les mots avaient du mal à se détacher de son palais. Ils étaient si lourds, si gluants qu'il me semblait les voir passer comme des ombres chancelantes devant moi avant d'aller s'agglutiner sur le mur d'en face. A ses « *T'fou alik !* » succédèrent des « *Ouald al qahba !* », des « *Maskhout al walidîne !* » et des « *Inâl dîn Rabbak !* ». Des injures ordurières et primitives. Je l'imaginai gesticuler dans la nuit, aux prises avec un chien perdu et affamé. Un silence se fit, puis il fredonna un air licencieux avant de donner libre cours à ses ronflements sonores. Cet homme me rappela Azzi Manégass. Je serais incapable de dire pourquoi. Le klaxon du poids lourd qui avait retenti à quelques centimètres de moi m'arracha soudain à l'état d'absence où je me trouvais. Je m'arrêtai, stupéfaite, tremblante de frayeur. Le camion stoppa quelques mètres plus loin et un homme trapu et robuste en descendit. Sa forte corpulence donnait à sa physionomie quelque chose de comique. Il s'approcha de moi en gesticulant dans tous les sens, l'air furieux :

– Que fais-tu sur cette route ? Je vois ! Tes parents t'ont envoyée sur les routes pour toucher la prime d'assurance. Le pire, c'est que tu risques de te faire écraser par quelqu'un qui n'est pas assuré...

Il ricana. Je ne répondis pas. Il me dévisagea un long moment avant de continuer son interrogatoire :

– Tu es d'ici ? Je veux dire, de la montagne ?

Je le regardai dans les yeux. Il baissa son regard. J'ignorais où j'étais. La plaine ou la montagne, quelle différence ? L'homme me posa d'autres questions, auxquelles je ne répondis pas.

– J'ai failli t'écraser ! Où vas-tu comme ça sur les routes à cette heure de la journée ?

Je ne dis rien. Il leva les bras vers le ciel dans un geste d'impuissance et me tourna le dos. Il fit deux ou trois pas puis se retourna vers moi :

– Je peux te déposer quelque part si tu veux. Moi, je vais à Marrakech. Si tu ouvrais la bouche, ça serait plus commode pour tous les deux...

Je restai de marbre.

– Quelle journée, nom de Dieu ! Il fallait que je tombe sur une carpe comme celle-ci aujourd'hui... Dis-moi où tu vas.

Je demeurai silencieuse. Ses yeux brillaient de mille éclats. Des yeux intelligents, sans doute.

– Je sais ce que je vais faire ! s'exclama-t-il. Je vais t'emmener au commissariat le plus proche. Là-bas, les flics sauront te faire parler et te ramener chez toi !

Seules mes larmes firent écho à ses menaces. Il me

regarda longuement, passa sa main rugueuse dans mes cheveux et me dit :

– C'est bien ! Si tu ne veux pas parler, tant pis. Fais ce qu'il te plaît ! Moi, je dois partir si je ne veux pas me faire gronder par mon patron. J'ai un chargement qui vaut de l'or à livrer. Au revoir, petite !

Il haussa les épaules et se dirigea vers son engin, le pas décidé. Il ouvrit la portière, grimpa comme un singe dans le monstre et cala ses fesses avec un oreiller. Il sortit sa tête par la vitre baissée et m'interrogea une dernière fois :

– Que décides-tu ?

Je bondis sur l'autre portière sans hésitation. Un rire malin illumina le visage de l'homme et je lui trouvai quelque grâce. Je m'installai tout au bout du coussin. Le routier se pencha de toute sa corpulence vers moi, allongea le bras dans la direction de la poignée de la portière que j'avais laissée ouverte et tira de toutes ses forces. Le bruit fracassant m'indisposa. Dans son mouvement, l'homme à la petite taille m'écrasa la poitrine contre le dossier en cuir. Je séchai mes larmes d'un revers de la main. Je regardais droit devant moi. Le moteur vrombit et il démarra en douceur.

– Nous sommes en retard ! affirma-t-il en m'adressant un regard narquois.

Ce « nous » me parut incongru. *Il* était en retard. Moi, j'avais tout mon temps. Pour moi, ce « nous » ne pouvait être qu'une manifestation d'orgueil, une sorte de compensation verbale pour masquer son complexe. Il n'était même pas « un » en entier pour prétendre être ce « nous » qu'il avait exhibé devant moi comme une réalité incontournable. Cherchait-il à me provoquer ? Comment faire confiance à un étranger ? C'était la première fois que je me trouvais à côté de quelqu'un que je ne connaissais pas. De surcroît, un homme. Je commençai à regretter mon geste. Qu'allait-il penser de moi ? La route filait à toute allure sous les roues de la mécanique flambant neuve. A gauche et à droite, les arbres fuyaient à une vitesse vertigineuse. De temps en temps, l'homme jetait des regards furtifs dans ma direction. Je faisais semblant de ne pas m'en rendre compte. Son sourire malin ne quittait pas ses lèvres. Il mit la radiocassette en marche. La voix de Warda imprégna l'atmosphère de suavité. Je m'endormis presque aussitôt. Quand le conducteur me réveilla, j'étais bien reposée. Nous avions sûrement roulé longtemps. Une haute mosquée se présentait à nous dans une architecture antique. Nous étions arrivés à Marrakech.

10

La portière du véhicule s'ouvrit. La forte carrure du
« nain » se dessina devant moi comme une injure. La peur
s'empara de mes tripes. Le vide s'ouvrait comme une
tombe autour de moi. L'homme me dévisagea avec son sourire malin collé sur les lèvres. Une espèce de paralysie
gagna mes membres. Je n'arrivais pas à bouger.
– Terminus ! Tout le monde descend...
La voix flûtée du chauffeur me tira de ma torpeur. Je fis un
geste et me ravisai. Où aller ? J'eus l'impression qu'une montagne s'était abattue sur mes épaules, me clouant sur le siège.
– C'est ici que nos destins se séparent... Descends ! J'ai
besoin de repos...
Des larmes de désespoir jaillirent de mes yeux. L'homme
grogna contre le hasard qui m'avait placée sur son chemin.
Il donna des coups de pied rageurs dans la roue de devant
et cracha plusieurs fois par terre. Je ne bougeai pas. Je
regardais les gens autour de moi, effrayée par le tumulte,
le désordre, les cris de la foule agglutinée, le vacarme
assourdissant des marchands ambulants, des conteurs, des
charmeurs de serpents, des dresseurs de singes, des carto-
manciennes, des mendiants agressifs et alertes, des petits
porteurs, des pickpockets aux mouvements prestes, des tra-
fiquants de hachisch, des proxénètes et des homosexuels
convaincus ou occasionnels. Dans quel guêpier étais-je
tombée ? Lequel de ces enfants abandonnés par le destin
allais-je devenir ? Je me voyais déjà assise en tailleur en face

d'un conteur et faisant la quête après chacun de ses récits. Voleuse à la tire comportait des risques. Mendiante condamnait à simuler un handicap physique pour exciter la compassion des passants et susciter leur générosité. Les serpents me faisaient peur et les singes me frappaient de répulsion. Tirer les cartes demandait beaucoup de savoir-faire. Guide pour les touristes amateurs d'exotisme exigeait une connaissance parfaite de la ville et la possession de plusieurs langues étrangères. Assister un marchand ambulant ou tomber entre les mains d'un entremetteur notoire... mon destin allait se jouer sur cette place encombrée et tumultueuse. J'avais peur.

– Qu'est-ce que tu fous, bordel de merde !...

La voix du routier asphyxia ma rêverie. L'écho de mes sanglots diminua sa rage frémissante.

– Mon cœur me dit que je suis tombé sur un os et que je vais regretter toute ma vie cette bonne action !

Puis, sur un ton moins maussade :

– Si au moins tu pouvais l'ouvrir ! Me dire ce que tu veux, ce que tu cherches... Je peux peut-être t'aider.

Un malaise dense hantait l'atmosphère.

– Je vais être la risée de tous les copains ! Quelle misère !

Il y eut un silence lourd de prémonitions. Tout mon corps était collé au siège du véhicule. Je ne comprenais pas ce qui m'arrivait. Comme si des mains géantes et invisibles me retenaient prisonnière dans cette cabine qui sentait la graisse et le mazout. Les mains du destin ! J'étais fatiguée. Tout se mélangeait dans ma tête et la terre se mit à tourner autour de moi. Le chauffeur du poids lourd parlait. Je n'entendais plus ses jérémiades. A bout de patience, il claqua et verrouilla la portière puis disparut dans la cohue. Je m'allongeai sur le siège et m'endormis au milieu des appels, des cris et des lamentations.

La face du mort résistait à la décomposition malgré la chaleur qui brûlait notre chair. Le drap blanc commençait à donner des signes de fatigue entre les doigts de Chama. Recouvert d'une fine pellicule de poussière, il participait à l'ironie de notre sort, étalé comme une tache désespérée, il nous renvoyait à la figure la démesure de cette mort inouïe. Des sueurs froides perlaient le long de mon échine.

– Mon histoire, dit Tamou, ce n'est pas à lui que je la raconte, mais à toi. Pour que tu saches ce que j'ai enduré pendant ces longues années, parce que tu n'as pas su me protéger, pas su m'aimer, pas su préserver mon enfance. Lui, il ne compte plus depuis qu'il a enterré notre mère. Tu étais l'aînée et tu avais le devoir de préserver notre innocence. Tu ne l'as pas fait. Je sais que tu étais trop jeune pour t'occuper de nous. Mais tu aurais dû faire un effort. Nous obliger à rester ensemble au lieu de nous disperser de la sorte sur des chemins d'exil et de poussière...

Tamou se tut et je vis briller une expression de révolte dans le regard de Chama. Mais elle ne dit rien. Elle respectait chaque parole, attendant sans doute son tour pour passer à l'offensive. Elle remettrait les choses à leur vraie place en retournant la situation en sa faveur. Je la savais capable de toutes les ruses. Mais aucune ruse n'aurait pu diminuer l'intensité de ces instants saisissants que j'étais en train de vivre dans une douleur et une satisfaction poignantes. Tamou me fixa avec intensité. Ses phrases étaient mon seul repère et mon unique soutien.

Le cauchemar que j'étais en train de vivre perturbait mes sens et transformait mon corps en une pâte meurtrie par la douleur, les larmes et la peur. Les gens couraient dans toutes les directions. Hommes, femmes, enfants... Tout le monde s'agitait, qui autour d'un commerce, qui autour d'un spectacle, dans une frénésie épouvantable. Je compris que la vie était amère pour beaucoup de personnes et que je constituais un petit grain dans ce magma de souffrance et de misère que les riches ignoraient. J'observais les filles de mon âge s'affairer à vendre un bouquet de menthe ou d'absinthe à des clients indifférents. D'autres proposaient des gants de toilette faits maison à des passants absents ou pressés. D'autres encore s'agrippaient aux manches des touristes désabusés, les incitant à une générosité qui n'entrait pas dans le programme de leur visite guidée. La place, qui fascinait les étrangers et faisait la fortune des bazaristes, des restaurateurs et des guides homosexuels, m'apparaissait comme un lieu où se serait groupée toute la misère du pays. Le rêve se vendait bien et les touristes tant adulés par l'État trouvaient là un monde merveilleux où le drôle, le pittoresque, l'insolite se mêlaient avec violence pour le grand frémissement des yeux bleus et des peaux blanches. Absurdes avec leur casquette de boy-scout, le short qui tombe sur les genoux fatigués, la banane bien ficelée sur des panses ventripotentes et l'inéluctable appareil photo suspendu à des nuques fripées. Le spectacle n'est jamais là où on croit. Les femelles blanches piaillent à chaque manifestation curieuse, frémissent à chaque scène triviale. Les mâles aux fesses gélatineuses vibrent à chaque regard, à chaque poignée de main, à chaque frôlement, à chaque pression du corps. « Oh ! quelle chaleur humaine dégagent ces Marocains ! On ne vit plus ça chez nous. Chacun dans son coin... Ici, on est en contact physique permanent avec les gens. Et ça, j'aime bien. Sentir l'autre contre soi. Enrichir son épiderme en se frottant à autrui. Ça aussi, c'est de l'interculturel... Formidable ! Les gens sont sympas. J'adore ce corps à corps violent et enchanteur. J'adore les hommes. Ils ont un regard ! Une manière directe de t'aborder... En fait, on sent qu'ils sont plus libérés que nous, plus naturels, plus... comment dire ? Plus instinctifs ! C'est ça : plus instinctifs. Directs. J'aime... » Les femmes tiennent un autre discours : « Quelle agressivité ! Je déteste cette foule indisciplinée. Ces manières de sauvages... Je suis mal à l'aise dans ces corps en désordre. Aucune intimité. Beaucoup d'agressivité dans le regard et le geste exagéré... Le soleil est insupportable... Quelle catastrophe ! Je me souviendrai longtemps de ce voyage... Trop de misère. Les mendiants partout. Ils t'assaillent de toutes parts... Mal à l'aise. Pas bien du tout. Ils vendent de belles choses de l'artisanat. Mais je déteste leur manière de faire. Ils pensent que le touriste est cousu d'or. Tu es obligé de marchander pendant de longues heures. Si tu n'es pas sur tes gardes, ils te volent sans scrupule. C'est fatigant ! »

– La réalité du pays et celle du touriste se confondent dans une caricature, invitant les protagonistes de cette tragi-comédie à jouer des rôles qui faussent les rapports humains, installant des préjugés insurmontables dans les mentalités. Or le jeu rapporte quelques devises à l'État et résorbe un peu le chômage. Tout le monde ferme les yeux. Tant que les intérêts des uns et des autres sont préservés, les petites misères du pays ne comptent pas. D'ailleurs, chaque État a son lot de difficultés. Les petits mendiants, les chômeurs diplômés, les jeunes prostituées, la corruption, l'abus de pouvoir, le mépris des droits de l'homme, le détournement des mineurs et des fonds publics... courent les rues partout dans le vaste monde. Pourquoi s'indigner alors outre mesure des malheurs de ce pauvre pays ? Les choses marchent et le pouvoir en place sert de rempart contre la montée de l'intégrisme. C'est une donnée importante qu'il ne faut pas perdre de vue. Voyez ce qui se passe chez nos voisins !...

Je ne comprenais rien à ce qui se disait. L'homme qui parlait ainsi avait la peau blanche, les yeux dissimulés derrière des lunettes de soleil. Celui qui l'écoutait hochait la tête sans dire un mot. L'homme à la peau blanche était assez âgé. Son interlocuteur était adolescent, le teint hâlé par le soleil. Il était habillé modestement. La silhouette un peu frêle mais le regard étincelant. On aurait dit qu'il avait des torches dans les yeux, tellement ils brillaient. Je fus subjuguée par ce regard plein d'intelligence et de détresse mélangées. L'homme à la peau blanche parla longtemps sur la situation du pays dans un dialecte approximatif. Sa main droite, restée libre, caressait la nuque du jeune garçon, qui n'arrêtait pas de regarder loin devant lui. Je me rendis compte que je n'étais pas seule dans la souffrance, mais que nous étions très nombreux dans ce pays à payer de notre jeunesse, de notre dignité, de nos larmes..., les échecs politiques à notre égard et à l'égard du pays tout entier. La main entreprenante s'arrêta un moment au creux des reins du jeune homme, dont le visage changea de couleur. Nos regards se croisèrent à cet instant précis et je crus comprendre sa douleur. Comme la plupart des garçons de cette ville, il avait quitté le lycée pour s'occuper de sa famille, abandonnée par le père qui avait convolé en justes noces avec une fillette à peine nubile. Terrassée par le chagrin et la maladie, la mère ne quittait plus son lit. Il devait s'arranger pour nourrir ses frères et sœurs et subvenir aux besoins de sa mère. Les médicaments coûtent trop cher et le pouvoir d'achat des familles est trop faible. Je lui souris à travers la vitre comme pour lui signifier que j'avais compris sa détresse. Je vis dans son regard qu'il était offusqué par mes suppositions. Il pointa l'index droit sur sa tempe en imprimant un petit mouvement rotatif à sa main, dont les quatre autres doigts étaient repliés à l'intérieur. Je ne supportai pas l'injure. Je baissai un peu la vitre et crachai dans sa direction. L'homme à la peau blanche prit aussitôt sa défense en me traitant de petite peste et de dégénérée. Je remontai vite la vitre et me recroquevillai sur moi-même. Les deux protagonistes aboyèrent longtemps contre moi avant de s'en aller, enlacés par la taille. Je les observai partir dans un seul et même corps puis disparaître, avalés par la foule grouillante et bigarrée. J'étais dans mon propre malheur. Pourquoi m'occuper des autres ? Et de quel droit m'immiscer dans la vie intime de ceux que je ne connaissais pas ? C'était probablement sa nature. Il aimait ça et pour lui j'étais une intruse sournoise. Alors toute cette histoire que j'avais inventée pour lui trouver des circonstances atténuantes n'avait plus aucun sens. Pour satisfaire ma curiosité, je me sentis obligée d'imaginer un autre synopsis. Un père faible mais déchiré par la malédiction qui avait frappé son fils. Une mère assez autoritaire, un peu paranoïaque, et des sœurs indifférentes au sort de leur frère. Mon imagination voyagea à travers des visages que je n'avais jamais connus, dans des maisons que je n'avais jamais visitées, dans des quartiers et dans des rues où je n'avais jamais mis les pieds. Je serrai des mains, saluai des personnes, parlai avec des enfants... Une belle voiture s'arrêta tout près de moi et la portière s'ouvrit. Je pris place sur le siège en cuir véritable. Ma robe rouge sentait la jeunesse et le parfum des fleurs. Je savais que je me préparais pour un long voyage. Je me sentais légère dans ce bonheur qui me tombait du ciel. La voiture démarra comme une symphonie. Elle roula sur des tapis anciens, sur des kilomètres et des kilomètres de tapis. Les roues effleuraient à peine le sol tant la laine était soyeuse. Les arbres défilaient avec régularité et harmonie. Des petites filles me saluaient au passage. Je levai la main en signe d'amitié. Le gazouillis des hirondelles et le chant des rossignols emplissaient l'atmosphère. J'étais heureuse. J'étais belle et le monde m'appartenait. La voiture roula pendant plusieurs heures et s'arrêta devant une maison qui avait perdu la moitié d'un mur. Mon père se tenait debout sur le seuil de la porte. Il était immense. Mes sœurs jouaient dans la poussière et, à leurs tâtonnements, je compris qu'elles avaient perdu la vue. Mon père était debout dans une position rigide. Il ne bougeait pas, ne parlait pas. Son regard était dur, insupportable. Des yeux qui n'étaient pas les siens. Je descendis de voiture et me dirigeai vers la maison. Le regard de mon père ne changea pas de direction. Je bousculai ce corps gigantesque pour avoir accès à la maison. L'énorme charpente bascula, s'affala dans la poussière avant de se fragmenter en mille morceaux. Mes sœurs s'emparèrent de quelques bouts d'os et poursuivirent leurs jeux. A l'intérieur, ma mère était debout devant une glace. J'avais

l'étrange impression que ses yeux regardaient derrière elle.
Elle semblait ne pas entendre ma voix. Elle avait vieilli de
plusieurs dizaines d'années. Son visage labouré de rides faisait peur à voir. Elle pleurait calmement devant son miroir.
Je m'approchai d'elle et posai ma main sur son épaule. Elle
se retourna soudain et je la serrai contre moi. Je la serrai si
fort qu'elle s'effrita entre mes bras. Tout son corps se désa-
grégea. Je pleurai, époussetai ma robe et quittai la demeure.
Dehors, le soleil était noir. Un nuage de poussière montait
dans le ciel. La voiture n'était plus qu'un tas de ferraille. Je
me précipitai dans la rue pour fuir cet univers macabre. Je
fus prise dans une sorte de glu qui m'empêchait de courir.
J'essayai d'appeler à l'aide, mais aucun son ne réussit à
s'échapper de ma gorge. Je gesticulais avec les mains
comme un pantin mal réglé, les pieds pris dans cette boue
agglutinante comme un emplâtre. Les cris restaient emmurés dans ma gorge. La rue était déserte. J'étais seule face à
mon destin. Seule dans cette gélatine empesée qui m'arrivait jusqu'aux chevilles. De guerre lasse, je me pris la tête
dans les mains et me mis à pleurer.

Je ne racontai pas ce cauchemar à mes sœurs. Le vent
continuait son manège sans discontinuer. Chama s'énervait
contre un pan du drap safrané. Les cierges de mauvaise
qualité accompagnaient nos élucubrations dans cette nuit
sans limites. Le silence régnait dans l'autre pièce. La
marâtre devait s'être endormie la bouche ouverte, le rêve à
proximité de ses fantasmes, à la limite d'une orgie spectaculaire. Elle rêvait sans doute à toutes les verges de ces
lecteurs ou à son amant, perdu dans la luxure. Elle se
réveillerait sur un sanglot, s'arracherait les cheveux devant
tout le monde, se grifferait le visage, se donnerait des tapes
sur les jambes, dirait sa perte après la mort de son homme.
Les femmes la tiendraient par la taille, la consoleraient
avec des mots de circonstance : « Nous sommes à Dieu et
nous retournerons à Lui ! Seule la face de Dieu demeure,

éternelle! Nous sommes tous mortels. Ne reste que la face d'Allah, notre Créateur!... » Elle continuerait à jouer son rôle d'épouse affligée et retrouverait sa vraie nature quand la maison serait déserte pour se donner sans réserve à son amant sur le lit de mon père. Tamou leva sur moi ses yeux et me regarda un instant avec insistance. Sa voix calme s'éleva :

– Je me demande encore pourquoi je suis revenue, dit-elle sur le même ton régulier. Lui, il ne m'intéresse plus depuis qu'il m'a foutue à la porte. Il ne compte plus. Je n'ai aucun souvenir de son image. C'est un étranger pour moi, perdu dans mes plus sales souvenirs. Je ne sais pas pourquoi je suis revenue!

Elle se tut et la flamme des bougies vacilla. Un silence de mort s'installa dans la pièce.

Mon malheur n'avait pas de limites, dis-je. Mes larmes déferlaient avec impétuosité, comme une cascade. Une main impatiente secoua mon épaule. Je sursautai et ouvris les yeux. Le soleil avait disparu. Les lumières éclairaient la place et la foule, plus dense encore, s'agglutinait autour des spectacles. Les petits restaurants en plein air étaient bondés de consommateurs. Je me frottai les yeux. Le chauffeur du camion était debout devant la portière ouverte, son sourire malin au coin des lèvres. Je me repliai dans ma douleur, persuadée que le moment était arrivé pour moi de regagner la multitude diaprée de dénuement et d'inquiétude. L'homme me dévisagea longtemps avant de me tendre un sandwich et une bouteille de Coca.

– Mange! me supplia-t-il d'une voix voilée. J'espère que tu n'as pas pris la résolution de faire la grève de la faim.

11

Deux mouches bleues s'étaient posées sur la face devenue violette du mort, explorant les narines, les yeux puis les lèvres. Chama les observait avec détachement. Leur frétillement m'agaçait. Tamou avait les yeux fermés. Je ne savais pas si elle dormait ou si elle se concentrait sur son propre passé pour nous débiter un récit épatant de souffrance et de larmes. Les mouches poursuivaient leur exploration sous le regard absent de Chama, qui ne prononça pas un mot. Elle se contentait de froisser un pan de drap entre ses doigts nerveux. Le sirocco continuait son périple chaotique contre les murs et les persiennes mal fermées. Les ronflements de l'ivrogne, ponctués de sifflements, redoublaient d'intensité. Mes mots avait du mal à trouver leur chemin jusqu'à mes lèvres. Je pensais que je n'aurais pas de peine à tisser une histoire rocambolesque qui épousstouflerait mon auditoire. Je me rendis compte de la perplexité du verbe et mon répertoire imaginaire se rétrécit au fur et à mesure que j'avançais dans le maquis de la parole. C'était une véritable aventure. Chama attendait sans doute ce moment de défaillance pour s'insurger contre moi. Je fis de mon mieux pour ne laisser paraître ni mon trouble ni mon hésitation. La chaleur s'inscrivait sur les murs comme une malédiction incontournable. Le cadavre continuait son voyage dans l'absence. Mes paroles arrivaient-elles à perturber son sommeil? J'en doutais. A part son visage qui changeait de couleur, rien ne laissait croire qu'il fût troublé. Je me tus un long moment. Le mur en face de moi me semblait vieillir à vue d'œil. Ses rides se creusaient sous l'érosion, jusqu'à laisser surgir la pierre nue, suintante de souvenirs poisseux. Les marques d'humidité inventaient des territoires imprécis, des formes vagues, incertaines. Il fallait les deviner pour y découvrir des silhouettes humaines ou animales, des mouvements fragiles, l'illusion d'un monde vivant. Je voyageais à travers des images que j'inventais pour échapper au présent, à la présence de Chama.

Azzi Manégass se frotta les mains dans un geste nerveux avant de claquer la portière. Il fit le tour du véhicule et grimpa dans la cabine. Il s'installa confortablement, se cala sur son oreiller et agrippa le volant des deux mains comme un gamin simulant la conduite d'un gros engin. Je mangeais mon sandwich en silence, appréhendant déjà l'instant où le nain m'inviterait à quitter son camion. Mes yeux se remplirent de larmes. La nourriture ne trouvait plus sa voie jusqu'à mon estomac. J'avais peur de cette foule qui ne tarderait pas à se jeter sur moi pour me dépouiller de moi-même. Une ville en grogne à l'affût du faible, du pauvre, du pitoyable, du miséreux..., pour l'exténuer, l'accabler ou l'anéantir. J'avais peur de cet univers auquel je ne comprenais rien, qui me paraissait si terrible pour les sans-défense. Azzi Manégass m'observa à la dérobée. Il jouait avec ses doigts, sujet à une grande nervosité, à une agitation intérieure. Comme s'il s'apprêtait à prendre une grave décision et cherchait les paroles les moins blessantes pour m'annoncer que nos chemins se séparaient à cet endroit. Il me demanda presque en criant :

– Tu n'as plus faim ?

J'évitai son regard. Mes yeux ruisselèrent de larmes à nouveau. Il tapa plusieurs fois de son poing fermé sur le volant de son véhicule, l'air embarrassé.

– J'espère que ton petit jeu va prendre fin ! N'abuse pas de ma patience et ne me fais pas regretter mon geste !...

Je ne dis rien. Je n'avais rien à dire. Mes larmes exprimaient toute ma désolation et mon trouble. La rue me faisait peur. J'avais l'impression que tous les hommes allaient se jeter sur moi pour me violer, que les gamins m'agresseraient et que les femmes exploiteraient mon innocence et ma jeunesse. Comprendrait-il tout cela ? Il était un homme, petit de taille mais un homme tout de même, barricadé derrière ses muscles. Un silence grave s'abattit sur son visage crispé par la colère. Je voulais partir. Je voulais fuir cette place, cette foule tragique, je voulais fuir la vie elle-même. Mon corps, trop lourd, n'obéissait plus à mes instructions, mes muscles raidis refusaient d'obtempérer.

J'avais la sensation que toute la détermination du monde aurait été incapable de m'arracher à mon siège. Comme si des bras puissants et invisibles immobilisaient mon corps, le fixant à jamais dans cet espace froid mais sécurisant.

– Bien ! finit-il par beugler. Que veux-tu que nous fassions ? Je ne sais rien de toi et tu refuses de me dire ce que tu cherches... Tu veux de l'argent ? C'est ça ! Beaucoup de filles le font. Elles grimpent dans ton véhicule, et quand elles veulent descendre elles te réclament de l'argent. Sinon, elles hurlent au viol, ameutent la foule, et te voilà emmerdé pour le restant de tes jours... Dis ! Combien tu veux pour débarrasser le plancher ?...

Je ne pouvais pas parler. Associée à la peur, l'humiliation me nouait la gorge. A côté de moi, l'homme ne savait plus quoi faire. Il sauta de l'engin comme un singe contrarié et marcha au milieu de la foule, les bras croisés derrière le dos. Il revint sur ses pas, s'agrippa d'une main à la portière qu'il avait laissée ouverte et me dévisagea longuement, mais sans colère cette fois. L'expression harassée de mon regard lui fit baisser les yeux. D'un geste vif, il se retrouva assis à côté de moi. J'appréhendais le moment où il ouvrirait la portière droite pour m'éjecter hors de son univers.

– As-tu décidé de passer le reste de ton existence dans ce camion ? finit-il par me demander.

Je ne bougeai pas.

– Quelqu'un t'aurait payée pour me jouer ce sale tour... Je sais que mes amis sont capables du pire. Si c'est le cas, ils ont gagné. Tu peux leur dire que je déclare forfait : ils m'ont bien eu !...

Les larmes se remirent à ruisseler sur mes joues. Il entra dans une colère folle :

– Que la foudre me tombe dessus et que la malédiction de Dieu s'empare de moi si je comprends quelque chose à ton jeu ! Je me déteste de t'avoir proposé de t'emmener. J'aurais dû te laisser à d'autres, qui t'auraient violée proprement avant de cracher sur tes cuisses et de t'abandonner comme une chienne au bord de la route. C'est ainsi que tu me remercies de t'avoir rendu service ?

Je ne dis rien. Les enfants couraient dans tous les sens à la poursuite des touristes égarés et ébahis par les différents spectacles qui se présentaient à eux. Un singe échappa à son dresseur et se rua sur un caniche que sa maîtresse étrangère tenait en laisse. Les cris de la petite bête provoquèrent un attroupement des badauds. La femme essaya en vain de protéger son animal contre la frénésie meurtrière du singe. Des hurlements montèrent dans le ciel. L'étrangère appela à l'aide, pleura, injuria dans sa langue tous les Marocains et toutes les bêtes du Maroc, donna des coups de talon au singe déchaîné et finit par s'évanouir au milieu de la foule, qui jubilait d'aise devant ce spectacle insolite. Une voiture de police arriva sur les lieux du drame, suivie d'une ambulance. Le dresseur et son singe furent embarqués par les flics à coups de poing rageurs et d'injures grossières, pendant que des infirmiers installaient la femme et son chiot sur un brancard pour les emmener à l'hôpital.

– Pauvre Karayane ! répétait le mari en larmes.

Sur le lieu de l'incident, la discussion était bien animée :

– Le singe marocain n'en a fait qu'une bouchée du caniche frankaoui!...

– Quel spectacle! Ça fait un bail qu'on n'a rien vu d'aussi amusant!...

– Que vont penser les touristes de nous et de nos animaux à présent? C'est mauvais pour la publicité du Maroc...

– La publicité du Maroc! La publicité du Maroc!... C'est une connerie. Ceux qui viennent reviendront pour une idée dans la pensée de Yaakoub! C'est ça le Maroc: un pays aux couilles tentaculaires, capables de traverser les océans pour tenter les plus capricieux et les plus récalcitrants des touristes...

– Je dis que c'est une mauvaise publicité pour nous!

– La pauvre femme!

– La pauvre bête!

La voix des flics était plus autoritaire:

– *Ouald al qahba* de singe! Fils de pute!... Il veut foutre en l'air les efforts du gouvernement en matière de politique touristique!

Un autre:

– Tu sais, espèce de proxénète notoire, que si on s'amuse à chasser les étrangers comme tu le fais en ce moment, vous boufferez des pierres, toi et ton affreux animal!

Un troisième:

– Tu es un anarchiste, responsable de la crise qui frappe de plein fouet l'économie du pays!

Un quatrième:

– Tu cherches à nous conduire vers la faillite, espèce de *hassass* mal baisé!

Le premier:

– C'est toi qui achèteras mes tapis quand tous ces gens généreux iront dépenser leur fric ailleurs?

L'un des trois autres:

– Et mon restaurant, c'est peut-être ton sale macaque qui en deviendra client!

– Et les devises ? As-tu pensé aux devises que tu feras perdre à l'État, espèce de putain de la dernière heure de la nuit ! dit un autre en assenant un coup de pied entre les jambes de l'homme allongé contre la tôle du véhicule.

– Oui ! hurla le supérieur des flics en prenant le singe par le cou et en serrant très fort. Les devises, c'est important pour le pays et pour nous. Elles apportent un sang nouveau à notre économie.

Un bruit étrange attira mon attention. Puis, le silence. Je tendis l'oreille, à l'affût. Rien. Tamou chercha mon regard et le croisa par hasard. Une lueur étrange dans ses yeux. J'épiais tous les bruits de l'extérieur. Le silence était aussi épais qu'un brouillard de matin d'hiver. Même le vent avait suspendu son hostilité contre les portes et les fenêtres. Un calme plat, comme la surface d'une mare tranquille. Tamou leva des yeux fatigués sur Chama et l'apostropha en ces termes :

– Au fait, c'est ton idée, cette réunion de famille. Alors pourquoi ne dis-tu rien ? Pourquoi ne revendiques-tu pas ta position d'aînée pour raconter la première tes déboires avec la vie ? Parle !

Chama sursauta. Elle n'était pas habituée à recevoir des ordres. Mais Tamou avait raison. Nous étions sur un pied d'égalité et elle n'avait rien fait pour mériter notre reconnaissance ou notre humilité. Chama lâcha un pan du drap safrané et dit :

– Vous avez raison ! Remarquez bien que j'ai commencé, mais très vite le cours du récit a pris une autre tournure. Je vous ai laissé faire pour éviter de vous intimider. Puisque vous voulez que je parle, je vais le faire. Il y a dix ans que j'attends cette occasion. Mais le cochon est mort, juste pour me contrarier. Nous empêcher d'aller jusqu'au bout de notre pensée…

Tamou venait de foutre par terre toute cette stratégie que j'avais manigancée pour priver Chama de la parole. Il fallait désormais compter avec ses péroraisons. Entre son histoire et celle de Tamou, mon récit serait moins orphelin.

Le conducteur me jeta un regard furtif. Je baissai les yeux. Cette diversion m'avait fait oublier l'étrange angoisse qui lacérait mes entrailles et me donnait des crampes d'estomac.

La voiture de police et l'ambulance traversèrent la place en trombe, poursuivies par la ribambelle aux pieds nus. Lentement, la place retrouva son rythme habituel et les cercles se refermèrent autour des conteurs, des charmeurs de serpents, des diseuses de bonne aventure, des dresseurs de singes, des danseurs travestis... Les lecteurs du Coran et les mendiants remirent leurs lunettes noires avant d'entamer une nouvelle sourate à pleins poumons. Les marchands d'eau refirent tinter leurs clochettes en cuivre et les narines des badauds et des touristes en mal d'exotisme redécouvrirent l'odeur de la soupe, du poisson frit, de la viande cuite à la vapeur, des pieds de veau... ainsi que le parfum des épices et de la menthe fraîche. L'ordre revint dans le désordre et chacun vaqua à ses affaires. Assis en tailleur, un peu en retrait, un quinquagénaire en haillons commentait la scène à l'intention de son âne :

– Tu vois, disait-il à la bête, c'est un signe du ciel. Le singe arabe, maghrébin et musulman contre le chien européen, français et chrétien. C'est un signe ! Bientôt, un singe fier va faire son apparition dans le monde musulman et nous venger de l'injustice et de l'humiliation que nous fait subir le monde occidental. Singes et chiens vont se livrer la bataille du siècle. Elle sera navale, terrestre et aérienne. La justice aura le dernier mot. Le singe arabe vaincra car il est notre justicier et notre défenseur. Ce singe nous rendra la fierté que nous avons perdue depuis notre départ de l'Andalousie... Aujourd'hui, Dieu nous envoie un signe ! Nous devons croire et espérer en sa miséricorde !

L'homme parla longtemps à sa bête en faisant de larges gestes. Les passants s'arrêtaient un moment puis continuaient leur chemin, convaincus que le spectacle n'en valait pas la peine.

En face de moi, l'homme jouait avec ses mains. Il ne comprenait rien à mon état. Il pensait, comme un idiot, que ses amis m'avaient chargée de lui jouer un sale tour. Il était persuadé que mes larmes faisaient partie de la mise en scène que les autres avaient montée pour se payer sa tête. Il referma la portière avec rage et s'éloigna de nouveau, bougonnant comme un homme contrarié par une épouse insoumise :

– Je te le laisse, ce camion ! Tu peux en faire un sandwich ! Tu as réussi à noircir l'existence devant mes yeux, comme une vraie professionnelle ! Avec ton air de chat perdu, tu m'as bien eu ! Si je réussis à me débarrasser de toi, je jure sur tous les saints que je m'en souviendrai pour le restant de ma vie !...

Il disparut dans la foule. Le quinquagénaire continuait sa leçon à l'intention de son âne. Assis en tailleur, il recevait la bave de la bête sur le crâne. Les mouches s'agglutinaient sur le liquide avant d'être chassées par un geste paresseux de la main de l'homme, abruti de chaleur et de misère. Dérangées dans leur manœuvre, les mouches voltigeaient au-dessus du crâne rasé puis revenaient à la charge une fois le danger écarté. La vie me paraissait condensée dans cette place, avec ses rires de joie et ses cris d'angoisse, avec ses peines et ses silences, avec ses manifestations de délire et d'excitation, avec ses peurs et ses misères, avec sa dose de folie quotidienne et sa part de révolte, avec ses mystères et son énergie, avec sa capacité de veiller chaque nuit jusqu'au petit matin. Jamaâ Lafna ! Une place où le rêve côtoie la dure réalité des gens qui se battent pour survivre et la niaise béatitude du touriste engoncé dans ses devises et ses préjugés, l'appareil photo prêt à immortaliser un moment de souffrance et d'infortune qu'il montrera à ses amis restés

au pays devant un feu de cheminée. Les femmes glousse-
ront de satisfaction. Les hommes caresseront furtivement
leurs fesses en pensant à la brûlure bienfaitrice du coccyx.
Entre le fantasme et la réalité s'installeront la méprise, l'in-
compréhension et l'équivoque.

La pièce où s'entassaient lecteurs et pleureuses sombrait
dans le silence le plus mortifiant. Le vent avait repris sa
sérénade contre portes et fenêtres. L'aube me paraissait
lointaine, inaccessible. Je sentais la fatigue gagner le bas de
mes reins. A force d'être assise, toute la douleur s'était
accumulée dans mon bassin. Tamou regarda dans ma direction avant de continuer son récit.

Je ne sais pas comment j'ai atterri dans une ville que je
ne connaissais pas, dit-elle. Plus tard, on m'a dit que c'était
Tanger. D'un seul coup, je me suis retrouvée dans cette ville
qui faisait partie de mes rêves d'enfant. Jamais je n'aurais
pensé y mettre les pieds. Il avait fallu cette folie et cette
injustice. J'avais marché comme dans un cauchemar. Puis
un jour quelqu'un m'a dit que j'étais à Tanger. Mystère! La
mer en face de moi était la mer. Des gamins jouaient sur la
plage, au milieu des tessons de bouteilles, des sacs en plastique, des morceaux de journaux, des détritus... J'étais à
Tanger! Mais qu'y ferais-je? Cette question me parut
comme une montagne. J'ai erré dans les ruelles sans rencontrer un seul regard affectueux. Je marchais au hasard
des rues. Certains commerçants me firent de l'œil. D'autres
prononcèrent des phrases creuses sur mon passage : « Man-
choufoukch azzîne ! », « Psssst ! Ghîr chouf fina ouarja fal-
lah ! », « Ach hâd l'jamâl t'bark Allah ! », « N'tina Mannahna
al'Aâila ? », « Lahbiba a'la n'hidates ! »... La tête baissée, je
marchais sans faire attention à ces ragots. Je marchais droit
devant moi comme si j'avais un but précis. Je ne voulais
surtout pas donner à ces machos l'impression que j'étais
perdue. Ils devaient penser que j'étais l'une de ces petites

bonnes qui sillonnent les rues du matin au soir pour faire les courses de leurs maîtresses. Je n'avais plus cette peur affreuse qui me taraudait les entrailles. J'avais très faim et j'étais épuisée. Je me suis plantée devant un petit marchand de casse-croûte. Il m'a tendu la moitié d'un *bocadillo* et m'a chassée du revers de la main gauche. Je demandai le chemin du marabout de la ville à des passants et allai m'y réfugier.

J'écoutais ma sœur parler avec le calme des femmes mûres qui ont tout obtenu de la vie. J'enviais la régularité du ton de sa voix. J'étais fascinée par son adresse et par son courage. Mon propre récit se faisait en moi comme une rivière d'eau sale, charriant toutes les immondices de l'existence. Chama leva vers moi ses yeux rougis par la fatigue. Je continuai mon histoire.

Le ciel étoilé ressemblait à un champ de printemps. Mais je n'avais pas le cœur à apprécier la beauté de la nature, ni l'envie de contempler la splendeur architecturale de la ville. D'ailleurs, rien ne m'intéressait. Ni l'architecture de la ville ni la beauté de la nature. J'étais dans le doute et dans la haine. Le doute quant à mon destin, à mon avenir, et la haine épaisse du père. Chaque fois que je pensais à lui, je le voyais noyé dans la chair épaisse de son épouse, les membres pris de convulsions, craquetant de la mâchoire et les yeux exorbités...

Je suspendis mon récit parce que le même bruit que la fois précédente s'était produit sans que personne fût capable d'en identifier la nature ou la provenance. Je tendis l'oreille et mes sœurs en firent autant. Mais rien ne se produisit. Je pensai à la marâtre. Était-elle en train de manigancer un mauvais coup ? Le vent secouait avec force tout ce qu'il rencontrait sur son chemin. Les cierges de mauvaise qualité consumaient leur fumée en attendant le lever du jour. Ils savaient que leur destin était lié au nôtre. L'odeur de la cire et de la fumée me donnait la nausée. Ajoutée à celle de l'humidité, elle produisait une puanteur insupportable. Je poursuivis mon récit là où je croyais l'avoir laissé.

La foule grouillante me donnait le vertige. Je voyais les gens et les choses à travers le brouillard de mes larmes. L'homme avait disparu. Avec sa petite taille, je ne risquais pas de le distinguer parmi tous ces corps qui fourmillaient en une masse confuse. Et s'il était allé voir les flics ? Une nouvelle peur s'installa en moi, plus atroce que la première. La peur de l'autorité, qui incarne le mal, la violence, la prison. Mes membres se mirent à trembler si fort que mes genoux heurtaient le tableau de bord. Je devais partir au plus vite, quitter cet endroit maudit et me fondre dans la foule. Je ne serais ni la première ni la dernière à connaître le sort de la rue. La place regorgeait d'enfants pauvres et abandonnés. Il suffisait que je me jette dans l'arène du vol, de la mendicité, de la misère, du viol et de la honte. Après, ce serait une question d'adaptation et d'apprentissage. Tuer ce cœur dans ma poitrine. Je serais ce que Dieu avait choisi pour moi. Si mon destin était écrit là-haut, pourquoi alors me poser des questions ?

Je baissai la vitre à moitié. Le bruit assourdissant de la place heurta mes oreilles. Si j'avais peur de rester, j'avais plus peur encore de partir. Je décidai donc de rester et d'affronter mon destin dans ce véhicule, avec cet homme que le ciel m'avait envoyé sur le chemin de mon exil. Était-ce la main de la providence ? C'était probablement elle qui me retenait clouée sur ce siège. Un sentiment de vide et d'échec. J'avais à peine onze ans. L'âge des sourires voilés où le chant cérémonial de la magie se confond avec le mystère des rêves. Je ne savais plus sourire et n'avais plus de rêves dans la tête. Rien que la peur et la haine. Et avec ça, je savais que j'avais peu de chance d'aller bien loin. Peut-être que toute ma vie commencerait et finirait ici, sur cette place du malheur, entre les cris éparpillés, l'errance intolérable, la menace imminente, le dépouillement et la colère. De la foule, ne me parvenaient que des échos. J'étais loin dans ma tête, loin dans mon corps trop petit pour ce malheur immense. Des pensées criminelles germaient dans mon cerveau. Un fiacre décoré avec des morceaux de plastique de couleurs différentes s'arrêta à ma hauteur et un couple de touristes en descendit. La femme était jolie et portait une robe légère qui moulait son corps. Elle me sourit et j'oubliai l'incertitude de mon destin. Ses yeux étaient si bleus que je crus m'y noyer. L'homme, affublé de l'inévitable appareil photo, gardait sur le visage les déchets d'une jeunesse imbécile mais très riche. Pendant qu'il marchandait le prix de la course avec le cocher, les yeux de la femme ne me quittèrent pas. Un sentiment trouble s'empara de mon être. Le bonheur de se voir dans le regard de l'autre. Un instant, je crus que cette femme allait venir vers moi, ouvrir la portière du camion et me prendre la main. Je descendrais sans résistance et sans gêne. Elle essuierait mes larmes avec son mouchoir brodé et me proposerait de l'accompagner. Je resterais quelques jours avec elle dans cette ville avant de partir très loin. Loin de cette terre qui ne sait pas protéger ses enfants. Loin de ce pays de deuil où des murailles de silence, de peur et d'oppression montent dans la poitrine des hommes. Au-delà des mers, loin de cette terre blessée, lourde de tant de larmes et d'injustice. La femme aux yeux bleus m'arracherait à ce peuple qui porte le deuil de la parole et de la liberté. Je serais vêtue de robes légères. J'irais à l'école et connaîtrais tous les jeux et tous les plaisirs de l'enfance. Ma chambre serait peinte en blanc et donnerait sur un jardin planté de mimosas. Chaque matin, je ferais une prière pour ma mère restée au pays, dans un cimetière mangé par l'ortie et la guimauve. Je ne l'oublierais jamais, jamais, jamais...

La portière du véhicule s'ouvrit soudain. Je tendis la main dans la direction de la femme aux yeux si bleus. Mon cœur battait à se rompre, de joie et de bonheur. J'étais déjà ailleurs, dans une autre existence et dans une autre histoire. Je laissais derrière moi l'hostilité des visages et la colère du temps. Une main virile saisit la mienne et je me retrouvai brutalement éjectée hors du camion.

12

J'avais parlé calmement, sans aucun friselis dans la voix. Rien n'était venu perturber mon récit. Même le sirocco avait suspendu son chant macabre contre les murs, les portes et fenêtres mal fermées. Chama frottait ses mains l'une contre l'autre dans un mouvement régulier. J'étais persuadée de l'avoir inquiétée en introduisant cette lueur d'espoir dans le regard bleu de l'étrangère. L'avais-je réellement vue ou bien était-ce une pure invention de mon esprit ? Je ne pouvais être affirmative. Je faisais probablement comme les conteurs qui prennent une phrase ou une image et enfilent les mots les uns après les autres pour habiller leurs histoires. J'habillais et je déshabillais mon récit pour régler mon compte avec le père, avec le passé, et pour éviter à mon corps les flammes de la géhenne. Je voulais être à la hauteur du serment que nous avions fait le jour de notre départ, dix ans auparavant. Tamou avait les yeux fermés mais je n'aurais su dire si elle dormait ou si elle organisait les souvenirs dans sa mémoire pour être prête quand son tour arriverait. Elle ne bougeait pas, respirait à peine. Dehors, le silence. Épuisés par l'effort, les tolbas et les pleureuses s'étaient sans doute accordé quelques instants de répit avant de reprendre leurs jérémiades avec des voix éclaircies, vigoureuses. Je devinai quelques couples enlacés dans les coins les plus sombres ou sous des couvertures puant le sperme. Une occasion de rencontre. Frotter sa chair contre l'épiderme de l'autre dans l'étranglement du désir. Me parvenaient, de temps à autre, des gémissements étouffés, de petits cris aigus qui échappaient aux corps pris par le délire amoureux. J'avais l'oreille fine et j'étais capable de distinguer le frémissement d'une étreinte érotique, le frôlement d'une robe qu'on soulève, la caresse imperceptible d'un sein ou d'un entrecuisse, le bruissement des lèvres scellées dans un baiser langoureux, le dernier frisson qui se transforme en râle de délivrance... Même dans la nuit et à distance, je pouvais percevoir le froissement des chairs enlacées dans une lutte amoureuse, le souffle entrecoupé des halètements, les murmures égarés, les soupirs et les prières de la passion.

Chama jouait toujours avec le pan de drap entre ses mains, réfléchissait sans doute à ce que nous avions dit, Tamou et moi, analysant chaque phrase pour en tirer des conclusions, disséquant chaque mot, chaque hésitation, chaque silence... Elle releva la tête et nos regards se croisèrent un moment.

Je suis arrivée à Fès un jour de grande chaleur, dit-elle, presque en murmurant. Extrêmement pollué, l'oued répandait sur la ville une odeur nauséabonde. Une ville neuve s'ouvrait à ma curiosité. Je marchais sans savoir où mes pas me conduisaient. Je marchais au hasard des rues et des chemins. Encombrée par les bêtes et les gens, la médina transpirait comme une vieille peau, à petites gouttes. Une grande agitation. Des touristes prenaient des photos de nos petites misères. Le torse nu et les fesses flottant dans des bermudas à fleurs ou à carreaux. Les passants ne se rendaient même pas compte qu'une petite fille perdue et sans espoir était parmi eux. Ceux qui daignaient me gratifier d'un regard détournaient rapidement les yeux, pris par leurs préoccupations et leurs occupations. « *Sîr asidi, sîr!* », « *Asmâ' balâk!* », « *Wili, wili alâ zhamât!* », « *Balâk! Asmâ' balâk!* », « *Lâafou yalatif! Qaouat l'bachâr bla faïda!* », « *Khâl Arras. Ghzit! Allah In'al ha sala'* »... J'étais seule dans cette foule grouillante et bigarrée. Les cris assourdissants me donnaient des maux de tête. Je pensais à vous trois, me demandant ce qui vous était arrivé. J'avais des remords. Je me donnais du courage en me disant que c'était mieux ainsi. Je voulais me persuader que c'était pour notre bien. Multiplier les chances plutôt que de rester ensemble et connaître le même sort. Je ne veux pas me justifier devant vous aujourd'hui, je sais que j'ai mal agi, mais je sais aussi qu'en agissant ainsi je donnais à chacune la chance et la liberté de vivre autre chose que ce que j'allais vivre durant ces dix années de malheur...

Elle se tut, sans oser lever les yeux sur moi. Je l'observais avec calme, un peu troublée par cet élan de franchise. Les mouches avaient trouvé asile sur le mur en face de moi. Elles avaient cessé de voltiger pour mieux fomenter leurs agressions prochaines avec les premières lueurs de l'aube, au moment où le sommeil est le plus profond et la fatigue insupportable. Les ronflements de l'ivrogne, rompu par l'alcool, reprirent de plus belle, agaçant mes oreilles et perturbant la tranquillité précaire de la nuit. Je repensai aux mendiants des cimetières et au regard si bleu de l'étrangère qui aurait pu me sauver. Entre elle et les mendiants se dessinait l'image flottante qui séparait le rêve de la réalité. Le sirocco reprit sa sérénade, fouettant nos visages et flagellant tout ce qu'il rencontrait sur son passage. Son sifflement traversait l'espace et se nichait dans le creux des murs, les fissures des portes, les saillies des roches, déposant à chaque passage une épaisse pellicule de sable et de poussière. Ce vent était la parole tyrannique du silence qui promenait sa colère comme une vengeance ou une malédiction. C'étaient les gémissements du silence dans l'échancrure de la nuit, qui, telle une ombre inhospitalière et triste, n'arrivait pas à apprivoiser le paysage inaccessible, aussi insaisissable qu'un mirage des déserts. Une odeur de putréfaction réveilla une douzaine de mouches qui vinrent explorer les yeux et les narines du cadavre. Chama se saisit d'une serviette et l'abattit de toutes ses forces sur la face grise du mort. Quatre ou cinq mouches furent tuées sur le coup et restèrent collées à la chair tuméfiée. Une autre tourbillonna sur le drap safrané avant de rendre l'âme dans un ultime soubresaut. Le reste de la horde regagna le mur et ne bougea plus. Leur assaut avait été un échec. Plus j'observais ces bestioles et plus je remarquais qu'il existait une similitude entre elles et nous. Agglutinées autour de cette civière, nous nous accrochions à la dernière image du père et agacions son sommeil de nos récits incohérents. Nous étions les mouches du père, capables de lui arracher la peau morceau par morceau, de nous transformer en moucherons, puis en moustiques, puis en guêpes, et finalement en asticots, pour vivre dans sa viande en putréfaction. Les mouches et nous ! Nous nous relayions pour empêcher le cadavre de trouver le sommeil que méritent les morts.

Chama déposa la serviette à sa droite avant de nous exhorter à parler. Tamou leva sur moi un regard vif mais fatigué. Je m'étais rendu compte que, arrivée à ce point du récit, il m'était impossible de reculer pour laisser mes sœurs parler toutes seules. Chama le savait, sans doute, c'est pourquoi elle m'incitait à continuer sans jamais prendre la peine d'interroger ma confusion. Elle était préoccupée par sa propre histoire et me laissait avancer dans la parole qui se refermait peu à peu sur moi comme une prison pour m'isoler des autres. Le piège que j'avais soigneusement préparé pour ma sœur aînée s'était refermé sur ma propre candeur.

– Je revois à cet instant le regard de ma mère, dit Tamou d'une voix cassée par la fatigue. « Quand tu seras grande, répétait-elle à chacune de nous en aparté, tu épouseras le meilleur des jeunes hommes de la ville. » Elle nous rassemblait et nous demandait de répéter ce qu'elle nous avait dit. Nous partions d'un grand rire et tombions dans les bras l'une de l'autre. C'était sa manière de nous aimer et d'alléger nos souffrances. Elle riait souvent quand le père était absent. Présent, il nous interdisait de le faire, prétextant que c'était là l'œuvre de Satan. Il ne se privait jamais, lui, de rire avec ses amis et de nous empoisonner la vie à la maison. Seule notre mère était capable de nous protéger et de nous rassurer. Elle aimait beaucoup rire. Mais il était à l'affût de la moindre manifestation de joie de sa part. Ne jamais être heureux à la maison. Fermer nos visages à l'allégresse, au rire et au bonheur. Entre elles, les voisines donnaient libre cours à leur fantaisie, riaient aux éclats, s'habillaient en hommes et imitaient leurs attitudes gauches, leur hypocrisie simulée, leurs voix caverneuses, leur ton fier...

Tamou se tut, le regard mouillé de larmes. Je ne laissai pas au silence le temps de s'installer dans la pièce et repris mon récit.

Un rire épais monta dans le ciel et se mêla aux cris de la foule, aux invocations des mendiants, aux klaxons des taxis et des voitures, aux hurlements des enfants et aux incantations des récitants. J'étais allongée dans la poussière, les coudes et les genoux en sang. Le nain riait de toutes ses dents pour son triomphe pitoyable. Le moteur ronfla et le véhicule s'ébroua puis démarra lourdement à travers la foule hurlante. Le désespoir me donna la force de me relever et de me cramponner à la poignée de la portière. Le rire gras du nain continuait de faire vibrer la carlingue. Je fus traînée longtemps. Je devinais la jubilation du singe assis derrière son volant et chantant l'hymne de la victoire. Un vent doux fouettait mon visage. Malgré la fatigue et la douleur, je résistai en serrant bien fort les mâchoires. Je n'avais pas le choix. Je me dis que j'étais maudite. Ma mère était morte et mon père m'avait chassée. Le péril auquel j'exposais ma vie était la preuve irréfutable d'une faute que nous aurions commise et qui nous anéantirait toutes. Le crissement des freins fut pour moi un soulagement et une délivrance. Le nain stationna son véhicule à la sortie de la ville, sous un palmier géant. La surprise lui bleuit le visage. Il donna des coups de pied rageurs dans les roues en injuriant tous les saints qui m'avaient placée sur son chemin. Les larmes retrouvèrent leur voie vers mes paupières.

– Arrête ! m'apostropha-t-il d'une voix criarde. Ne m'emmerde plus avec tes larmes ! Tu as réussi ton coup. Tu peux être fière de toi. Ils ont su choisir une parfaite comédienne, directement sortie des entrailles de Satan. Tu exiges combien pour me foutre la paix ?

Il n'avait rien compris. Je ne saurai jamais dire pourquoi je m'étais acharnée sur cet homme. Il remarqua le sang sur mes bras et sur mes jambes, me regarda fixement avant de sortir un mouchoir de sa poche pour nettoyer mes blessures.

– Je ne sais pas qui tu es ni ce que tu veux, mais il me paraît inconcevable que tu risques ta vie pour un pari idiot. Je crois que tu es désespérée, mais que tu ne veux pas le dire. Toute ma vie j'ai évité les femmes, parce qu'elles ne sont capables que de créer des problèmes. La compagnie des hommes est moins compliquée, moins compromettante. La première femelle, que dis-je ? le premier bout de femme que je rencontre me fait voir les étoiles en plein midi !...

Je me contentai de renifler. Il tira un bidon rempli d'eau de son coffre et me le présenta. Je me lavai en faisant attention à mes égratignures. Il sourit :

– Tu as un beau visage !

Je n'avais pas le cœur à sourire, ni à bavarder. Ma robe était déchirée au niveau des genoux. Il s'excusa pour sa sauvagerie avant de s'engouffrer dans la cabine du camion. Il en extirpa une petite valise en contreplaqué dont il sortit des vêtements. Il me tendit une toge et un bonnet rouge, enfila une djellaba blanche et me fit ces recommandations :

– Puisque tu as décidé de coller à ma modeste personne, je vais supporter ta présence cette nuit, mais demain il faudra que tu prennes une décision. Je ne peux pas t'emmener chez moi : ma mère ne supporte personne en dehors de moi. Ce soir, des amis donnent une grande fête. Tu vas m'y accompagner, mais il faudra que tu restes muette et que tu oublies tout ce que tu auras vu à la fin de la cérémonie. Les femmes en sont exclues. C'est pourquoi je te demande de dissimuler ta chevelure sous ce bonnet et de ne l'enlever sous aucun prétexte. Des hommes s'approcheront de toi et voudront engager la conversation. Ne réponds à personne! D'ailleurs, je dirai que tu es sourd-muet. C'est mieux pour tout le monde. Si tu oublies mes recommandations, nous risquons d'être chassés comme des vauriens...

Je m'exécutai. Je ne voulais surtout pas me retrouver seule, et je n'avais aucun intérêt à me faire remarquer. Nous marchâmes dix bonnes minutes le long d'une haie vive, touffue d'acacias, de jeunes palmiers, de tiges de bambou, de mûriers, de rosiers, de lauriers, de fougère... Nous nous penchions souvent pour éviter les branches des arbustes. Un homme énorme nous accueillit à l'entrée de la ferme. Des rires gras emplissaient l'endroit.

– Bienvenue à toi, Azzi! M. le ministre Moulay Bou Dargua et notre cher Si Azzouz, le parlementaire, ont demandé après toi plus d'une fois.

Azzi se contenta de dessiner sur sa face de macaque un déchet de sourire. Je compris plus tard qu'on l'avait affublé de ce surnom pour la couleur de sa peau. *Azzi* voulait dire « noir ». Comme je n'avais ni envie ni le droit de parler, personne ne m'expliqua l'origine de *Manégass*. Je conclus que ce sobriquet avait un rapport avec sa forte carrure. A quelques pas de l'entrée, se dressait une gigantesque tente caïdale richement brodée et décorée. Des hommes et des adolescents discutaient et riaient à gorge déployée. Il n'y avait que des hommes. Dans un coin, un orchestre jouait un air andalou, visiblement apprécié de tous. Un sexagénaire à la peau très blanche et très flasque se leva et vint vers nous.

– C'est M. le ministre ! balbutia Azzi à mon oreille. Surtout ne dis rien !

L'homme faillit se prendre les pieds dans sa large *fouqiya* en soie. Il se précipita dans les bras de Azzi et l'embrassa longuement sur les joues et sur les mains. J'étais stupéfaite.

– Où étais-tu passé, Daoud ? Tu sais que tu m'as manqué ces derniers jours ! Je finirai par devenir dingue loin de toi ! Tu ferais mieux de venir t'installer dans la capitale et de te consacrer entièrement à mon bonheur !

Pendant que l'homme parlait, Azzi lui caressait méthodiquement le bas du dos. Je regardais la scène sans comprendre ce qui pouvait lier ces deux hommes. Un ministre et un chauffeur de camion. L'intonation sifflante et traînante de l'homme disait son origine. Il était gros et laid, le petit doigt de la main droite était encombré d'une grosse bague en or.

– Je veux bien, dit enfin Azzi. Mais tu sais que la maman est fatiguée et qu'elle refuse de quitter Marrakech. Puis toute ma vie et toutes mes affaires sont ici. Que veux-tu que j'aille faire là-bas, au milieu des fonctionnaires avachis ? Là-bas, je ferais figure de chameau en plein pôle Nord !...

– Décidément, rétorqua l'homme en fermant ses yeux louches, tu ne changeras jamais. Toujours aussi égoïste. Nous reparlerons de tout ça une autre fois. Viens t'installer près de moi !

– Permets-moi d'abord, mon cher, de te présenter mon neveu. Il arrive directement du bled aujourd'hui même. Comme il a un beau visage et une jeunesse non encore froissée, j'ai pensé qu'il pourrait servir, éventuellement !...

– Enchanté ! souffla l'homme sans daigner jeter un regard dans ma direction.

Puis il entraîna le nain sur un tapis de haute laine sur lequel étaient disposés des coussins de couleurs vives et variées.

– Qui est le garçonnet qui t'accompagne ? demanda un autre homme à Daoud.

100

– C'est mon neveu, répondit Daoud, le sourire aux lèvres.
Le jeune Brahim, qui arrive tout frais du bled. Il vient
rendre visite à sa grand-mère.
L'homme se leva et vint vers moi. Il me caressa le visage
et prit ma main dans la sienne. Je le laissai faire et me laissai faire par la même occasion. Je l'avais bien mérité.
L'homme me regarda un long moment et me dit d'une voix
étrange :
– Tes traits sont fins comme ceux d'une jeune fille. Tes
yeux sont noirs et profonds. Tu as la douceur du nougat et
la saveur du caramel. Viens t'allonger à côté de moi !

Le vent avait redoublé de force et de chaleur. Les bruits
de la rue avaient cessé. L'ivrogne ronflait comme une
rivière en crue. Tamou baissa les yeux et dit :
– Rien ne vaut le sourire de la mère, ni sa voix, ni son
regard, ni la tendresse qu'elle accorde à ses enfants. On le
dit : quand le père vient à manquer, ton oreiller est le giron
maternel, quand c'est la mère qui trépasse, la rue devient
ton oreiller !
Elle soupira. J'épiai ses gestes et ses regards. Chama ne
leva pas les yeux.

Je suis arrivée dans cette ville puante, grouillante et
criarde, balbutia-t-elle sur le ton de la confidence. J'ai marché longtemps. A Bab Boujloud, un homme à la barbe
blanche m'a abordée :
– Viens avec moi et je te donnerai ce que personne ne
peut t'offrir : des rêves bleus et un petit coin au paradis. Tu
m'as égorgé avec tes cils et noyé dans le noir profond de tes
yeux. Viens avec moi !
J'ai craché par terre et continué mon chemin. Un adolescent à mobylette a essayé de m'enlever de force. Il voulait
que je l'accompagne. Je l'ai mordu au bras. Jamais je n'aurais pensé qu'on pouvait ainsi traiter les femmes dans un

pays musulman. Partout où je suis passée, les hommes ont sifflé sur mon passage, m'ont interpellée en des termes grossiers. Tous voulaient mon corps. Je ne savais comment échapper à leur agressivité. Plus la nuit approchait, plus mon angoisse grandissait. La nuit me rendait impuissante, vulnérable... Je pensais que vous deviez connaître les mêmes désagréments. L'adolescent à la mobylette a tournoyé longtemps autour de moi en m'injuriant dans toutes les langues qu'il connaissait. Les passants souriaient et passaient leur chemin, indifférents à mon sort, indifférents à l'arrogance de ce voyou. Du moment qu'il ne s'agissait pas de l'une de leurs filles ou de leurs épouses, les hommes considéraient que je n'avais que ce que je méritais. Si je ne voulais pas être agressée de la sorte, je n'avais qu'à rester chez moi. La rue devait demeurer l'espace des hommes. A leurs yeux, j'étais une putain, une fille égarée qui cherchait à provoquer les mâles en dérangeant leur piété. Quelqu'un m'a insultée en prenant les autres à témoin :

– La salope, elle a cassé mes ablutions ! Voilà, j'ai mouillé mon pantalon. C'est ce qu'elle cherchait en manipulant de manière aguichante sa petite poitrine !

La tête baissée, je ne distinguais même pas le visage de tous ces hommes agressifs.

– Va couvrir ta nudité ! me cria un autre homme un peu plus loin.

Je marchais sans me retourner, sans prêter attention à ces paroles d'un autre âge.

– Nous sommes dans un pays musulman, me dit une autre voix, rentre chez toi, et demande à Allah de te pardonner l'offense que tu nous fais avec ce corps pubère et menaçant, ces yeux qui font tomber l'oiseau du haut de sa branche, ces seins qui pointent comme deux grenades, ces sourcils tranchants comme des sabres qui brillent au soleil... Va chez toi, et ne blesse pas notre regard par la blancheur de tes bras et de tes jambes...

Chama se tut et ramena ses deux mains vers son visage. J'enchaînai.

L'homme qui avait sollicité ma compagnie avait la quarantaine et paraissait instruit. Il prononçait souvent des mots dans des langues étrangères, dont la signification m'échappait. Je regardais et j'écoutais. J'ai cru comprendre qu'il s'agissait d'un parlementaire. Un homme important. Le gouverneur était entouré par quatre adolescents beaux et vigoureux, une pipe de kif voyageant de main en main. Je pris place à côté de l'homme qui ne cessa de me parler en me caressant le bras. Le gouverneur et les adolescents fumaient pipe sur pipe pendant que l'un des quatre garçons récitait des vers qui avaient une certaine emprise sur l'homme de l'autorité. Il fumait et dodelinait de sa tête chauve, bercé par la mélodie et la rime poétiques. Des bouteilles de vin étaient disposées sur une grande table. Les garçons avaient des corps superbes. Les adultes étaient laids, mais leurs manières les rendaient sympathiques. Un quinquagénaire aux cheveux blancs se leva, un verre de vin dans la main droite, et dit à l'intention de l'assistance :

– *Allahoumma aousikni wa arouij oummati!* Dieu, abreuve-moi de whisky et comble ma communauté de gros rouge !

Tout le monde éclata de rire. Je n'avais pas compris l'allusion. L'homme aux cheveux blancs avait un accent particulier. C'était un émir saoudien. L'allégresse était générale. Le ministre se leva et Daoud lui caressa la croupe par-dessus le tissu de sa toge. Le gros ferma les yeux et savoura ce moment d'affection et de délicatesse. Il se retourna vers son bienfaiteur et prit sa main dans la sienne.

– Allah ! soupira-t-il. Quelle douceur tu sais imprimer à tes gestes ! Toi seul connais le lieu de mon attente ! Que cette main soit bénie entre toutes !...

Il porta la main à ses lèvres et y déposa un baiser luxurieux. Les autres approuvèrent par des applaudissements.

Le parlementaire posa sa main dans mon dos et déclara à Daoud sur le ton de la confidence :

– Ce garçonnet est délicieux ! Il faudra que tu nous montres sa lune un jour. Dieu te récompensera pour cette bonne action ! Mais je ne veux pas d'un *nass koum*, un demi-manche !

– Tu es toujours pressé, répondit l'autre. Cette nuit est une nuit particulière. Toutes les lunes doivent s'effacer pour laisser la place à la lune des lunes, la pus belle, la plus merveilleuse de toutes.

– Tu as bien parlé ! dit le ministre en passant une main spongieuse dans les cheveux drus de Daoud.

L'orchestre jouait inlassablement sa musique andalouse. De temps en temps, un adolescent se levait et remplissait les verres d'alcool. Un autre allumait la pipe du gouverneur. Un autre encore exécutait une danse lascive au milieu de la tente. Je regardais tout cela en me demandant si ces choses se produisaient bien dans un pays musulman. C'était un autre monde, inventé pour des hommes qui avaient tout et à qui manquait l'essentiel. Un monde peuplé de caresses, de baisers, d'alcool, de kif, de chants, de danses, de soupirs, de balbutiements…, mais aussi de frustration, de médiocrité, de manque, de bassesse… Le monde du pouvoir et de l'argent.

Les verres circulaient. Les hommes bavardaient. Les adolescents riaient très fort. L'un des hommes donna cette information :

– Vous savez que Sidi Brahim est décédé…

– Comment ça ? interrogea quelqu'un. Je l'ai rencontré il y a moins de huit jours…

– Eh bien, il est mort dimanche dernier.

– Pauvre Sidi Brahim ! C'était un homme bien, un sucre. Et de quoi est-il mort ?

– On dit qu'il est mort de cette curieuse maladie qu'on appelle le sida.

– Tu m'as fait peur ! lâcha le premier. Il fallait le dire tout de suite qu'il était mort de mort naturelle !

– Comme tu dis! De la mort de Dieu...

L'assistance rit. M. le ministre posa sa main sur la nuque épaisse de Daoud. Quelqu'un demanda :

– Tu n'as rien à nous raconter, Azzi ?

– Azzi, c'est celui qui t'a mis au monde! Moi je suis plus blanc que le lait du matin. N'est-ce pas, mon ami ?

Le ministre s'esclaffa de son rire gras. Rouge comme une braise, sa langue frétilla au fond de sa gorge.

– Tu es plus clair que le blanc de l'œuf, déclara-t-il enfin. Ils ne peuvent pas apprécier ta beauté et ta délicatesse.

– Mais qu'est-ce qu'il a de plus que nous ? demanda un adolescent couché sur son flanc.

– Il a la bonne dimension, mon fils, déclara Moulay Bou Dargua en s'esclaffant à nouveau. Tu apprendras avec l'âge...

– Qu'Allah te bénisse! dit Daoud à l'intention de son ministre.

– Raconte-moi l'une de tes blagues!

Daoud, dit Azzi Manégass, rectifia sa position, s'éclaircit la voix avec une gorgée de whisky et commença :

– Un homme est allé au marché avec sa femme. Elle devant, lui derrière, le panier à la main...

– Le pauvre homme! s'exclama le parlementaire.

– Si tu t'amuses à l'interrompre à chaque phrase!... intervint le gouverneur. Tu es devenu insupportable depuis que nous avons eu la mauvaise idée de faire de toi un parlementaire. Tu étais plus sympathique avant, plus effacé, moins prétentieux.

– Je vous avais mis en garde, souffla le ministre. Un *kouallim* restera toujours *kouallim* ! Que pensez-vous qu'un imbécile d'instituteur soit capable de faire ?

– Tu as raison, surenchérit l'émir saoudien. Vous auriez dû proposer Daoud à sa place, ç'aurait été mieux !... Plus amusant en tout cas.

– Cette tête de mule a refusé notre offre ! S'il avait voulu, il y a longtemps qu'on l'aurait fait parlementaire ou directeur de cabinet. Mais c'est vraiment une tête de mule.

– J'aime trop la liberté et les voyages ! répondit Daoud, un peu gêné. Qu'est-ce que je comprends à la politique ?

– Et les autres ? Tu crois qu'ils comprennent quelque chose ? D'ailleurs, on ne le leur demande pas. Ils sont là pour faire ce que l'État leur demande de faire, un point c'est tout ! Ce n'est pas compliqué.

– Mais il y a les discussions sur le budget, sur les lois, les questions orales...

– Les nôtres, on leur prépare tout par écrit. Sinon ils la bouclent !...

– Et la gauche ?

– La gauche ! La gauche !... Elle joue le jeu elle aussi, parce que les leaders ont, eux aussi, des avantages et des privilèges qu'ils veulent préserver. Et nous sommes, nous, les garants de leurs privilèges. Tu sais, mon enfant, la politique c'est nous qui la faisons...

– Et le vote ? La campagne électorale ? Le jeu de la démocratie ? Les discours à la télévision sur la transparence et l'incorruptibilité des élections ? demanda le jeune assis à côté de l'émir, un verre de rouge à la main.

– C'est ça la politique, mon enfant ! Rien que du cinéma pour l'étranger. Nous avons besoin de l'aide et de l'appui des Européens et des Américains. Nous leur balançons ces discours parce qu'ils raffolent de démocratie et de droits de l'homme. Ça ne nous engage à rien. Nous avons un discours pour l'extérieur et un autre pour notre propre cuisine.

– Et les opposants ? demanda l'émir en caressant une jambe restée nue de l'adolescent. Chez nous, continua-t-il, c'est un vrai problème.

– Venez prendre des leçons ici ! Nous n'avons aucun problème de ce côté-là, monsieur Ali ben Dollar !

– Comment ça ? interrogea l'émir, intrigué. Je sais que vous avez vos opposants et qu'ils sont très virulents...

– Tu crois au Père Noël ! (Le rire épais qui s'échappa de la bouche baveuse du ministre fit tressauter sa bedaine.) Nos opposants, nous nous payons le luxe de les inventer, comme nous nous payons le grand luxe de créer de toutes pièces nos partis d'opposition. Les plus récalcitrants, nous essayons de les récupérer, et dans 99 % des cas nous réussissons sans peine. Les postes de responsabilité ne manquent pas. Chaque être humain a ses faiblesses. C'est ça le miracle marocain! On peut faire voter les morts et les bébés. On peut dire une chose le matin et faire son contraire l'après-midi. On peut faire et défaire un parti politique. On peut congédier le premier homme d'un parti ou d'un syndicat et le remplacer par un autre. On est capable, ici, de faire se lever le soleil à minuit!...

– Et ça ne vous dérange pas dans votre sommeil? interrogea un autre adolescent.

– Le sommeil, on vous le laisse! Nous, nous ne dormons pas car nous devons être vigilants si nous voulons garder le pouvoir encore longtemps.

L'émir Ali ben Dollar avala un autre verre de whisky en rêvant sur la jambe nue de l'adolescent.

J'observais tout ce délire avec mes yeux d'enfant. Même si je ne comprenais pas tout, j'avais reconnu ma haine dans ces gestes et ces paroles obscènes. Ma présence inopinée parmi ces hommes me parut comme une revanche sur le silence. Être là à ce moment précis et en ce lieu pour témoigner de la plus indigne des trahisons!

Avec l'âge et l'expérience, je compris pourquoi rien ne changeait dans ce pays. Depuis toujours, la terre et les richesses de la terre, les hommes et leurs volontés appartenaient au même tas de fils de putes qui avaient réussi à tirer parti de toutes les situations, sans scrupule et sans état d'âme...

13

Chama leva sur moi des yeux rouges de fatigue et de colère. Le vent chaud continuait à faire battre les volets contre les murs et à brûler nos visages. En face de moi, le mur commençait à changer de configuration. Avec l'approche de l'aube, il sortait lentement de son imprécision, laissant tomber son mystère. Tamou ne bougeait pas. Elle ne réagit pas à mes dernières paroles. Mais je savais qu'elle doutait de la véracité des événements que je racontais. Chama souffla très fort par le nez avant de détourner son regard. Le silence qui régnait sur la ville était suspect. Un silence lourd, à découper à la hache. Même les chiens avaient cessé d'aboyer contre le vent qui remuait les branches et malmenait les persiennes mal fermées. Même l'ivrogne avait donné congé à ses ronflements. Tous les bruits avaient cessé d'un coup et cela m'inquiétait. Une nuit sans bruit n'annonce rien de bon. Tous mes instants étaient remplis de cris, d'échos, de hurlements, d'appels, de murmures, de souffrance... Le moindre silence est naturellement suspect pour moi. L'appel du muezzin à la prière, cinq fois par jour, n'est rien d'autre que la volonté du pouvoir religieux de briser le cercle de silence et l'isolement qui pourraient s'emparer du croyant. Je me concentrai sur le tic-tac régulier de l'horloge dans l'autre pièce. Ce bruit familier et rassurant dissipa mon inquiétude. Une confiance précaire me gagna à l'écoute de ce bruit régulier qui remet le temps à sa place et comptabilise nos actes. Tamou parla comme si elle parlait à elle-même, comme si nous n'existions pas.

Toute la poésie du monde est dans la voix de la mère, dit-elle. Seul le souvenir de sa voix demeure quand tout a disparu. La voix de ma mère m'a poursuivie partout dans les rues de Tanger. Sur une petite place, un homme en haillons racontait l'histoire d'une fillette assassinée par les siens et enterrée près du ruisseau, à la sortie du village. Elle avait quatorze ans et ses parents voulaient la marier à un vieillard obèse qui suait à grosses gouttes. Il était riche et comptait pas moins de treize enfants. Écoutez cette histoire, elle ressemble étrangement à la nôtre.

Le conteur posa son *bendir* à côté de lui et promena son regard sur l'assistance.

– Radia aimait son cousin, dit-il d'une voix métallique. Son cousin l'aimait aussi, *asiadna*! L'amour? Mais qui croit à l'amour dans une société régie par les interdits et les tabous? La honte d'aimer et d'être aimé. La honte de rire à gorge déployée. La honte de soutenir le regard d'un homme et d'un aîné. La honte de parler ou d'exprimer son opinion devant les adultes. La honte. Toujours la honte et la culpabilité. Radia pleurait jour et nuit, à l'intérieur de ses yeux. *Ib, h'chouma*. Illicite et honteuse, toute expression de désir amoureux. Une faiblesse. Aimer, c'est concéder sa part virile à l'autre. Démissionner devant ses tâches et ses responsabilités. Radia pleurait sans discontinuer. Son cousin errait dans les rues à la recherche d'une solution. Haj Brahim Bouarraquiya était riche. Très riche. On le voyait à ses habits et à sa bedaine. Le jour de la grande cérémonie approchait. Les préparatifs allaient bon train. Haj Brahim voulait une fête digne de sa situation et de sa jeune épouse. Il dépensa sans compter. Ses enfants tiraient des gueules d'enterrement. Ses trois épouses se perdaient dans des suppositions imbéciles, consultant *fqih* après *fqih* et rendant visite à tous les marabouts de la région. L'une rapportait une amulette magique. L'autre revenait avec les ongles et les cheveux de l'époux volage pour le ramener au foyer après les avoir laissés trois nuits dans le *siyed* spécialiste des choses du cœur. La troisième devait lui faire boire un liquide à base de clous de girofle, de thym, de poils de rat, de mouches indiennes ayant macéré dans de l'urine de jument pendant sept nuits de pleine lune. L'activité des trois épouses débordait comme celle des abeilles. Les voisines et connaissances ne se montraient économes ni de leur temps, ni de leurs conseils, ni de leurs larmes. Elles exprimaient leur solidarité dans le malheur : « Une adolescente qui pourrait être sa fille. Quelle honte ! Il est vraiment devenu fou. Et les autres qui sacrifient leur enfant sans honte ni vergogne... »

Le conteur sauta comme un singe dressé, frappa dans ses mains, demanda à l'assistance de répéter après lui ces formules :

– Que la prière et le salut soient sur notre Prophète !... Qu'Allah bénisse notre cercle et fructifie nos richesses !... Qu'il réalise nos projets et guide notre progéniture sur la voie de la résignation, du sacrifice et de l'abnégation ! Amen !... Qui donne un sou ou deux, Dieu les lui rendra par milliers. *In Chaa Allah !* Je demande l'hospitalité aux gens de cette ville. *Dif Allah.* Qui donne un sou, qui en donne deux... pour ce conteur venu d'outre-tombe faire concurrence à la télévision qui détruit vos gosses et vos femmes ! Une pièce ou deux au nom du Prophète Sidna Mohammed !

Tamou se tut. Chama l'observa d'une manière curieuse. Je ne voyais pas ce que venait faire cette histoire dans nos aventures. Ce que je n'arrivais pas à comprendre, c'était pourquoi elle avait substitué ce conte à sa propre histoire, faisant de Chama et de moi les spectatrices consentantes d'un conteur imaginaire et extrêmement présent. La voix d'un homme qui passait à ce moment dans la rue détourna mon attention :

– *Allah Irhamna !* Mais Il sait ce qu'Il fait. Il donne à ses

111

fidèles à la mesure de ce qu'ils ont dans le cœur. Ici le feu du vent et demain celui de la géhenne. Goûtez au châtiment qui vous attend, mécréants !...

Plus tard, dis-je, je compris comment des enfants pouvaient être jetés à la rue impunément, comment un homme pouvait répudier et abandonner ses épouses sans autres formalités que celle du droit canonique dont il avait été investi. Je compris pourquoi il y avait tant de mendiants dans les rues, tant de veuves et de prostituées. Pourquoi les places et les rues étaient encombrées de corps inutiles et de chômeurs diplômés. Pourquoi les hôpitaux étaient des mouroirs et les prisons des lieux où l'on cultivait la haine, la violence et le terrorisme. Géré par l'opportunisme, l'incompétence et la médiocrité, le pays ne pouvait espérer meilleure destinée. Très vite, je compris la source de notre mal et de notre désespoir. Dirigé par des hommes de cet acabit, les plus beaux fleurons de la flagornerie et de l'escroquerie, le pays ne pouvait que sombrer dans la glaise de la répression policière et des inégalités sociales. Ces épaves humaines aux couilles ratatinées par les grandes compromissions et les petites lâchetés avaient construit des murailles épaisses en béton armé entre leur propre orgueil et l'espoir du peuple. Repêchés par le pouvoir au lendemain de l'indépendance, les chiens couchants étaient devenus des rapaces assoiffés d'abus et d'injustice. Bien plus tard, je me dis que les paroles proférées lors de cette soirée étaient compromettantes et que, dans d'autres pays, leurs auteurs auraient été passibles de poursuites judiciaires. Impunis et arrogants ! Ces hommes continuaient à gouverner cette terre comme s'il s'agissait de leur usine ou de leur ferme. Ils baignaient dans l'illégalité, illégalité qui se traduisait par le luxe extravagant, souvent de mauvais goût, toujours provocateur. J'avais compris la pire des réalités : les pauvres le resteraient jusqu'au jour du Jugement dernier et les riches n'arrêteraient pas de s'enrichir dans ce pays qui avait perdu toute mesure et qui avançait, d'un pas décidé, vers l'irrémédiable.

– Maudit soit celui qui a évoqué la politique cette nuit ! s'exclama l'un des adolescents au service du gouverneur.

– Tu as raison, Zouhir ! rétorqua un autre adolescent sur un ton sec. Ce n'est pas parce qu'ils s'acharnent à mener le pays vers la catastrophe avec leur politique de merde qu'ils vont gâcher notre soirée !

– Notre soirée tourne déjà à l'enterrement ! geignit Zouhir, la fesse nue et les joues luisantes de colère.

Il avala deux verres de whisky, alluma une cigarette et vint s'allonger contre l'émir, en extase devant le corps sculpté de l'adolescent.

– Quelle connerie de politique ! railla-t-il en soufflant la fumée de sa cigarette au visage de l'émir. On est là pour oublier, s'amuser, boire et vibrer, pas pour remuer la boue et les misères de nos peuples...

– Maudits soient les pécheurs ! s'exclama Azzi Manégass. C'est la volonté de Dieu. Que pouvons-nous y faire ? Si aucun pays musulman n'est démocratique, pourquoi demander au Maroc de l'être ? Et puis chaque peuple mérite le pouvoir qu'il a, sinon...

– Sinon, c'est la merde ! s'écria Zouhir, désespéré. On te dit qu'on ne veut pas de cette saloperie de politique et tu continues à enfoncer le clou dans une planche pourrie ! Il n'est de Dieu que Dieu !...

– *Khalliouna man had achi !* suggéra le ministre. Que la paix soit avec nous ce soir, le plus beau et le plus miséricordieux d'entre tous !

– Dieu te garde, monsieur le ministre ! soupira le gouverneur, bourré de kif et d'alcool.

– Toi, le lécheur de bottes, tu la fermes ! rétorqua le ministre avec colère.

Un silence de mort suivit ces paroles et plana sous la tente pendant quelques minutes. Aussitôt après, Zouhir se mit à réciter des poèmes qui firent l'effet d'un miracle.

Alors que la soirée évoluait vers son propre dénouement, Zouhir avait réussi à dissiper l'anxiété. L'émir Ali ben Dollar embrassa l'adolescent sur la bouche avec fougue et grommela :

– Que Dieu bénisse ta voix et ton corps ! Allah, nous sommes vraiment au paradis ici ! Quelle chance vous avez, vous autres Marocains. Chez nous, il n'y a que les interdits et le fric. Votre pays est le plus beau de tous...

Quelqu'un avait refermé la porte avec fracas. Le bruit attira notre attention. Je m'attendais à ce que les autres se réveillent et créent de l'ambiance. Rien. Tout baignait dans le calme de ceux qui ont un cadavre à la maison. Les mouches s'étaient hasardées une nouvelle fois au-dessus de la tête du mort mais avaient vite renoncé à atterrir. Les dépouilles de leurs martyrs gisaient encore sur le sol et sur le suaire. La fumée des cierges de mauvaise qualité continuait à encrasser les murs et à polluer l'atmosphère. Chama frappa sa poitrine plusieurs fois avec la paume de sa main droite.

Nous avons vécu l'enfer alors que tu as continué à t'enfoncer dans la chair adipeuse de ton épouse, dit-elle en s'adressant au cadavre. Son sexe t'a aveuglé, abruti, et tu nous as sacrifiées pour des moments de folie. Tu as continué à être le témoin consentant et lâche des ébats amoureux de ton épouse et de son amant sous ton propre toit. Tu as continué à leur servir de victime et d'alibi. Pauvre cloche ! Tu avais l'esprit englouti dans tes couilles. Tu étais trop faible, trop maladroit et trop vieux pour voir plus loin que le bout de ta ratatouille. A Fès, j'ai erré longtemps en me donnant des airs de femme pressée et occupée. Mais je savais que je finirais par connaître un sort atroce. Tout m'agressait : les gens, les vitrines, la faim et la soif, les bêtes et les voitures... La nuit arriva comme la foudre et me terrassa. Je ne sais pas où ni quand ni comment je me suis endormie. Au milieu de la nuit, une chaussure vint se loger dans le creux de mes reins. Une voix hurlait :

– Lève-toi, espèce de poufiasse dégénérée ! Tu passes tes nuits dans les bars et tu viens cuver ton vin au coin des rues !...

Une autre voix s'éleva :

– Maudite soit la religion du vagin de ta mère ! Tu pollues la rue avec ton corps et ton vomi. Que vont penser les touristes de nous en te voyant dans cet état ?

Une troisième voix :

– Les filles de putes ! On les ramasse chaque nuit comme des criquets, et il faut toujours qu'elles reviennent pour nous donner du boulot ! Quelle société !...

Un deuxième brodequin m'écrasa le bras. Je poussai un hurlement de douleur.

– Ta gueule ! me hurla une quatrième voix. Tu dors dans la rue et tu voudrais peut-être qu'on te présente des beignets avec du miel ! Maudits soient ceux qui t'ont mise au monde !

Une cinquième voix :

– *Ouach had achi maziane daba !* C'est bien ce qui se passe maintenant ! Qu'est-ce que vous cherchez toutes ? A ce que nos supérieurs se fâchent contre nous ? Nous sommes fatigués par le nombre de putains, de mendiants, de fous et d'ivrognes qui peuplent cette ville depuis que ses enfants l'ont abandonnée pour aller s'installer à Casablanca et à Rabat... *Yallah !* Enlevez-moi cette pourriture-là !...

Les voix se multiplièrent, plus injurieuses les unes que les autres, plus menaçantes, plus cruelles. Les coups s'abattaient sur mes membres endoloris. Je hurlais de souffrance. Mais je refusais de verser une seule larme. Quelques passants changèrent de trottoir pour éviter d'être mêlés à mes histoires. Personne ne s'arrêta pour mettre fin au massacre ou hurler à l'injustice.

La nuit s'installa, interminable. L'aube me paraissait ne jamais vouloir poindre. Chama se tut, leva les yeux vers le

plafond et se perdit dans une méditation sans objet précis.
Je poursuivis mon récit.

La jeunesse de Zouhir s'enflamma et ses yeux pétillèrent
de bonheur, dis-je d'une voix neutre. Le jeune homme
venait de gagner sa place dans le groupe des élus. Avec un
peu de chance, l'émir Ali ben Dollar lui proposerait de l'accompagner dans son pays. Là-bas, paraissait-il, les gens ne
savaient plus quoi faire des pétrodollars. C'était une occasion à ne pas rater. Il aiderait sa famille et protégerait les
siens de la misère et de l'acharnement du destin. Il se
retourna vers l'émir et le couva d'un regard langoureux
alors qu'au fond de lui-même il aurait préféré lui cracher
au visage et l'écraser comme une puce entre ses ongles. La
nécessité donnait à sa démarche plus de grâce et à son œil
de braise plus d'éclat et d'ardeur. Il arrêterait sûrement tout
ça un jour, épouserait une jeune fille de bonne famille et
fonderait un foyer. Il monterait un commerce et tournerait
définitivement le dos au passé. L'émir Ali ben Dollar inclina
légèrement la tête vers Zouhir et effleura ses joues roses.
L'adolescent serra les mâchoires et ravala son courroux. Il
passa sa main fine sur le genou de l'homme riche, qui tres-
saillit de plaisir. Il se livrait tout entier à la voix de son jeune
protégé. Tous les regards convergèrent sur Zouhir, qui était
plein d'une ivresse mélodieuse.

– Béni soit Abou Nouwass, le plus grand des poètes
arabes ! articula le ministre d'une voix de stentor.

L'assistance applaudit aux prodiges de l'adolescent, qui
remercia en hochant la tête. Le ministre se leva et glissa un
billet de deux cents dirhams dans l'échancrure de sa toge.
Les autres en firent autant. L'émir fouilla dans une petite
valise dissimulée sous un coussin et en sortit une bague
qu'il passa au doigt de Zouhir. Le saphir brilla de son éclat
sous le feu croisé des regards envieux des autres adolescents. Zouhir tourna et retourna la bague autour de son
doigt, un peu embarrassé, incapable de trouver les mots

justes pour exprimer son bonheur et sa gratitude. Il se retourna finalement vers l'émir et se réfugia dans ses bras, les yeux humides et la voix nouée par les larmes.

– Je voudrais pouvoir te rendre heureux! souffla l'émir d'une voix étrange dans les cheveux noirs de l'adolescent.

– Pas d'excès dans les sentiments! fit le parlementaire en plantant ses ongles noirs dans mon dos. Tout à l'heure c'était la politique, maintenant c'est l'amour... Il faut se méfier de nos transports, cette nuit!

– Si tu l'ouvres encore une fois, rugit le ministre en brandissant une main menaçante, je te jure qu'aux prochaines élections tu te retrouveras à la médina devant un panier de menthe!...

Un éclat de rire monta des poitrines pleines d'alcool. Les corps obèses étaient pris de convulsions. Les panses opulentes tressaillaient d'émotion et les postérieurs monumentaux frémissaient d'ivresse sous les muscles mous. La nuit glissait lentement sur les échos de cette soirée et l'orchestre, infatigable, jouait sa musique andalouse, comme pour atténuer les trépignements de joie et de colère de ces hommes retranchés derrière la laideur de leur viande.

– Qui a commencé une histoire tout à l'heure et ne l'a pas terminée? interrogea l'émir en passant une main enjôleuse dans le dos de Zouhir.

– C'est mon *habibi*, dit le ministre d'une voix languissante en désignant Daoud du doigt. Il est si timide que nous n'entendons que ceux qui n'ont rien à dire!

– Désolé de t'avoir interrompu! articula le parlementaire en se faisant tout petit.

– C'est incroyable! rugit le ministre en lui lançant un regard méprisant. On te coudrait les lèvres, tu parlerais parderrière! C'est une manie chez vous, les *kouallimînes*. Taistoi et écoute!

Le parlementaire se tut. Quelques murmures s'élevèrent. Zouhir se pencha vers son voisin et lui dit à l'oreille, narquois :

– Parlementaire de zébi! Quelle poque! C'est à te donner honte d'être parlementaire dans ce pays!

– Il n'a que ce qu'il a cherché, balbutia l'autre dans l'oreille de Zouhir. S'il avait obtenu son siège par son mérite, grâce à la volonté populaire, ce sac de merde ne le traiterait pas de la sorte. Mais que veux-tu?...

– Raconte! s'écria le ministre à pleins poumons en rattrapant ses lunettes qui s'étaient détachées de ses oreilles. Je vis ses yeux. Leurs grosses billes lourdes et disgracieuses. J'en fus terrifiée. Je ne comprenais pas comment un homme d'une telle laideur pouvait être ministre dans ce beau pays.

Daoud semblait hésiter. Il dessina un sourire triste sur son visage, caressa la main du ministre et dit:

– Laisse tomber! Une blague n'est pas un exercice mathématique. La blague est un art. Et si les conditions nécessaires ne sont pas réunies pour son expression, elle devient une crotte de chien sur un plat de couscous!

Le ministre Moulay Bou Dargua approuva cette grossièreté d'un rire affreux.

– Une crotte de chien sur un plat de couscous! répéta l'émir en écartant les jambes et en frappant ses cuisses comme une vieille femme en deuil. (Il se tordait si fort qu'il fut pris par le hoquet.) C'est astucieux! Très astucieux! finit-il par dire entre deux contractions.

Le mur de la pièce était complètement submergé par des formes insolites. L'humidité des années avait écrit sa propre histoire sur cette surface surannée. Une scène gigantesque évoluait à travers les taches, les sinuosités, les failles, les débris de plâtre et de ciment, les écailles de peinture... Au moment même où j'entreprenais de détailler cette planche en mouvement, Tamou leva les yeux dans ma direction et reprit son récit.

– Merci, dit le conteur après avoir fait disparaître les pièces de monnaie dans la poche de son pantalon. Merci à celui qui a donné et même à celui qui n'a rien donné ! Merci de m'honorer dans votre ville et de m'offrir l'hospitalité ! Rien ne pouvait détourner le destin de son chemin ni l'histoire de son cours, *asiadna* ! Radia a pleuré toutes les larmes de son corps. Son cousin a erré comme un fou. Les préparatifs du mariage annonçaient une cérémonie grandiose, celle où les vivants réveillent les morts pour qu'ils voient, eux aussi. Les larmes de Radia étaient intarissables. Sa mère la grondait sans arrêt, ne comprenant pas ce qui rendait sa fille si malheureuse. Elle lui disait : « Dieu t'aime pour t'avoir destinée à Sid el-Haj Brahim Bouarraquiya. C'est vrai qu'il est un peu vieux, mais il te fera vivre comme une princesse. Et puis un vieux, ma foi, ça se dompte vite et plus facilement qu'un jeune, qui peut transformer ta vie en enfer. Le vieux est gâteux, avec un peu de miel sur le bout de la langue tu peux lui faire faire tout ce que tu veux ! Je te le dis, c'est un bon parti. Le vieux, à toi de le faire danser comme un singe... »

Le conteur sautilla à droite puis à gauche en imitant les gestes du singe. Quelques femmes drapées dans leur haïk en laine observaient la scène de loin. Le conteur s'immobilisa au centre du cercle et dit :

– Radia était belle comme la lune. Fraîche comme la première fleur du jardin, pure comme l'eau de Zemzem, jeune comme le plus exquis des printemps. Elle était amoureuse de son cousin et son cousin l'aimait avec passion. Mais les choses du cœur sont bannies de cette histoire. Radia ne voulait rien d'autre qu'un moment de paix entre les bras de celui qu'elle adorait. Connaître ce frisson qui fait chavirer les âmes et mourir après. Le vieux était si vieux que ses os commençaient à se désagréger sous sa chair. Mais l'intérêt ! *Allah istar !* Que Dieu nous protège ! Ses parents cherchaient à enterrer la jeune fille vivante dans la vieillesse de ce gros lard !... Les langues voltigeaient de réprobation en blasphème. Rares étaient ceux qui approuvaient cette union. Ceux qui avaient quelque intérêt à ce que l'alliance se réalise affirmaient sans honte que Dieu aime les mariages et qu'une union légale ne peut que rendre heureux les anges du ciel... Radia, *asiadna!* pleurait jour et nuit. Mais ses larmes furent incapables de lui épargner la terrible épreuve. Son père disait que c'étaient là des larmes de joie. Ce mariage sauvait le père de la faillite. Radia avait compris qu'elle n'avait pas le choix et qu'elle devait faire le deuil de sa jeunesse et de ses sentiments...

Tamou baissa les yeux et laissa planer le silence. Je pris la parole et continuai mon histoire.

L'émir riait et transpirait. J'avais l'impression qu'il venait d'un autre monde, avec son accent guttural, sa barbe en collier soigneusement taillée en pointe, les doigts chargés de bagues et le crâne coiffé d'un keffieh. Rien dans ses paroles ni dans ses gestes n'exprimait la moindre intelligence. Il me paraissait fruste, infect et licencieux. Son gros fessier était impressionnant, et quand lui et le ministre esquissèrent un pas de danse sur le tapis de haute laine les adolescents ravalèrent un sourire désinvolte. Les deux hommes secouèrent leur graisse pendant cinq minutes avant de tomber, épuisés et dégoulinants de sueur, dans les bras de leurs compagnons. Zouhir reçut la masse alors qu'il ne s'y attendait pas et faillit s'écrouler. Azzi Manégass avait entièrement disparu sous le bloc de viande ministériel. Le gouverneur adressa un clin d'œil au parlementaire, qui enfonçait de plus en plus ses ongles dans mon dos. Les jeunes regardaient en faisant semblant de s'occuper à remplir les verres. L'orchestre exécutait depuis un moment la même partition musicale dans l'indifférence générale, ignoré par les présents occupés à assouvir leurs passions. La folie gagnait les corps et je me demandais ce que je faisais au milieu de ces hommes inspirés par le diable. Les uns trépignaient d'allégresse, les

autres se tordaient de rire. L'atmosphère avait retrouvé son
ambiance d'exaltation du début. Le gouverneur et le parlementaire se regardèrent sans trop savoir comment il fallait
se conduire. Le ministre finit par retrouver son équilibre et
je distinguai les cheveux drus de Daoud. Il se releva avec difficulté et, s'apercevant qu'il avait perdu ses lunettes, courba
l'échine et se mit à genoux.

– Bordel de merde ! C'est comme si je me trouvais dans
un trou noir... Cherchez-moi ces filles de putes de lunettes !

Tout le monde se retrouva à genoux. Plein de kif et de
whisky, le gouverneur essaya de se relever, mais ses forces
l'abandonnèrent. Il retomba de tout son long, le nez dans
la laine et la poussière des tapis. Il injuria Satan plusieurs
fois dans sa barbe, répéta qu'il était maudit mais ne s'avoua
pas vaincu. Il rampa jusqu'au lieu des recherches et dit
dans un balbutiement :

– Je ne vois pas les lunettes de M. le ministre !

Tout le monde s'esclaffa. Le ministre se retourna et invec-
tiva le gouverneur :

– As-tu vu ton état, déjà, avant de voir mes lunettes ? Tu
ressembles à un fossoyeur mangé par la mort des autres. Tu
es une véritable calamité pour la province et une catastrophe pour le pays. Mais tu es malin et tu sais très bien
faire les courbettes. C'est ça qui te sauve chaque fois !...

Zouhir passa derrière le gouverneur et lui enfonça son
doigt dans le derrière à l'insu des autres. Il imprima dans ce
geste toute sa haine. L'autre releva un bras amorphe et dit
d'une voix à peine audible :

– Laissez mon cul tranquille ! Il ne vous a rien fait... Mais
c'est la loi du pays... Chacun baise l'autre... avec le respect
de la hiérarchie et du rang social...

Les recherches ne durèrent pas longtemps. Daoud brandit la paire de lunettes dans un geste de triomphe. Vaincus,
les autres regagnèrent leur place sans piper mot.

– Le fils de pute, souffla le parlementaire, la chance ne le
quitte jamais !...

121

– Rends-moi mes yeux, que je puisse te voir et t'apprécier ! bredouilla le ministre en tendant les bras devant lui comme un aveugle qui cherche son chemin.

Tous les yeux étaient tournés vers lui. Je sentis mes muscles se raidir et ma peau se hérisser. Il se redressa comme un vieux chêne fatigué et s'empara de la main de Daoud pour la porter à ses lèvres. Une lueur de jalousie jaillit du regard du parlementaire et de celui du gouverneur. Le ministre ajusta ses lunettes sur son nez monstrueux et regagna sa place en traînant Daoud derrière lui. Il passa à ma hauteur, s'arrêta, me fixa d'un regard crispé, s'avança vers moi et interrogea d'une voix mauvaise :

– Que vient faire ce mioche dans nos affaires ?

– Ce n'est pas un mioche, s'interposa Azzi en entourant la taille du ministre de son bras musclé. C'est le jeune Brahim. Il a quinze ans déjà, ce n'est plus un gamin !

– Et après, si moi je trouve que c'est un gamin !

– Tu as parfaitement raison ! Mais j'ai cru bien faire en l'amenant avec moi. Il est doux et silencieux. Même s'il voulait parler, il ne le pourrait pas : il est sourd-muet.

– C'est un membre de ta famille ?

– C'est mon neveu ! Je te l'ai présenté à notre arrivée.

– Bien, conclut le ministre, je veux bien pour toi, mais je préfère qu'on reste entre hommes.

Il parla vite, essuya plusieurs fois la bave qui s'échappait de ses lèvres et alla se rasseoir comme un sac de purée aux côtés de Daoud. Le gouverneur retrouva sa pipe de kif et ses adolescents, et le parlementaire replanta ses ongles noirs dans mon dos. Il m'avait seulement regardée. Et je décelai dans ce regard toute la haine du monde et le mépris des humains. Ses pupilles troubles et boueuses portaient déjà les ténèbres de la mort. Si cela avait duré plus longtemps, je crois que j'aurais fini par hurler ou éclater en sanglots.

L'un des hommes en uniforme m'attrapa par les cheveux et m'obligea à me relever, dit Chama, les yeux humides. La nuit, le ciel, le destin n'opposaient aucune résistance. J'étais seule face à l'injustice des humains. Et Dieu n'avait rien à voir dans nos histoires. Mes membres meurtris me faisaient souffrir, mais je résistai à l'envie de pleurer. Le fourgon dans lequel on m'avait précipitée était déjà bondé de corps puant l'alcool et la cigarette. J'atterris au milieu d'eux en catastrophe. Quelqu'un hurla de douleur.

– Ta gueule ! lança une voix dans mon dos.

Je cherchai un espace libre où m'installer. Une deuxième voix s'éleva à l'intérieur du fourgon :

– Ce n'est pas une manière de se comporter avec des êtres humains ! Les associations pour la défense des droits de l'homme existent. Vous verrez ce qu'il vous en coûtera ! L'ère du mépris et de l'irrespect de l'individu est révolue. Nous sommes au XXe siècle... Vous oubliez à qui vous avez affaire ?...

– Nous avons toujours été au XXe siècle, rétorqua un homme en uniforme. Tes associations et instances pour la défense des droits de l'homme sont reconnues et respectées dans notre pays. Personne ne dit le contraire. Mais si tu veux faire de l'esprit, attends d'être libéré. A présent, ferme-la et laisse-nous faire notre boulot ! Race de chiendent !...

Une crosse de fusil vint cogner contre la tête de l'homme qui venait de parler. Il s'écroula aussitôt au milieu du véhicule, sur les autres corps.

– Laisse-nous dormir un peu ! rouspéta quelqu'un.

La lumière d'une torche électrique fouilla les recoins du fourgon et s'immobilisa sur un filet de sang qui coulait sur la tempe de l'homme avant de se répandre sur la tôle recouverte de poussière et de mégots. Un épais crachat vint se mêler au sang de la victime. Le canon d'une arme se logea dans les côtes du corps inanimé et l'homme en uniforme donna un coup avec la paume de sa main sur l'arrière de la crosse.

– Je vais te les montrer, moi, tes droits !

Les autres s'étaient bouché les oreilles, attendant un

coup de feu qui ne vint pas. A la place, il y eut un craquement d'os. Je tremblais de toutes les fibres de mon corps. Habitués à la pénombre, mes yeux distinguèrent des visages jeunes, d'autres plus vieux, des enfants, comme moi, probablement, chassés par le père ou par les vicissitudes du destin. Les ivrognes ronflaient, insensibles au malheur qui nous frappait tous. Le fourgon démarra dans un nuage de fuel. Une forte odeur d'urine agaça mes narines. J'essayai de penser à autre chose mais ne réussis qu'à m'enfoncer davantage dans la pestilence. Le fourgon s'arrêta aussi brusquement qu'il avait démarré. Je me répétais au fond de moi-même que Dieu interviendrait vite pour mettre fin à l'injustice dont j'étais l'objet. Je me rappelai le trajet que j'avais fait pour arriver jusque-là. Dieu ne bougea pas son petit doigt. Les portières du véhicule s'ouvrirent avec fracas. Les hommes en uniforme hurlèrent des ordres à notre intention. Nous nous levâmes dans la peur et le désordre. Le corps de l'homme blessé obstruait le passage. L'un des policiers s'approcha de lui et le traîna par les pieds. La tête ensanglantée cogna contre l'asphalte. L'homme blessé essaya de se relever mais n'y parvint pas. Je portai la main à mon visage. Mes côtes me faisaient mal. J'avais envie de hurler, de griffer et de mordre. Mais les crosses des fusils étaient en l'air et les gourdins prêts à sévir. J'étais sur le point de m'évanouir quand les hommes en uniforme nous ordonnèrent de nous aligner devant le fourgon. Les ivrognes avaient du mal à retrouver la station verticale. Des grognements s'élevèrent, des cris étouffés, quelques protestations timides. Le corps de l'homme blessé gisait à quelques mètres de nous. Je tremblais de peur et d'indignation.

Chama se tut et un silence lourd s'installa dans la pièce.

Rien que des ombres, timides et furtives, dis-je. Ces hommes s'amusaient, buvaient, se caressaient, mangeaient

comme des goinfres... pendant que mes sœurs étaient perdues dans la nature, en proie à la souffrance et au danger.
Je compris que jamais le courroux qui m'animait contre les
hommes ne s'éteindrait. Le destin de mon pays et celui de
ses enfants étaient entre des mains disgracieuses, des
esprits incapables de faire preuve de modestie, d'humilité
ou d'intelligence. Dans le pire des cas, nous vivrions avec
le bruit des bottes dans la tête si le chapelet n'arrivait
pas à bout du mépris et de l'imposture. Ces idées germaient
dans ma tête depuis longtemps, depuis que l'injustice du
ciel et celle des hommes s'étaient chargées d'investir mon
cœur d'une haine lancinante. Les yeux noirs et profonds
de quelques adolescents étincelaient d'une rage impuissante et je réalisai que la main de Zouhir avait trahi ce
que cachaient les câlins, les rires, les paroles. Les ongles de
Si Azzouz continuaient à labourer mon échine avec violence. Je sentais son regard posé sur moi comme une
insulte. La main dissimulée sous sa toge, je le devinais se
caresser le sexe. Et chaque fois qu'il plantait ses ongles
dans ma colonne vertébrale, je savais que les flots du frisson commençaient à chatouiller son être et à prendre possession de sa raison. Je n'osais ni bouger ni réagir, encore
moins manifester un quelconque désaveu. Pour Daoud,
comme pour les autres, j'étais un garçon sourd-muet. De
toute façon, les mots n'arrivaient plus à trouver leur passage jusqu'à ma gorge. Insupportables, ces mains dans mon
dos. Mais je m'accommodais de cette situation tant que le
porc, couché sur le flanc, ne cherchait pas à aller plus loin
dans son exploration.

Une mouche se posa sur ma main droite. Je la chassai
d'un geste nonchalant. Chama leva sur moi ses yeux vides
d'expression. Le mur retrouvait ses formes et ses couleurs,
s'animait de mille petites scènes rocambolesques. Tamou
observa un long moment ses doigts repliés puis elle continua son récit.

Le conteur avait fait deux fois le tour du cercle formé par les corps des spectateurs. Il leva les bras vers le ciel, les agita plusieurs fois en poussant de petits cris aigus avant de dire :

– *Allah ihfadkoum oui hfadna akhoutna !* Que Dieu vous protège et nous protège aussi, mes frères ! Qu'Allah répande sa baraka sur votre chemin ! Qu'Il crève l'œil qui vous envie ! Qu'Il débarrasse votre entourage de tout ce qui peut nuire à votre tranquillité et à votre bonheur ! Suivez mon histoire et mettez-la comme une boucle à votre oreille. L'histoire de Radia et de son cousin. Tout était prêt pour le soir fatal. Le vieil homme se goinfrait d'amandes grillées, de raisins secs, de dattes, de miel, de gingembre et autres produits aphrodisiaques pour être à la hauteur de l'événement qui l'attendait. Point de pudeur en ce qui concerne les problèmes de la religion ! Point de honte, mes amis ! Le soir des noces arriva. Toute la tribu se rassembla dans la maison des mariés. L'homme dépensa sans compter, égorgea des dizaines de moutons et des centaines de poulets, fit venir plusieurs orchestres, donna à manger aux pauvres et aux mendiants pendant une semaine, distribua des pièces aux enfants, étancha la soif des invités avec du lait et du miel, fit venir de la grande ville, pour sa promise, les tissus les plus somptueux, les parfums les plus rares, les bijoux les plus raffinés... et... Savez-vous ce qui se passa cette nuit ? interrogea le conteur.

– Non ! répondit en chœur l'assistance.

– Priez sur notre Prophète ! demanda l'homme, en nage.

– Que la prière soit sur le meilleur des hommes ! dirent les gens dans un seul souffle.

La nuit était calme, le ciel impassible. Les étoiles brillaient de mille éclats, distantes et narquoises, continuai-je comme pour moi-même. La lassitude m'envahit. Le vin et le kif avaient fait leur travail dans la tête du gouverneur

126

Ouald Lhajjala Bingo. Autour de lui, les quatre adolescents buvaient et fumaient en titillant le bourrelet de graisse de sa nuque. Les rires fusaient de partout et les caresses se faisaient plus pressantes, plus précises. Les doigts de Si Azzouz descendirent le long de ma colonne vertébrale et s'immobilisèrent soudain au bas de mon dos. Un frisson insupportable me fit tressaillir. Daoud me lança un sourire railleur en levant son verre au-dessus de sa tête. Son geste me parut ridicule et déplacé. Les temps avaient changé. Nous vivions l'époque du triomphe de l'oppression. Une époque trouble et tourmentée, malade de trahison, d'opportunisme, de corruption, d'insécurité et d'abus. Toutes les portes se refermaient sur le mendiant, sur l'étranger... La peur habitait les cœurs et la méfiance prenait la place de l'amitié et de la générosité.

Absorbée dans mes pensées, je n'avais pas remarqué l'agitation qui s'était emparée des hommes. Tout le monde se leva soudain. Je pensai que la soirée avait pris fin et qu'on allait se quitter. La main du porc abandonna mon dos. J'en fus soulagée.

– A nous les réjouissances de cette douce soirée ! s'exclama Moulay Bou Dargua, le ministre, en levant les bras vers le ciel.

Son ventre plantureux se balança comme un baluchon de haine et de mépris.

– Que cette nuit soit la meilleure de toutes ! glapit l'émir en soulevant un pan de sa toge.

Ses jambes poilues me firent frémir.

– A nous la musique, l'ivresse, la danse et la mélodie de cette nuit divine ! s'écria quelqu'un que je n'avais pas remarqué jusque-là.

Les corps se levèrent dans le désordre des fessiers adipeux et des ventres replets. On agita les bras comme des gamins un jour de fête. Des rires et des applaudissements effrénés montèrent dans le ciel. Tous les yeux étaient braqués sur l'allée. Les phares de quelques voitures faisaient des trous dans la nuit et arrivaient sur nous. L'orchestre se leva et les musiciens se placèrent de chaque côté de l'allée en exécutant un morceau plus remuant que ce qu'ils avaient joué jusque-là. Les adolescents profitèrent de ce moment de liesse et de confusion pour se goinfrer de pâtisseries et d'amandes grillées. Les voitures s'arrêtèrent à quelques mètres de l'entrée et des hommes, tout de blanc vêtus, en descendirent. On se jeta dans les bras les uns des autres. On se félicita de cette aubaine, on se congratula, on s'embrassa sur les joues et sur les lèvres... Les hommes étaient au comble de la joie.

Les pleurs d'un bébé s'élevèrent dans l'autre pièce. Un homme grogna un juron puis on fit taire le bébé, probablement en l'étouffant avec un sein ou une sucette. L'air chaud continuait son voyage à travers mon angoisse. J'avais l'impression que le corps inanimé s'alourdissait sous le poids de nos paroles. Il ne partirait ni ne dormirait en paix. Chama n'avait réussi qu'en partie puisque Ghita n'arrivait toujours pas. Elle ne me laissa pas le temps d'aller jusqu'au bout de ma pensée et entreprit de poursuivre le récit de ses mésaventures.

On nous poussa comme du bétail à l'intérieur d'une construction, dit-elle. Nous descendîmes des escaliers et fûmes répartis en deux groupes. Celui des femmes et celui des hommes. Chaque groupe fut enfermé dans une cellule de trois mètres sur deux. Les hommes étaient plus nombreux. J'avais l'impression de porter le poids de toute la terre sur mes épaules. J'étais épuisée et j'avais des maux de tête horribles. Je respirais mal. Je pensai que le flic aurait pu appuyer sur la gâchette. J'aurais été éclaboussée par le sang de cet homme. Toute cette misère aurait pris fin pour lui. Avions-nous droit à la parole dans l'univers des mouches ? Toute parole non officielle dérangeait le temps dans son immobilité. J'ai dû comprendre cette atroce réalité sur le tas. Déjà, à la maison, le vieux nous empêchait d'ouvrir la bouche. Notre mère ne parlait jamais en sa présence. Nous passions comme des ombres anonymes, broyées par la pesanteur des traditions et des interdits. Seul le silence était une aubaine, une richesse, le signe d'une bonne éducation. Se taire ! Alors que nous aurions dû hurler, hommes et femmes ensemble, contre la discrimination et le malheur. Car nous étions tous aussi malheureux les uns que les autres. J'ai compris l'angoisse de l'homme face à sa peur obsessionnelle de la virginité, ses sentiments contradictoires vis-à-vis de la femme, son épouse, sa fille et sa mère. La pièce où j'étais enfermée avec une dizaine de femmes suintait l'humidité. Une femme d'un certain âge remuait ses lèvres, probablement pour dire des prières. Des jeunes filles pleuraient en silence. Je ne savais plus où j'étais car l'endroit n'était pas fait pour moi, ni pour ces visages vieillis avant l'âge. Une rage indescriptible nouait ma gorge et m'empêchait de parler, de pleurer, de geindre. Dans un coin de la cellule, le seau dégageait sa puanteur. Les mouches se délectaient du vomi répandu sur le sol et venaient, de temps en temps, taquiner nos chairs tuméfiées. La porte en fer s'ouvrit dans un vacarme épouvantable. Un flic montra sa tête dans l'embrasure et choisit une fille dans le tas. Je remerciai Dieu que ce ne fût pas moi. La fille en question était assez jolie et portait une robe à fleurs. Le flic l'empoigna par le bras et lui dit de sa voix la plus grossière :

– *Zid l'qahba dammak !* Avance, putain de ta mère ! Vous avez sali la ville et tout le pays avec votre sexe. Celle qui ne trouve rien à faire relève ses jupons devant les hommes, de préférence les étrangers. Que pensent les gens de nous ? Que toutes nos filles sont des prostituées ! Avance, et que je n'entende pas ta voix ! Nous allons te montrer ce qui arrive à toutes celles qui font de la mauvaise publicité pour ce pays ! *Zid abant alqahba !*

La fille avança avec peine. Elle se ressaisit et marcha vers la porte. Les femmes baissaient les yeux. Je tremblais comme une feuille, persuadée que l'injustice des hommes ne tarderait pas à me frapper, comme elle frappait cette fille qui se dirigeait vers un destin inconnu.

Tous les hommes présents se courbèrent devant un homme qui devait être plus important que les autres, continuai-je. Certains allèrent même jusqu'à lui embrasser la main. De taille moyenne, il n'avait rien de particulier. Était-il plus riche qu'eux ? Ou bien occupait-il une fonction plus importante ? Cela ne m'intéressait pas. Sur un signe de sa main, quatre nègres tout en muscles se précipitèrent. Des caisses et des coffres en bois furent déposés sous la tente. Sur un second signe de sa main, les quatre nègres s'éclipsèrent un instant et réapparurent, munis d'un dais richement décoré. La portière d'une grosse voiture s'ouvrit et un jeune homme en descendit. Il était plus beau que tous les adolescents présents. Il était vêtu d'une longue chemise de soie bleue. Grand de taille et le corps élancé comme un pin, il avait les cheveux plus noirs que la nuit la plus dense... Les hommes sautèrent de joie et hurlèrent de bonheur à cette apparition.

– Que Dieu bénisse ce qu'Il t'a attribué de plus beau et de plus cher ! murmura l'un des hommes à l'endroit du beau jeune homme, qui fut placé sous le dais et transporté par les quatre nègres jusqu'à l'intérieur de la tente.

Il était minuit.

14

La mort avait transformé l'apparence du père. Son visage labouré de rides n'avait plus rien d'humain. Je l'imaginai pétri dans la boue et façonné par la main du diable. Le contour des yeux était comme un morceau de charbon. La peau virait au gris sale sous l'effet de la chaleur. Mes sœurs ne disaient rien. Chama avait les doigts agrippés à un pan du drap safrané, parfumé à l'eau de rose et aux clous de girofle. Le sirocco hurlait de rage contre les murs et les volets mal fermés. Baigné par la faible lumière des cierges, le visage de Tamou me parut plus beau qu'avant. Elle avait les yeux fermés et cela m'intriguait. Dormait-elle ou était-elle plongée dans ses souvenirs ? La nuit avançait lentement comme une énigme. Rien ne laissait prévoir l'approche de l'aube, de la délivrance. Le vent charriait ses ondes de feu et de désolation. Les mouches ne bougeaient pas. Collées au mur, elles guettaient le moment opportun pour attaquer. Leurs stratégies étaient imprévisibles. Elles attendaient les premières lueurs de l'aube pour donner l'assaut. Il valait mieux les ignorer. Les cierges de mauvaise qualité brûlaient dans leurs vacillements capricieux. La face du mort avait pris la couleur de la glaise ou du pisé. A l'extérieur, les bruits avaient cessé. A peine nous parvenait le sifflement du vent contre les murs et les fenêtres des maisons. Même l'ivrogne avait donné congé à ses ronflements d'homme écrasé par le destin. Les chiens n'aboyaient plus. Mais je ne voulais penser ni aux chiens, ni à l'ivrogne, ni au sirocco, ni à ce cadavre qui dégageait sa puanteur. J'avais envie d'être ailleurs, loin de cet endroit, et de ne plus jamais y remettre les pieds. Tamou secoua sa lourde chevelure et continua son récit.

Le conteur, dit-elle, sautilla encore comme un singe dressé, leva les bras vers le ciel en des gestes désordonnés. Les gens suivaient ses mouvements avec attention et jubilaient à chacune de ses gesticulations. Je l'observais attentivement, impressionnée par son jeu. Il demanda une fois de plus l'hospitalité des aborigènes avant de continuer son histoire.

– La suite de mon histoire, ce n'est pas moi qui vais vous la raconter, dit-il en scrutant les regards stupéfaits. C'est ce bout de roseau, cette flûte, qui se chargera de le faire. Parce que toute l'histoire est celle de ce roseau. Écoutez, gens de bien ! Écoutez bien, car vous n'aurez plus jamais l'occasion d'écouter une flûte capable de parler. Elle seule connaît cette histoire et son dénouement. J'ai entendu cette aventure des milliers de fois, mais je suis incapable de la raconter comme le fait cette flûte. J'en oublie des détails et le ton de ma voix n'arrive jamais à trouver son chemin vers les mots. Mesurez la chance que vous avez et donnez-moi l'hospitalité que je mérite !

Le conteur battit l'air de ses bras squelettiques avant de marquer une pause méditative. Tous les regards convergeaient sur lui. Des pièces de monnaie voltigeaient de toutes les directions et venaient lécher les pieds de l'homme, debout dans son silence. Un gamin s'avança d'un pas hésitant vers les pièces de monnaie et se mit à les compter. Il se retourna soudain vers l'assistance, l'air grave, et dit sur un ton de reproche :

– Vous n'avez pas honte d'humilier le saint avec vos pièces ridicules ! Il n'a même pas de quoi reprendre le car vers le destin qui l'attend. Sortez les billets si vous voulez voir et écouter ce que jamais dans votre existence vous n'avez ni entendu ni soupçonné ! Le *ch'rif* vous pardonne. Mais n'exaspérez pas sa patience !

L'enfant se tut. L'homme ne bougea pas d'un iota. Les gens se regardaient sans comprendre. Bien sûr, cette mise en scène n'était qu'une combine pour soutirer le plus d'argent possible à ces pauvres diables. Un homme sortit un billet de dix dirhams qu'il froissa dans sa main pour en faire une boule avant de l'envoyer entre les pieds de l'homme, debout dans son silence. Le gamin s'élança comme une flèche, se saisit du billet, le défroissa et dit à l'assistance :

– Voilà un bon exemple de générosité et d'hospitalité. (Il fit un tour de cercle en brandissant le billet.) Faites comme ce bienfaiteur, hommes de bien, si vous voulez avoir le privilège d'écouter une histoire hors du commun ! Donnez et vous ne le regretterez pas ! Dieu vous rendra votre générosité au quintuple si la patience de cet homme n'est pas déçue aujourd'hui ! Sortez vos billets et écoutez la voix de la flûte !

L'enfant exécuta un deuxième tour de piste avant de disparaître dans la foule des assistants. Un bras se tendit avec un billet de dix dirhams. L'enfant rejaillit soudain et attrapa le billet au vol. L'homme ne bougeait toujours pas. Le gamin se chargea de recueillir tous les billets qui arrivaient comme par enchantement. Il fit le compte et hocha la tête dans une expression de satisfaction mitigée. Le conteur empocha les billets, sautilla plusieurs fois comme un singe avant de s'exclamer :

– Ce n'est pas un problème ! Ces hommes sont mes frères et je me contente du peu qu'ils m'offrent ! Qu'ils me considèrent comme l'un des leurs pour que ma tâche soit facilitée ! Je ne suis pas un conteur comme les autres. C'est Allah qui m'a guidé sur cette voie. J'étais berger à l'origine. Berger de père en fils. Un jour, alors que je ramenais le troupeau vers le village, j'ai remarqué un roseau au milieu d'une clairière. Je l'ai arraché pour en faire une flûte. Mon

canif allait dans le roseau comme dans une chair humaine.
J'avais une sensation étrange en taillant et en perçant mon
roseau. Une fois ma flûte terminée, je me suis installé sous
un arbre et j'ai soufflé dedans. Là, une surprise m'attendait.
Écoutez vous-mêmes !

Tamou se tut. Chama m'adjura de continuer mon récit.
Sa voix fatiguée passa comme un murmure sur le silence
qui s'était abattu. Assise contre la civière, elle donnait
l'impression qu'elle méditait sur le destin et qu'elle s'attachait au cadavre malgré la haine épaisse qui faisait vibrer
sa voix. Étrange tête-à-tête, marqué par la violence du
verbe et la tourmente des souvenirs. Je tournai le visage et
j'aperçus le mur hanté. Se dégageant de l'étreinte du mortier, les taches d'humidité venaient se mettre à mes pieds
comme des fantômes domestiqués. Scène sombre et rayée
de sang. Comment désigner ces images innommables ?
Dans ma hantise, je distinguai des formes mystérieuses
poignardées par des fragments de lettres de l'alphabet
arabe. Presque toutes munies de pointes, elles s'étaient
plantées profondément dans le corps des silhouettes. Un
sang noir dégoulinait sur le mur avant de se répandre sur
le sol couvert de poussière. Des cris perçants sortaient des
fissures et jaillissaient comme des jets de pierres contre
ma poitrine. Je fermai les yeux pour échapper à ce spectacle. Le sang et les cris continuaient à mener leur croi-
sade contre mes silhouettes. Des cadavres jonchaient le
sol, embrochés comme des bêtes et sacrifiés sur l'autel de
la connaissance. Je ne distinguais plus les lignes des
cercles, ni les taches d'humidité du sang. Tout était mêlé.
Rien à faire. La mort était partout. Elle s'imprimait avec
violence dans les signes et les symboles. Effilées comme
des coutelas, les lettres arabes traversaient l'espace et s'en-
fonçaient dans le corps de mes silhouettes, qui tombaient
aussitôt à la renverse, noyées dans une mare de sang noir.
Le mur s'était transformé en un champ de bataille indes-

criptible. En un rien de temps, toutes mes silhouettes furent jetées à terre, piétinées, percées et transpercées, massacrées. Leur sang coulait à flots, et elles agonisaient dans la chaleur et le silence de cette nuit sans fin.

Le sirocco s'était remis à hurler sa sérénade macabre contre les murs, les portes et les fenêtres des demeures. Les chiens et l'ivrogne ne donnaient plus signe de vie. Comme les mouches, les mots s'agglutinaient les uns aux autres pour former une inextricable mélasse. Je tissais des histoires autour de quelques souvenirs pour traduire ma perte, ce vide qui effaçait les limites de la vie, ma détresse réelle ou inventée et ma présence tourmentée en ce lieu. Tamou respirait tranquillement sans faire un geste, les yeux toujours fermés. Mon regard se cogna au mur lézardé et je me pris moi-même pour une tache d'humidité. Je me rendis compte que, à vouloir coûte que coûte impressionner mes sœurs ou les convaincre de ma bonne foi, je tombais dans le ridicule d'un texte indéchiffrable. Le mort devait se réjouir de la chance qu'il avait, entouré de trois récitantes qui le conduiraient à la tombe avec des histoires intrépides au lieu de le livrer aux pleurs des femmes, aux hurlements des pleureuses et à la morosité des lecteurs. Il devait être le plus heureux de tous. Et nous nous acharnions à rendre sa nuit plus douce et son voyage moins définitif. Il n'était peut-être pas mort après tout. Et toute cette mise en scène n'était qu'un prétexte pour nous faire parler ! Se dessina alors sur la face du cadavre la mystérieuse image de la mort. Une image fascinante et fugitive qu'aucune parole n'était capable d'exprimer. Ce fut juste une sensation, un frisson qui glisse le long du dos et vous donne le vertige. Des gouttes de sueur froide dégoulinèrent le long de ma colonne vertébrale avant d'être absorbées par le tissu de mes vêtements. Je revins au mur, avec ses formes qui dormaient au fond des taches et des morceaux de torchis en décrépitude. La scène se mit en mouvement sans que rien l'eût laissé prévoir. Les commerçants étalaient leurs marchandises devant des boutiques délabrées, des enfants couraient dans tous les sens. Une fenêtre donnait sur un jardin... Nerveuse, Chama froissait le pan de drap entre ses doigts. Sa main tremblait. Je sentis mes nerfs se raidir. Cette lutte sourde avec moi-même, avec mon passé, avec mes propres mots, rendait mon corps plus épais, plus lourd. Seul le temps, ponctué par le tic-tac régulier de l'horloge, me ramenait à la réalité.

La porte de la chambre était fermée à double tour. Chama avait retiré la clé et l'avait dissimulée sous ses habits. Je compris alors le piège qui venait de se refermer sur moi, sur nous, sur ce cadavre qui entamait sa décomposition et répandait son odeur nauséabonde comme pour se venger de nous. Le silence de l'autre pièce était troublant. La fatigue. Le sommeil. Les larmes forcées. La lecture ininterrompue des versets coraniques. Le dernier voyage à travers les mots et la putréfaction. La dernière étape. Escale nécessaire, comme disait Chama, avant l'oubli de la tombe. Le sirocco charriait toujours sa colère à travers la meurtrière restée béante depuis qu'il avait éjecté le coussin hors de son chemin. Tamou gardait les yeux baissés dans sa position de pierre en attendant son tour de parole. J'étais en nage et les cierges de mauvaise qualité commençaient à donner quelques signes de fatigue. Leur fumée s'épaississait davantage, encrassant de plus belle le mur et polluant le peu d'oxygène qui restait encore dans la pièce. Tous les éléments contribuaient à compromettre le repos du père. Comme si la nature s'était liguée avec nous contre le vieux afin que son sommeil soit pesant. Tout l'accablait. Jusqu'aux chiens, qui avaient déserté les lieux en signe de protestation. Ils reviendraient quand le cadavre serait six pieds sous terre. En attendant, les lecteurs du Coran dormaient et les pleureuses rêvaient au prochain malheur et aux prochaines larmes qu'elles verseraient. Les enfants étaient hors du coup. Quand ils ne dormaient pas, ils s'amusaient avec des boîtes de conserve transformées en balances, en voitures ou en téléphones, loin de l'hypocrisie des adultes. Chama reprit la parole.

Les gémissements et les pleurs emplissaient les lieux, dit-elle. J'étais prise de panique comme jamais auparavant. La jeune fille revint au bout de quelques instants. A sa manière de baisser les yeux, nous comprîmes ce qui lui était arrivé. Des brutes ! Le flic me désigna du doigt et m'intima l'ordre de le suivre. Je baissai les yeux et ne répondis pas à son appel, qu'il réitéra plusieurs fois. Finalement, il ouvrit la porte métallique dans toute sa largeur et s'approcha de moi, l'air menaçant :
– C'est à la putain de ta mère que je cause ! Pouffiasse des ruelles sombres et des quartiers malfamés. Je vais t'apprendre à négliger les ordres d'un agent de la sécurité publique dans l'exercice de ses fonctions ! Lève-toi, par la religion de ta putain de mère ! Tu vas me suivre sur-le-champ, qu'on voie un peu si ta tête chaude le restera après le petit exercice spécialement conçu pour les dégénérées de ton espèce. *Yallah, zidi qaddami al qahba !* Allez, marche devant moi, putain !
Il m'avait attrapée par les cheveux et entraînée dans des couloirs sordides. J'avais si mal que les larmes jaillirent de mes yeux malgré moi. Je savais que mon heure était arrivée. Et que dire quand Dieu lui-même démissionne du malheur de ses créatures ? L'homme me poussait devant lui en proférant des menaces et des injures. Il affectionnait les mots les plus orduriers, les paroles les plus obscènes : « fille de pute ! », « maudite soit la religion de votre Dieu ! », « *Zidi In'âl dîn ammak !* »... Nous montâmes des escaliers et arrivâmes devant une porte en bois. L'homme l'ouvrit du pied avant de m'arracher les cheveux une dernière fois. Le spectacle qui s'offrait à mes yeux me laissa perplexe. Un homme nu était couché sur une fillette sans âge. Un autre, à moitié nu, buvait une bière en fumant une cigarette. Je

n'avais plus d'illusion sur ce qui m'attendait. L'homme couché sur la fillette se releva et je vis à quoi ressemble un homme. Je fermai les yeux pour leur épargner l'offense. Une discussion passionnante s'engagea entre les trois hommes.

– Toutes des putes! vociféra l'homme qui était dans mon dos.

– Une pute est une pute, là où elle va! dit celui qui venait de se relever en cachant de ses mains la misère qu'il traînait entre les jambes.

– On dirait que toutes les filles de ce pays sont des putains certifiées! Quand la morale se perd, quand l'éducation manque à son objectif, quand tout le monde verse dans le vice et la corruption, il n'y a plus d'espoir!...

– Je peux t'assurer que mes filles ne ressemblent pas à ces monticules de dépravation, affirma celui qui s'était relevé en cachant de ses mains la misère qui traînait entre ses jambes. C'est une question d'éducation, voilà tout. J'ai éduqué mes filles dans le respect des traditions et des adultes. Elles me baisent la main matin et soir, portent le *hijab* et font leurs prières quotidiennes. Avec le *hijab*, je suis tranquille. Même quand elles passent la nuit dehors, je ne suis pas inquiet. Elles m'ont expliqué qu'avec le *hijab* il leur était impossible de vivre des aventures. « Quand nous ne sommes pas à la maison, c'est que nous révisons nos leçons chez une amie de classe, m'ont-elles dit un jour. Puis, dans nos moments creux, nous parlons des choses qui concernent la religion. Ne t'inquiète pas, papa! Avec l'éducation que tu nous as donnée, tu ne risques pas de voir ton visage traîné dans la boue. Nous sommes des *mouhtajibates* et nous faisons la différence entre le Bien et le Mal. Nous ne ferons jamais rien qui soit en contradiction avec les préceptes de notre religion. Sois tranquille, papa! » C'est comme ça que doivent être les filles de nos jours. Sinon, nous allons droit à la catastrophe. Les gens ne savent plus donner le jour qu'à une progéniture dépravée et délinquante.

Quand c'est une fille, elle sort prostituée du ventre de sa mère. Quand c'est un garçon, il arrive avec toutes les prédispositions à la drogue et à la violence. *Allah ihaddar salama!* Quelle époque!

– Tu as bien parlé! lâcha celui qui était dans mon dos. Tout est un problème d'éducation. Mais les hommes de nos jours démissionnent et jettent leur progéniture dans les rues comme une horde de bêtes affamées de fric. Heureusement que Dieu a épargné nos enfants! Je le remercie matin et soir pour ses bienfaits...

L'homme leva ses mains jointes vers le ciel et récita une sourate du Coran. L'homme à la bière laissa échapper un « Amen! » mou de sa bouche puant la cigarette et l'alcool avant de faire cette réflexion magistrale:

– Les filles et les femmes des autres, c'est pour la baise. Les nôtres sont pour le maintien de l'équilibre et de l'harmonie de la société! Rendons hommage à Dieu pour sa grande générosité envers nous, qui sommes chargés de veiller sur la sécurité du troupeau! Qu'Allah nous protège de sa bénédiction et fasse fructifier notre richesse! Qu'Il nous préserve du malheur et nous guide sur la voie du salut!...

Les deux autres hommes avaient les mains jointes, levées vers le ciel. Leurs lèvres, noires de nicotine, remuaient pour accompagner le prêcheur dans son sermon. La fillette tremblait dans la nuit sale. L'homme ne cachait plus la misère qui traînait entre ses jambes. Il était occupé à suivre les paroles qui le sauveraient du péché et de la géhenne. Les trois hommes ponctuèrent la fin du discours de l'homme à la bière par un « Amen! » réglementaire avant de retourner à leurs canettes, à leurs cigarettes et à leur sexe.

L'homme qui m'avait traînée à travers le couloir me poussa de toutes ses forces, si bien que je perdis l'équilibre et me retrouvai à terre. Il se jeta sur moi, releva ma robe et fouilla mon intimité avec une rare brutalité. Je serrai les jambes autant que je pus. Une gifle terrifiante me fit renoncer à toute résistance.

Chama se tut, essuya une larme qui s'était échappée de ses yeux. Une mouche explorait tranquillement la face du mort. Elle se fixa soudain sur l'œil gauche et je crus la voir extirper l'organe de son orbite avant de disparaître dans la profondeur de l'obscurité. Un filet de sang noir se dessina sur la joue du cadavre. D'autres mouches arrivèrent en force et prirent d'assaut le trou noir de la partie mutilée. Elles s'y engouffrèrent toutes jusqu'à la dernière. Bien que le spectacle fût terrifiant, il ne m'indigna pas. Chama laissa faire les bestioles sans réagir. Avait-elle vu quelque chose ? Le silence, c'est le temps sans mesure, le temps hors du temps. Aucun repère. Le vide à perte d'ouïe.

Je toussai pour m'éclaircir la voix. Chama leva la tête et son regard croisa le mien. Ses yeux n'exprimaient ni ressentiment ni colère, simplement une grande lassitude et beaucoup de curiosité. Tamou gardait sa position de marbre. Quelle différence entre elle et ce cadavre allongé sur ses planches ? Mon regard la devina fragile, vulnérable derrière cette attitude de pierre.

Les quatre nègres musclés portèrent le jeune homme ovationné jusqu'au centre de la *ammaria* en se déhanchant sur un air musical voluptueux, poursuivis-je. Leurs gestes imitaient le mouvement des vagues. Le jeune homme souriait comme une jeune mariée le soir de ses noces. Les regards s'illuminaient d'éclairs de joie et de bonheur. Les compliments pleuvaient des bouches pâteuses aux lèvres noircies par la fumée des cigares et des cigarettes. Les quatre nègres dansèrent longtemps, encouragés par les applaudissements et les compliments de l'assistance. J'imaginai tous les gamins et les déshérités de Jamaâ Lafna, jetés dans le cul-de-basse-fosse de la vie, participer à cette soirée. Comme on dit chez nous, le couscous se transformerait en nouilles ou en bouillie. J'abandonnai mes misérables à leurs cris, à leurs courses folles, à leur acharnement, à leurs colères et à leur incroyable résignation. Le peuple de la nuit resterait toujours dans l'ombre de ses manigances et de ses tristes agitations quotidiennes.

Le cortège des danseurs se dirigea vers un sofa recouvert d'une étoffe de soie cramoisie. On y déposa le jeune homme avec délicatesse, comme s'il s'agissait d'un œuf frais, et on l'installa avec mille précautions. Les lignes de son dos ressemblaient aux dunes du désert. Il penchait légèrement la tête sur le côté. Des applaudissements et des louanges s'élevèrent. On forma un demi-cercle devant le sofa et un homme de blanc vêtu prit la parole dans un silence religieux :

– Cette nuit est une nuit exceptionnelle, dit-il en dévisageant l'assistance. Dieu est miséricordieux ! Cette année, comme les années précédentes, nous sommes fiers et heureux de rendre hommage à la partie de l'anatomie humaine que Dieu a préférée entre toutes en faisant d'elle le lieu du rêve et du plaisir. Soyons dignes de ce moment et faisons de cette nuit un symbole d'amour et de méditation !

Un deuxième homme se pencha sur le sofa et découvrit le corps du jeune homme jusqu'à la taille. Un soupir de satisfaction et de surprise gonfla les poitrines. On s'approcha, admiratifs. Les uns baisèrent le bout de leurs doigts en signe de reconnaissance. Les autres effleurèrent d'une main respectueuse la chair ferme du jeune homme, qu'ils embrassèrent avec ferveur et dévotion. A moitié ivre, le ministre se mit à genoux devant le corps étendu et colla ses lèvres baveuses sur la croupe fraîche de l'élu. Les autres en firent autant. Les attouchements succédèrent aux baisers et les baisers aux louanges. L'homme le plus important du groupe leva la main droite et le silence se fit aussitôt. L'homme se frotta les mains l'une contre l'autre et déclara :

– Le choix de nous tous est tombé cette année sur Sidi Rachid, qui possède le plus merveilleux des trésors. Nous

141

l'avons élu « roi de la plus belle lune » de la ville. Sa croupe a toutes les qualités requises. Pas trop grosse ni trop maigre. Pas trop large ni trop étroite. Ni trop haute ni trop basse. Elle est sculptée dans la pureté, élaborée dans l'éblouissement de l'indicible. Jamais nos yeux ne se sont posés sur une telle merveille depuis que Dieu nous a désignés dans cette partie de son royaume pour célébrer sa création. Nous allons fêter ce soir comme il se doit la merveille de Sidi Rachid. Et soyons dignes de la faveur que Dieu nous accorde! Que la cérémonie commence!

Un crépitement d'applaudissements souligna les paroles de l'homme. On se félicita du choix, on se congratula, on s'embrassa avec ardeur, bercés par le rythme de la musique. L'élu me fascinait par sa beauté. Jamais je n'avais vu un garçon dans sa perfection physique. Il ne parlait pas, ne réagissait pas. Il se contentait de répondre par des sourires discrets ou des gestes à peine perceptibles. La tête inclinée dans ma direction, ses yeux ne me quittèrent pas un instant. Comme s'il avait deviné mon secret ou perçu mon trouble. Je ne me lassais pas de le contempler. L'euphorie battait son plein. Deux adolescents munis de petits paniers en osier répandaient des pétales de rose sur le corps dénudé et autour du sofa. Les musiciens dansaient en brandissant leurs instruments, chantant à tue-tête comme des forcenés. Les adolescents esquissaient des mouvements de hanches avant de se fondre dans la foule. Les uns riaient en levant haut leur verre de whisky. Les autres se caressaient furtivement, se tenaient par la taille ou par la main. D'autres encore chantaient ou récitaient des vers, dansaient devant le jeune élu en déposant un baiser chaste sur le pétale nu. Des rires de joie montaient des gosiers pleins d'alcool et de kif. Des bols de *maâjoun* circulaient de main en main. Chacun mangeait une petite boulette en appréciant d'un coup de langue la qualité de cette mixture locale confectionnée avec des produits excitants. Deux hommes assis en tailleur entretenaient le feu des encensoirs, humectaient des morceaux d'encens avant de les jeter sur les braises. Debout comme un chêne, l'un des quatre nègres agitait d'un mouvement régulier un éventail de plumes au-dessus du corps de l'élu. Un deuxième s'appliquait à lui rafraîchir les fesses et le bas des reins avec de l'eau de rose. Le troisième tenait dans ses mains un bol rempli de henné. Le quatrième, Ouald Chikha, portait un *qalâme* taillé dans un roseau. Il s'agenouilla avec humilité, récita une formule magique ou coranique et embrassa le bout du *qalâme* avant de le tremper dans le henné. Je regardais ce manège sans rien comprendre à la conduite de ces hommes importants. Le nègre Ouald Chikha posa la pointe du *qalâme* trempée dans le henné sur le fessier du jeune élu et dit d'une voix calme :

– Au nom de Dieu, le Clément, le Miséricordieux !

Un « *Allah ou aqbar* » ferme monta des poitrines enfumées et étouffa l'exaltation des musiciens. Les hommes retenaient leur souffle. L'orchestre exécuta un air doux et agréable. Le nègre dessina des lettres et des signes sur la peau satinée du jeune homme. A cause de sa petite taille, Daoud avait disparu au milieu des autres. Le ministre caressait ses fesses d'une main fébrile. Soutenu par un adolescent, le gouverneur tenait à peine sur ses pieds. Le parlementaire déchirait toujours mon dos de ses ongles noircis par la nicotine. Le jeune homme allongé sur le ventre souriait comme une belle mariée. Le nègre au *qalâme* écrivit la première lettre. Des ovations accueillirent ce premier signe. L'homme s'appliquait, comme un calligraphe professionnel, trempant le bout du roseau dans le henné et essuyant le surplus avec du coton. L'encens brûlait sans discontinuer. L'orchestre jouait calmement depuis que Ouald Chikha avait entrepris son œuvre. Un adolescent lisait des poèmes dans un livre. L'homme important caressait sa fine moustache avec la satisfaction de l'homme comblé. Il supervisait toutes les opérations et avait l'œil à tout. Nous échangeâmes, le jeune élu et moi, des regards ambigus. De sa part, je crus déceler de la connivence. Mes regards exprimaient la stupéfaction à la vue d'un spectacle que je n'aurais jamais imaginé. Cela ne m'empêchait pas d'admirer la beauté parfaite du jeune homme, et la contemplation de son corps me faisait oublier le reste. Ouald Chikha s'appliquait dans le dessin de ses lettres et de ses signes, répétant à chaque geste :

– Louange à Dieu, Seigneur des Mondes, le Clément, le Miséricordieux, le Roi du Jour du Jugement.

Rien ne ressemblait à rien dans cette chambre qui sentait la suie et la fatigue. Les cierges de mauvaise qualité peinaient à poursuivre leur noir périple à travers l'opacité de la nuit et l'extravagance de nos paroles. Le vent chaud brûlait mon visage et frappait contre le mur, où les ombres restaient désormais inertes. Je l'observai, insistant sur les détails. Le mur demeurait un mur, chargé de tant d'années d'attente et d'érosion. L'humidité l'avait transformé en y imprimant d'autres traits et d'autres visages. On pouvait y lire des signes et des symboles, et à partir des éléments disparates de plâtre fendu, de peinture lézardée, de mortier décrépi... on pouvait reconstituer des pans d'histoire, d'intrigues, de vies, y lire des larmes, des manigances, des cris, des passions étouffées, des paroles tues... Mais le mur restait de pierre. Il refusait de livrer ses secrets. Je l'abandonnai et fixai mon regard sur Tamou, qui avait repris la parole.

Le conteur brandit sa flûte comme une épée, disait-elle, et s'humecta les lèvres avec une langue aussi rouge qu'une braise. Il porta l'instrument à sa bouche édentée sous le regard curieux de l'assistance. Une complainte langoureuse s'éleva. Certains hommes reniflèrent leur morve et les femmes se mouchèrent dans leur voile ou dans un pan de leur haïk. Les enfants écoutaient sans rien comprendre. Le son se transforma en plainte, puis en gémissement, avant de devenir sanglots. D'autres hommes et d'autres femmes se joignirent au groupe et prirent place au milieu des corps secoués par la tristesse. Le conteur continua son manège pendant de longues minutes. Hommes, femmes et enfants écoutaient les notes égrenées par la flûte dans un silence magistral, à peine perturbé par des reniflements ou des gémissements vite réprimés. Le conteur suspendit son souffle, les yeux fermés, et se mit à genoux au milieu du cercle. Il resta ainsi un long moment avant de poser cette ultime question :

– Avez-vous entendu et compris ?

Personne ne répondit. Les femmes se contentèrent de renifler une dernière fois avant d'essuyer les larmes noircies de khôl qui s'étaient échappées de leurs yeux. Les hommes se jetèrent des regards interrogatifs. Les gosses souriaient, l'air indifférent. Devant le mutisme général, le garçon qui avait interprété le rôle de comparse réapparut sans que l'on sache d'où il arrivait. Il sautilla comme un criquet repu, fit quelques pirouettes dans l'air, exécuta un pas de danse des Gnaouas et se planta devant l'homme toujours à genoux.

– J'ai compris, dit-il au conteur en lui embrassant les mains des deux côtés. J'ai compris ton histoire et tes intentions, homme du message, homme de bien ! Tu es le seigneur de la parole et le maître du récit. Me permettras-tu de dire à ces gens la signification de tes gammes ?

Le conteur hocha la tête dans un geste affirmatif. L'enfant fit d'autres pirouettes avant de s'emparer du *bendir* pour demander quelques pièces à l'assistance. Il exécuta plusieurs tours, remerciant ceux qui avaient offert de l'argent, souriant à ceux qui n'avaient rien donné :

– Dieu vous le rendra le jour où ni l'argent ni les enfants ne serviront plus à rien ! *Allah irham oualidikoum !* Que Dieu bénisse l'âme de vos parents ! Celui qui donne, c'est à Dieu qu'il le fait ! *Choukrâne !* Une autre pièce ou deux pour le repos de vos défunts ! Une autre pièce ou deux pour la paix dans vos ménages ! Une autre pièce pour la réussite de

LE DEUIL DES CHIENS

vos projets! Et enfin une pièce ou deux pour votre progéniture!...

L'enfant continua ainsi son numéro jusqu'à ce que la somme rassemblée lui semblât suffisamment consistante. Il secoua le *bendir* et les pièces de monnaie tintèrent de mille sons. Il s'approcha du conteur et lui dit sur le ton de la confidence :

– Ces hommes et ces femmes t'ont donné ce qu'ils ont pu. Ils sont généreux. Dieu seul est capable de les récompenser quand Il les introduira dans son paradis! Dieu paiera chacun selon son mérite!

Le mioche déposa le fruit de sa collecte aux pieds de l'homme, toujours à genoux à même le sol. Une poussière fine monta dans le ciel. L'assistance attendit, le regard stupide mais plein de curiosité. Les femmes avaient cessé de renifler. Le conteur tendit le bras et l'enfant s'empressa de l'embrasser avant de se tourner vers nous :

– La nuit des noces, *asiadna*! Radia avait introduit son cousin dans sa chambre avec la complicité de quelque vieille et l'avait caché sous le lit à baldaquin. Écoutez, hommes de bien, écoutez ce que dit le roseau coupé à la racine! La fête battait son plein. Quelques instants avant l'aube, l'époux fut conduit jusqu'à la chambre nuptiale par les siens. L'homme avança dans sa soixantaine révolue et échoua sur un lit préparé avec mille soins par des femmes avides de sang frais. L'homme se débarrassa de ses vêtements de cérémonie et s'apprêta à enfourcher sa femelle. *La h'ya fi dîne!* Point de honte en matière de religion! L'homme s'apprêtait donc à... lorsque le cousin fit une sortie remarquable de sous le lit. L'époux n'eut pas le temps d'appeler à l'aide. Il fut solidement ligoté et bâillonné. Les amants se dévêtirent alors et vécurent leur plus belle nuit d'amour sous le regard ahuri du marié.

Dehors, il y eut un fracas violent de porte secouée. Chama leva sur moi des yeux froids. Le silence retrouva

146

son mystère et je redécouvris la brutalité du mur. Indécises, les ombres, les courbes et les sinuosités se remirent en mouvement. Des marchands impotents gesticulaient en tous sens, dans le désordre et la confusion, pour arrêter les passants, leur proposant des articles désuets. Des gamins à qui il manquait un membre ou une partie du corps couraient comme des forcenés, augmentant l'agitation de la rue surpeuplée. Une mule dévalait la pente raide, encouragée par les cris de son maître. Des adolescents désœuvrés soutenaient les murs en fumant leur joint, paisibles et silencieux, surveillant d'un œil fixe les persiennes fermées de la fenêtre du premier étage de la maison en ruine, bâtie en pisé. De jeunes infirmes, résignés à un chômage forcé et abandonnant leur destin aux repus du Conseil national pour la jeunesse et l'avenir. Le mur était leur destin et leur patrie. En attendant de perpétrer un vol, de consommer un viol ou de commettre un crime, ils livraient leur dos à la patience des murs. Les persiennes demeuraient closes et la foule s'acharnait entre les courbes et les sinuosités. Chama parla et les silhouettes se figèrent au milieu des taches d'humidité.

– Raconte ! ordonna ma sœur, la voix éraillée et le visage crispé.

Je m'exécutai.

Il y avait beaucoup d'hommes importants à cette soirée. Des industriels cousus d'or, des hommes politiques, des banquiers, des représentants de la loi, des poètes officiels... Il y avait là deux sortes d'hommes, m'avait expliqué Daoud. D'un côté ceux qui avaient des couilles en acier, de l'autre ceux qui avaient des croupes en diamant. Tous les regards convergeaient sur la main de l'homme au *qalâme*, qui mettait un soin tout particulier à voyager entre les lettres et les signes. La peau du jeune élu recevait le henné comme des pétales de jasmin embellissant les joues d'une jeune fille pour son premier jeûne. Au bout d'une heure, Ouald Chikha remercia Dieu et se leva, satisfait de son œuvre. Les hommes le félicitèrent, l'embrassèrent sur les joues. L'homme important plaça une liasse de billets dans le capuchon de sa djellaba et lui parla un moment en aparté. La tête baissée, le nègre au *qalâme* lui baisa les deux mains avant de se fondre dans la foule des hommes ivres de joie, d'alcool et de drogue. On couvrit les signes et les lettres avec du coton et on sécha le henné à l'aide d'un sèche-cheveux. On débarrassa ensuite la chair du coton qui l'enveloppait avant de la nettoyer avec de l'eau de rose. Des youyous et des applaudissements montèrent dans le ciel clair. Une fois les fesses nettes, l'adolescent qui lisait des poèmes s'approcha et lut à haute voix ce que Ouald Chikha avait tracé à l'aide de son *qalâme* :

> Ô velours des ondes cristallines
> Nacre satinée de l'amour des hommes
> Dans le creuset de la fontaine frémissante
> De cette croupe bénie à jamais
> Et qui berce le cœur impénitent de nos nuits.

La lecture effectuée, on installa le jeune élu sous le dais et les quatre nègres le portèrent à bout de bras. Accompagnés par le chant et la musique, on exécuta quelques tours de piste. Chaque passage fut ovationné avec exaltation. Essoufflés, les quatre nègres déposèrent le héros sur le sofa de soie cramoisie et reculèrent de quelques pas. Le jeune homme reçut les congratulations de l'homme important en ces termes :

– Félicitations à toi, heureux élu de la plus magnifique paire de fesses de la ville ! Tu as notre estime, notre affection et notre gratitude pendant toute l'année. Tu bénéficieras de nos soins et de notre générosité. Tous les hommes ici présents sont désormais tes serviteurs, ils t'obéiront au doigt et à l'œil. Tu n'as qu'à ordonner...

Il s'approcha du jeune homme et l'embrassa sur le front

pour sceller le pacte qu'il venait de décréter. Des applaudissements jaillirent de nouveau et la fête continua. Des moutons entiers, rôtis sur la braise, arrivèrent tout croustillants, portés par des hommes au tablier et aux gants blancs. D'immenses assiettes de fruits frais et variés jonchaient le sol. Le champagne coulait à flots. La nuit, scintillante et sereine, accompagna ces hommes et leur cérémonie dans l'approbation et la complicité absolues jusqu'au petit matin.

15

La nuit était la nuit. Rien de plus. Comme le mur était le mur. Le mur et la nuit. Une réalité hors du temps, en marge de notre propre réalité. Ce cadavre puant le péché et le crime, cette civière de bois rongé par la vermine, cette chaleur du diable, cette poussière qui envahissait nos narines, cette nuit interminable et ce silence accablant me donnaient l'impression d'être dans une autre durée et sur une autre planète. Le mur avait congédié une fois pour toutes ses ombres comparses. Tous les mots que nous avions prononcés vinrent se mettre à mes pieds. Ils me léchaient les orteils comme des reptiles sournois. Je me méfiais de leurs morsures. Chama ouvrit la bouche et chassa mon imagination.

Je serrai les dents, dit-elle dans un souffle. J'ai serré si fort les dents que l'une de mes mâchoires a craqué, s'est effritée dans ma bouche. Je n'ai pas ressenti la souffrance. Mon corps ne m'appartenait plus. C'était le corps d'une autre. J'ai serré plus fort les poings et les mâchoires. Si fort que mes veines ont failli éclater. L'homme a fouillé longtemps sous ma robe et a fini par arracher ce que j'avais au-dessous. Si j'avais eu un couteau, je l'aurais planté dans la gorge de cet homme. Il se coucha sur moi et je sentis son haleine qui puait le kif et l'alcool. Il ahana longtemps sur mon corps, souffla comme un mufle, injuria dans sa barbe les saints, les marabouts et les prostituées. Il se releva sur un coude.

– Je crois que c'est la panne sèche, dit-il à ses compagnons.

L'un des hommes ricana à la manière des bourriques avant de répondre :

– Si tu veux un coup de main, je suis à ta disposition ! Mais laisse-moi d'abord terminer ma bière !

– Je n'ai besoin de personne ! souffla l'homme. Il me faut un peu de temps pour retrouver un peu de liquide, c'est tout. C'est ma quatrième en moins de deux heures, tu te rends compte !

Il cherchait toujours son passage à travers ma viande. La panne dura une heure environ. En désespoir de cause, il introduisit son majeur au fond de moi et le retira ensanglanté. Je sentis mes chairs se déchirer mais réussis à contenir le cri qui était monté de mes tripes jusqu'à ma gorge. Il regarda son doigt, horrifié, avant de m'administrer deux gifles retentissantes. Il essuya le sang sur ma robe et se releva en grognant :

– Elle a ses règles, la salope ! Elle ne pouvait pas le dire plus tôt ? Heureusement que mon Bien n'a pas répondu à l'appel de la chair. Comme si Dieu avait voulu m'épargner cette aberration !

Le sang chaud coulait entre mes cuisses. Une douleur atroce gagna tout mon corps. Les membres brisés, j'eus du mal à me relever quand le flic m'envoya son pied dans le bas des reins. Le sang continuait à couler le long de mes cuisses, jusqu'à mes sandales en caoutchouc. Une odeur de pourriture envahit soudain la pièce et me donna la nausée. Je me traînai jusqu'à un coin où je me comprimai de honte et de douleur. Mes doigts effleurèrent le filet de liquide rouge et je les portai à mes lèvres pour goûter le sang de mon intimité. J'étais convaincue que tout ce qui m'arrivait était entièrement de ta faute. Et tu continuais à connaître des frissons criminels dans la chair grasse de ton épouse. Tu continuais à gigoter sur son corps et tu sombrais dans le sommeil comme un bébé repu. Tu trouvais le sommeil pendant que tes filles, ton sang et ta chair, subissaient les pires des sévices et des humiliations. Comment pouvais-tu trouver la quiétude et l'appétit dans ton égoïsme farouche ? Notre sort ne t'intéressait plus. Tu n'étais plus concerné que par le plaisir coupable que pouvait te procurer ton bout de chair. J'ai presque tout oublié de ma vie d'errance, mais pas cette nuit-là. Victime de la haine de la marâtre, victime de ton indifférence et de ta violence, j'allais être une victime à perpétuité. Ce sang que j'ai perdu par ta faute, je l'ai gardé dans un mouchoir pour te le montrer. Te dire comment ta fille a perdu son sang dans la honte.

Chama sortit de sa poche un mouchoir maculé de sang et le posa sur le drap safrané qui couvrait la dépouille du père. Elle réfléchit un moment puis plaça le morceau de tissu souillé sur le visage du mort. Aussitôt, quelques mouches le prirent d'assaut.

Je continuai mon récit.

Cette nuit-là, dis-je en baissant la voix, allait marquer ma vie et attiser ma haine envers les hommes de pouvoir. Je compris ce soir-là que nous étions tous les otages consentants de notre propre malheur. Coincés dans une peau très étroite et livrés à l'usure des siècles, nous habitions des corps étrangers, éclatés en reproches, en interdits et en compromissions. Plusieurs questions occupèrent mon esprit et je devinai mon avenir tracé en pointillé sur un sol rongé par la vermine et les scorpions. Une terre sans écho, sans passion et sans colère, un chant de glaise tatoué sur le front. Très jeune déjà, j'avais compris que le chemin que nous empruntions était maléfique et que les turbans ou les képis nous attendaient au bout du tunnel.

Je marquai une pause, persuadée que le jour ne se lèverait jamais. Chama garda baissé son visage baigné de sueur. A part le bruit régulier de l'horloge, rien ne venait perturber ma complainte. J'étais seule face aux mots et j'espérais le prodige d'un cri d'enfant, d'un aboi de chien, d'un hurlement de rage ou de terreur. Même le vent avait suspendu son cantique funèbre. Même l'ivrogne, plongé dans un sommeil absurde, avait donné congé à son charivari habituel. Le cadavre demeurait de marbre. J'imaginai les bestioles voraces entreprenant leur travail interne de destruction. Le mur avait nettoyé la surface de ses pierres et son torchis, badigeonné de chaux, m'avait abandonnée à ma solitude. Ma sœur aînée toussa pour exprimer son impatience. Elle ne parla pas, cette fois-ci, ne leva pas sur moi ses yeux froids. Je repris mon récit là où je l'avais laissé. C'était mon destin et la nuit refusait de retirer sa couverture noire. Le jour me paraissait loin, très loin, au-delà de toute espérance. Les mots me poursuivraient jusqu'à la tombe, et peut-être même au-delà de la mort.

Je ne sais ni quand ni combien de temps nous avions dormi, continuai-je. Quand j'ouvris les yeux, le soleil était déjà levé. Quelques corps éparpillés jonchaient les tapis de haute laine. Le jeune élu avait disparu. L'homme important aussi, ainsi que le ministre et l'émir saoudien. Les musiciens ronflaient sur leurs instruments et le corps du gouverneur était pris de convulsions nerveuses à cause du trop-plein d'alcool, de kif et de *maâjoun* qu'il avait ingurgité. La tête de Daoud émergeait de sous le ventre de son ministre. Le parlementaire dormait la bouche ouverte, sa main agrippant un pan de ma djellaba. Je cherchai en vain les nègres-chasseurs de la cérémonie : ils avaient disparu avec les autres. Le désordre qui régnait sous la tente était impressionnant. Je me dégageai de l'étreinte de mon voisin et me dirigeai vers la sortie. Le camion était toujours stationné là où on l'avait garé. Je grimpai à l'intérieur de la cabine et m'allongeai sur le siège froid.

Il entra dans une fureur noire, m'injuria, leva une main menaçante sur moi... puis se ravisa. Des larmes avaient jailli de mes yeux. Je le regardai se démener comme un diable dans la cabine, bavant de rage et d'impuissance. Il démarra en trombe, esquiva un palmier et manqua de s'écraser contre une haie d'oponce, freina furieusement, soulevant un épais nuage de poussière. Il coupa le contact et me dit d'une voix étranglée par la colère :

– Qu'est-ce que tu veux de moi à la fin ? Cette nuit ne t'a pas suffi pour comprendre à quel genre d'homme tu as affaire ! N'étions-nous pas convenus de nous séparer après cette soirée ? Tu t'es amusée, tu as vu ce que tu n'avais jamais pu voir même en rêve... Que veux-tu de plus ? J'aimerais au moins entendre le son de ta voix ! J'aimerais au moins comprendre ce que tu attends de moi !

Je le laissai pérorer sans prêter attention à ses menaces. Je commençais à le connaître. Il finirait par se calmer et peut-être même me demanderait-il pardon. Mais cette fois-ci je ne lui pardonnerais pas. Mon mépris n'éprouverait aucune défaillance. Mon silence n'en serait que plus intense, mes larmes n'en seraient que plus redoutables. Son acharnement était le signe de sa faiblesse. Je devais tenir bon si je ne voulais pas me retrouver à la rue, devenir la proie des désœuvrés, des drogués et des petits voleurs à la tire. Je me sentais vieillie. Mes rêves de jeunesse regagnaient les archives de l'oubli. Je n'avais plus le droit de rêver, ni d'espérer, et ce macaque imbécile dansait de dépit sur son siège, m'accusant d'être le génie du Mal, la fille légitime de Satan ! A l'en croire, toutes les forces obscures s'étaient alliées contre lui pour porter préjudice à sa réputation. Il menaçait de m'exorciser, de me livrer aux fers de Bouya Omar, de me jeter dans l'eau glacée de Lalla Aïcha al-Bahriya, de m'interner dans un asile de fous...

Un grognement sourd me fit suspendre mon récit. Chama leva ses yeux lourds de fatigue, de haine et de sommeil. Tamou se contenta de croiser ses mains sur ses genoux. Le vent soufflait sa haine sur le monde. Un volet mal fermé cognait contre le mur par intermittence. Les tic-tac de l'horloge murale accompagnaient la marche du temps. Tamou ne releva pas la tête. Elle poursuivit son histoire sur le même ton détaché et uniforme.

Je ne comprenais pas ce qui me retenait, dit-elle. Cette histoire me paraissait un attrape-nigaud. Mais je ne savais pas où aller et la foule me sécurisait. L'enfant leva les bras en l'air et continua l'histoire de la flûte enchantée. Il nous apprit que les deux amants avaient fait l'amour pendant le reste de la nuit, devant le mari ligoté et bâillonné. Le lendemain matin, ils s'enfuirent avant le lever du jour. Le village s'éveilla dans la honte. Pour effacer l'opprobre, les uns proposaient de brûler vifs les mécréants, les autres suggéraient de leur trancher la tête. Que ce soit un exemple et une leçon pour tous ceux qui seraient tentés de suivre le mauvais chemin. Les hommes les plus forts de la tribu s'armèrent de couteaux, de herses, de coutelas, de poignards, de broches, de houes, de piques... et s'élancèrent à la poursuite des fuyards. Des cris s'élevèrent dans la clarté matinale. Des injures. Des menaces. « *Qahba dimmahoum !* », « Putain de leur mère ! », « *Oujahna fat'râb !* », « Notre visage dans la poussière ! Misère est notre misère ! Impitoyable sera notre vengeance ! », « *Hachmou bina !* », « Ils nous ont fait honte ! Seul le sang peut laver l'affront ! »

La foule des combattants s'ébranla en direction de la forêt. Les recherches aboutirent au bout de quelques heures. On découvrit les deux amants enlacés sous un arbre. Des bras criminels s'élevèrent dans le calme de l'aube. Le sang jaillit. Rouge comme le crime et chaud comme la jeunesse. Les assassins assouvirent leur soif de vengeance. Ils pouvaient retrouver le sommeil de ceux dont le sang et la violence habitent le cœur. On enterra à la hâte les deux cadavres à l'endroit même où on les avait assassinés. Seule la mort pouvait unir les amoureux.

L'enfant s'arrêta de parler. Le conteur porta la flûte à ses lèvres. Des sons se répandirent comme de petits papillons sauvages. Les hommes écoutaient, émerveillés. Certains fermaient les yeux pour mieux apprécier la mélodie. La journée arrivait au bout de sa peine. Quelques femmes pleuraient dans leur voile la mort des amants. Les enfants regardaient et écoutaient sans comprendre. L'amour est banni de notre vie et de notre langage. L'amour est égoïste, implacable, il rend faible le plus grand d'entre nous, suce sa fierté et sa noblesse, brise son échine, casse son caractère et le transforme en ruine ou en épave. L'amour! Méfiez-vous, bonnes gens, méfiez-vous! Le choix individuel est dangereux dans une société qui gère les faits, les gestes et les sentiments de tous. Méfiez-vous, bonnes gens! Nous sommes au siècle prédit par notre Prophète – que la prière et le salut soient sur lui! Le siècle quatorze. Celui de la concupiscence, du vol et de la corruption généralisée. Le siècle où les lumières de la conscience sont éteintes.

Le vrombissement d'un moteur jugula l'agitation du nain. Il se tut, les mains crispées sur son volant, continuai-je. La voiture s'arrêta à notre hauteur. La portière s'ouvrit et le parlementaire mit pied à terre. Je n'espérais rien de bon de cette apparition. Je me laissai glisser sur les fesses et me fis toute petite pour me dérober à son regard. Les yeux chassieux et les cheveux en bataille, il s'approcha du camion et une conversation s'engagea entre les deux hommes.

– Belle soirée! s'exclama le parlementaire en me lorgnant.

– Très belle, en effet! répondit Daoud, le regard sombre.

– Dis-moi, où vas-tu de si bon matin?

– De si bon matin? Il est midi mon vieux, réveille-toi!

– Tu as raison! Je mélange le jour et la nuit…

– Depuis que tu es devenu parlementaire, on dirait que le fusible de la lucidité a sauté dans ta tête! Ne serais-tu pas habité par quelque mauvais esprit?

– Pas du tout ! J'ai consulté le plus grand marabout du Sud, qui m'a donné des amulettes magiques pour me protéger du plus opiniâtre des djinns.

– Dis-moi, cette histoire de manipulation du Parlement par l'État, c'est vrai ?

– S'il te plaît, ne commence pas !

– On dirait que ça te tourmente !

– Pourquoi veux-tu que ça me tourmente ? Je fais mon travail et je défends les intérêts de mes électeurs !

– C'est ton cul que tu défends !

Je ne comprenais pas comment un simple chauffeur de camion pouvait parler sur ce ton à un parlementaire, un homme important qui avait l'immunité et l'autorité de mettre n'importe qui en prison. Il lui aurait suffi de prendre son téléphone et d'appeler la gendarmerie pour que nous voyions arriver des fourgons chargés d'hommes en uniforme. Le parlementaire sourit, embarrassé. J'avais deviné son intention. J'eus un frisson dans le dos en me rappelant ses ongles enfoncés dans ma chair. Je baissai les yeux pour fuir son regard.

– Combien veux-tu pour lui ? demanda-t-il.

Mon compagnon ne répondit pas. Je levai mon regard mouillé sur lui en y mettant tout mon désarroi et toute ma peur. Il était plongé dans la réflexion, s'apercevant à peine de ma présence. Je compris que j'allais être livrée à l'obsession de cet homme, car Daoud n'espérait qu'une chose : se débarrasser de moi au plus vite et oublier jusqu'à mon souvenir. Daoud leva enfin la tête et je vis briller ses yeux. Il dit sur un ton calme :

– Il n'y a pas de doute, tu es tombé sur la tête !

– Dis un prix !

– Tu ne mélanges pas seulement le jour et la nuit, mon pauvre... Mon neveu n'est pas à vendre. Il est trop cher pour toi !

– J'y mettrai le prix ! Il sera *ch'babi*, ma jeunesse et ma fierté !

– Bon! Si tu y tiens... Mais prends-le *isana*, pour la vie!

– Absolument! Dieu est témoin de l'affection que je lui porte depuis que je l'ai vu!

– Mais je te préviens, ce n'est pas un ange! Et puis il est jeune. C'est un demi-manche, *nass koum*. Tu devras supporter ses caprices pendant quelque temps.

– Il m'a tourné la tête. Je ferai preuve de patience avec lui!

– Ton prix?

– Mille dirhams chaque mois!

– Tu crois acheter de la pomme de terre?

– Il sera nourri, logé, blanchi...

– Tu divagues, c'est sûr!

– Je suis prêt à augmenter sa dot!

– Tu es loin du compte! Je suis désolé de ne pouvoir satisfaire ton désir...

– Pendant toute la nuit, j'ai cru qu'un accord tacite s'était établi entre toi et moi. Ai-je eu tort?

Daoud ne répondit pas. Il se contenta de sourire dans sa barbe. Mon cœur se serra. Le regard des deux hommes ne me disait rien qui vaille. Les yeux remplis de larmes, je poussai un profond soupir. Je gardais l'espoir que ce marchandage insane n'était qu'une combine pour m'effrayer. J'étais loin de me douter que de telles pratiques étaient courantes et que céder un enfant était aussi élémentaire que vendre un bouquet de menthe. La misère fait des prodiges. Ceux-là mêmes qui avaient poussé le père à nous brader contre une caresse et une jouissance coupables.

– Je suis d'accord! dit finalement Daoud. Mais il y a un problème: ma mère risque de poser des questions, et tu connais la vieille!

– Je me charge de Lhajja! Dis-lui que son petit-fils est entre de bonnes mains. Elle me connaît et me respecte!

– Comme tu dis!

– J'ai un secret à te confier. Tu es mon ami... Que dirais-tu si je te demandais de me marier à ton neveu? Il ne manquera de rien avec moi!

– Le prix de la dot sera élevé. Tu as pu te rendre compte de sa docilité, de sa finesse, de sa beauté et de sa discrétion. Tu as vu ses traits ? On dirait une jeune fille !

– Venez chez moi ! dit le parlementaire en collant son regard sur mes genoux. Nous serons à l'aise pour discuter.

– La vieille nous attend. Elle doit être morte d'inquiétude...

– Allons chez toi dans ce cas !

– J'ai peur que Lhajja ne se fâche si elle apprend notre transaction. Je désire que la chose demeure un secret d'hommes entre nous deux !

– Tu sais que tu peux me faire confiance ! Je suis un homme de parole et de dignité...

– Je n'en doute pas !

Le silence pesait comme une chape de plomb sur nos têtes abruties par la fatigue, le sommeil et l'odeur nauséabonde que dégageait la dépouille. Il nous fallait avoir la patience des chiens de chez nous. Et nous l'avions bien, cette patience de chiens, pour passer cette nuit en tête à tête avec un mort à qui nous débitions des histoires qui ne le concernaient même pas. Autrement, pourquoi aurait-il choisi ce jour précis pour prendre un aller simple en direction de l'enfer ? Chama secoua le mouchoir au-dessus du visage du père. Les mouches s'envolèrent. Elles savaient que la précision de Chama était redoutable. Certaines en avaient fait les frais. Ma sœur aînée continua.

Il y a de cela un peu moins de dix ans, ta fille a été violée dans un commissariat par un flic quinquagénaire, dit-elle en secouant son mouchoir souillé au-dessus du cadavre. Et tu dormais de ton sommeil assassin dans la chair grasse de ton épouse. J'ai passé la plus horrible nuit de mon existence. Mon corps ne m'appartenait pas, c'était celui d'une étrangère que l'homme violait. Pendant qu'il saccageait ma jeunesse, il vantait devant les autres les qualités et les mérites de ses propres filles. Il disait qu'il ne craignait pas pour elles, en tant que *mouhtajibates*. Elles étaient protégées par les anges du Bien. Dieu lui-même veillait sur elles. Pas comme toutes ces putains qui pullulaient dans la ville. Ses filles étaient gardées par Dieu et par les anges du Bien. Toi, tu avais donné les tiennes à la rue et au hasard. L'homme disait que seules ses filles et celles de ses deux compagnons auraient une progéniture droite et équilibrée. « Même quand elles vont à la plage, disait-il, elles se baignent tout habillées. Le voile ne quitte pas leur tête, même dans l'eau. Au cinéma, elles ferment les yeux quand le spectacle choque la conscience. » Ses filles étaient des houris sorties droit du paradis. Malheureusement, le pays ne fournissait plus que des promotions de ratées et de putains ! J'écoutais cet homme parler. Le sang coulait entre mes jambes et j'appliquai ce mouchoir contre ma plaie pour arrêter l'hémorragie. Ce sang que tu n'as pas pu protéger, que tu n'as pas su préserver. A quoi t'a servi ton aveuglement ? Tu la sens, l'odeur de ce sang précieux que j'ai perdu dans un commissariat de police ? Je n'irai pas plus loin dans mon récit. Cette nuit suffit, à elle seule, à te damner jusqu'au jour du Jugement dernier. Tu crois que tes prières régulières sont capables de t'épargner la géhenne ? Même si, dans sa miséricorde, Allah te pardonne, moi je ne te pardonnerai jamais. Je ferai en sorte que cette tache d'opprobre te colle à la peau jusqu'au-delà de la mort. Tu pars sans avoir rien fait de bon dans ta vie. Tu as tué notre mère et tu nous as jetées à la rue pour satisfaire tes instincts coupables. Que vas-tu répondre à Dieu quand Il te demandera ce que tu as fait des filles qu'Il t'a données ? Que vas-tu lui dire quand Il te demandera de nos nouvelles ? Te voilà mort à présent. Nous étions les remparts qui pouvaient t'empêcher d'aller en enfer. Mais tu as failli à ta mission et à ton devoir. Tu sais que celui qui possède quatre filles et s'occupe bien d'elles, Allah lui réserve un palais au paradis ! Ou bien aurais-tu tout oublié entre les jambes de ton épouse ?

Chama faillit s'étrangler tant elle avait ravivé sa blessure. Je repris mon récit pour ne pas la laisser se morfondre dans ses souvenirs.

Les deux hommes voulaient sans doute m'effrayer, dis-je sans élever la voix.

– A Dieu ne plaise! Concluons cette affaire, murmura le parlementaire, fier d'avoir convaincu le nain.

Daoud croisa les bras sur sa poitrine et ne répondit pas. Il se tut un long moment, caressa de la paume de sa main droite le volant de son véhicule. Il hésita un instant, poussa un soupir et dit avec un sourire :

– Tu insistes! Mais ne viens pas demain te lamenter d'avoir été roulé!...

– Je serai digne de lui et de la confiance que tu as placée en moi...

– Le futur nous donnera tort ou raison...

– Veux-tu m'accompagner chez moi?

Nous partîmes. Je ne pensais à rien en particulier. Des souvenirs mêlés traversaient mon esprit sans que l'un d'eux pût se fixer dans ma mémoire. Le visage égaré de ma mère, vos voix en détresse, le regard maléfique de la marâtre, le corps chétif du père pris en tenaille dans la chair grasse de son épouse, notre puberté désarticulée sur des chemins de poussière et de haine, le rire extravagant de notre destin... Rien que des images ruisselant de déchéance et de mort. La route fuyait sous mon regard. Les arbres arrivaient sur nous à toute vitesse, chancelaient au moment de s'abattre puis disparaissaient comme des flèches dans un chuintement sec. Je souhaitais que ce voyage ne se termine jamais.

Je me tus pour reprendre mon souffle. Mes sœurs ne levèrent pas les yeux. Le silence tomba comme une masse et engloutit nos paroles. Le vent chaud redoublait de violence. Les cierges de mauvaise qualité vacillaient comme un homme agonisant. Leur cire était répandue sur une table basse comme l'excrément d'un chien atteint de diarrhée. Le mur avait rangé ses ombres derrière ses pierres. Les écailles de peinture et les taches d'humidité n'exprimaient plus rien. La voix de Tamou se fit entendre dans le noir. Je ne distinguais plus que ses mains éclairées par la flamme des cierges.

L'enfant exécuta deux hautes voltiges avant de disparaître, dit-elle. Le conteur ne bougea pas. Les hommes attendirent un instant puis se dispersèrent. Quand tout le monde fut parti, le conteur se releva. Il caressa d'un geste précis sa flûte magique avant de la faire disparaître dans la poche de son pantalon. Le gamin aux cabrioles réapparut comme par enchantement. Il fit encore deux ou trois pirouettes avant de se présenter devant l'homme qui était en train de plier bagage.

– Très bonne journée, patron! s'exclama-t-il, un sourire illuminant son jeune visage. J'ai fait mes investigations et, en principe, on devrait partager le dîner de Sid el-Haj Boulâjoul, le négociant en tissus. Il voulait que tu t'occupes de sa fille malade. Elle est possédée par un djinn non musulman. Que Dieu te préserve et nous préserve tout autant!

– Très bien! Très bien!… dit l'homme en continuant son manège.

– Mais l'Écrivain a insisté pour que tu passes cette nuit chez lui. Il dit qu'il a quelques bouteilles à vider. Je crois qu'il est en panne et veut que tu lui racontes une histoire pour son prochain roman! N'est-ce pas, patron?

– Très bien! Très bien! répéta l'homme dans sa barbe.

Il s'aperçut de ma présence, ne parut pas surpris. L'enfant ne m'accorda aucune attention. J'attendis comme si je faisais partie de la famille. L'homme ramassa ses derniers objets, jeta sa djellaba sur son épaule droite et me fit signe de le suivre. Mes pas suivirent ses traces, tout naturellement, comme si je le connaissais de longue date, comme s'il

163

était un parent. Nous traversâmes une place grouillante de passants. Les vitrines des boutiques étaient illuminées. Les filles étaient belles. Presque toutes blondes et blanches de peau. Les yeux verts, bleus ou clairs. La mer m'apparut au loin. Des enfants se chamaillaient pour un sac en plastique roulé en boule et que chacun mettait sous son nez avant que l'autre le lui arrache. Un vieillard les injuria :

– Enfants d'Iblis ! leur lança-t-il. Vous n'avez aucune pudeur, aucune honte pour sniffer cette saleté devant les grands et les petits ! *Sirou ! Allah ihfar likoum ajdar !* Partez ! Qu'Allah arrache votre racine !

L'un des gamins tira un couteau à cran d'arrêt qu'il agita devant la barbe blanche du vieillard :

– *Mâl dîn Rabbak Achibani ! Mankhafouch ?* Qu'est-ce que tu veux, par la religion de ton Dieu ! Est-ce ton affaire si nous voulons voyager quelques instants hors de votre univers pourri ? Qu'est-ce que vous cherchez, tous ? Il ne vous a pas suffi de nous mettre au monde dans ce pays corrompu jusqu'à la moelle, il faut encore que vous nous empoisonniez la vie ! Dis-moi, toi qui sais et comprends tout ! Que veux-tu que je fasse d'autre ? Vous avez dit l'école et j'ai fait des études. Vous avez dit les diplômes et j'ai eu des diplômes. Mais quand il s'est agi de l'avenir et du travail : rien ! Ça fait trois ans que je suis rentré de France avec mes diplômes et que des cons de ton espèce me disent : « Reviens dans six mois ! Nous regrettons, ton diplôme est encore nouveau, nous donnons la priorité à ceux qui ont des diplômes anciens. Reviens dans quelques années. » Parfois, c'est un autre discours que j'entends : « Apporte dix extraits d'acte de naissance, dix photos, six enveloppes timbrées au tarif recommandé, une attestation de résidence, dix photocopies légalisées de tes diplômes, trois photocopies légalisées de ta carte d'identité... » Une fortune pour constituer un dossier ! Tu passes le concours : rien ! Pendant ce temps, les fils de nos voleurs et assassins trouvent des emplois à leurs mesures. Y a que les laissés-pour-compte

qui n'ont jamais rien! Et tu viens au crépuscule de ta vie
me donner des leçons de morale! Si tu préfères partir avant
l'heure, je n'ai aucune objection parce que je n'ai rien à
perdre. En prison, au moins, l'État sera obligé de me loger
et de me nourrir. Tu peux comprendre à présent pourquoi je
sniffe de la colle, du cirage, n'importe quoi pour oublier
que je vis dans votre monde de chiens et de scorpions...

Un homme s'interposa. Le couteau à cran d'arrêt disparut dans une poche.

– Maudissez Satan! dit l'homme. *Naâ'lou Chîtâne!
Azmâne s'îb ala l'jamî'*. Les temps sont durs pour tout le
monde! Personne n'a rien trouvé comme il l'espérait.
Zmâne ouach man zmâne hada!

Il prit le vieillard par le bras et lui dit en aparté :

– Tu connais les jeunes d'aujourd'hui! Ils n'ont plus de
honte, plus de respect pour quoi que ce soit... *Salama ya
Moulana!* C'est normal qu'il ne pleuve jamais et que le
monde soit ce qu'il est! Le salaud, il n'a respecté ni ton âge
ni tes cheveux blancs! Quel bien peut-on espérer après
cela? *Sîr f'halak!* Va-t'en et Dieu le punira de l'affront qu'il
t'a fait! *Sîr!* Occupe-toi de tes prières et oublie ce qui vient
de se produire! Les jeunes, de nos jours, n'ont plus de cervelle! *Sîr, Allah Ihdi l'jamî'*...

Le vieillard baissa la tête et s'en fut. L'homme se retourna
du côté du jeune et lui dit sur le ton de la confidence :

– Quelle époque, *salama!* Les gens n'ont rien d'autre à
faire que surveiller leurs semblables! *Qallat 'chghoul!* Qu'il
s'occupe de ses affaires! Tu sais, mon fils, les hommes
vieillissent et perdent la boule. Ils se croient tout permis. Tu
es libre de faire ce qu'il te plaît. Il n'est ni ton père ni ton
oncle pour te sermonner ainsi. Il ne comprend pas que les
temps sont durs pour toi! Jeune comme tu es, et diplômé de
surcroît, il veut peut-être que tu danses sur la place publique!
Ils ne comprennent pas votre situation! *Allah Istar!* La
vieillesse rend fou, *salama! Sîr A oualdi!* Va, mon fils, et fais
ce qu'il te plaît! Quel manque de délicatesse et de pudeur!

Le vieillard avait disparu au tournant d'une ruelle. Le jeune retrouva son mur et arracha le sac en plastique à son compagnon, qui avait pris un aller simple pour l'évasion et l'oubli.

Nous poursuivîmes notre chemin. Je ne savais pas où nous allions. Quelle importance ! Le conteur marchait en tête, poursuivi par le mioche qui, de temps en temps, me lançait des regards malins. Je ne lui prêtai aucune attention particulière.

Ma sœur se tut et je repris mon tour de parole.

La voiture de Si Azzouz s'arrêta sur une grande place devant une maison aux murs recouverts de petits carreaux de faïence aux couleurs vives. Daoud ferma les portières à clé et donna une pièce au gardien, à qui il recommanda la plus grande vigilance. Les deux hommes marchèrent côte à côte en bavardant. Ils s'arrêtèrent subitement et lorgnèrent dans ma direction. Daoud hocha la tête de haut en bas, revint sur ses pas, ouvrit la portière de mon côté et m'empoigna par le bras. Avant de réaliser ce qui m'arrivait, je me retrouvai dans les bras du nain, qui me porta jusqu'au seuil de la maison comme une jeune mariée.

Nous traversâmes un jardin fleuri. Un domestique vint à notre rencontre et se précipita sur la main du parlementaire pour l'embrasser avant de lui présenter un rapport détaillé de tout ce qui s'était produit pendant son absence. L'homme ne desserra pas les mâchoires. Il remit les clés de sa voiture au domestique et lui donna quelques instructions, puis il nous introduisit dans un double salon marocain et européen. Un fatras de mauvais goût. Je gardai les yeux baissés.

– Bienvenue à toi dans cette demeure que tu illumines de ta présence et qui deviendra la tienne avec l'aide de Dieu et de son Prophète !

Mon cœur se mit soudain à battre violemment dans ma

poitrine. Dire le malaise qui me tenaillait à ce moment est chose impossible. Entre terreur et stupéfaction. Comme lorsqu'on est sur le point de perdre la raison. Les paroles me parvenaient à peine, diluées dans l'haleine fétide des deux hommes puant l'alcool, le tabac et la bêtise. Des bribes de paroles, des mots isolés, quelques phrases débridées, lâchées comme des scorpions dans le silence de la vaste maison : « Trop élevé... Sa taille fille et sa jeunesse ! Je veux bien te rendre service... Tu es mon ami, alors !... Non ! Mais tu sais quel âge il a ?... Baisse un peu ton prix !... Ma mère ne va pas apprécier... Ta mère... Vingt mille !... Tu veux me sucer le sang !... *Allah ou aqbar !*... Amitié des couilles que celle que tu me témoignes... Pas d'amitié dans les affaires... Il n'y a plus que des fils de putes dans ce pays ! Quinze mille ! Un agneau ? C'est une bonne affaire !... Ne viens pas protester après ! Quel monde ! Bois ton verre ! Notre secret est enterré dans un puits ! On est des hommes ! Lhajja ne saura rien !... »

Quand j'ouvris les yeux, j'étais dans une chambre du premier étage, enfermée à clé. La chambre était spacieuse, avec un lit à baldaquin dans un coin. Azzi Manégass et le parlementaire avaient disparu. En face de moi, il y avait une fenêtre avec des barreaux. Je m'en approchai. La place était bondée. Assis sous un arbre, un jeune homme à la barbe clairsemée traçait des signes dans la poussière avec un bout de roseau. Il leva la tête et ses yeux rencontrèrent les miens. Il suspendit son geste et se mit debout. Quelques regards se braquèrent sur la fenêtre. Au moment où le jeune homme dressait les bras vers le ciel, le muezzin appela à la prière. La mélopée emplit la pièce. Un vent chaud m'assaillit. Je refermai la fenêtre pour préserver le lieu de la chaleur du jour, qui promettait d'être torride.

16

Une rivière de fourmis rouges traversa la pièce et remonta lentement les pieds du lit en unités serrées avant d'envahir les draps blancs, dis-je. Je sentis les bestioles grimper le long de mon corps et gagner toutes les parties de ma chair avant d'entreprendre leur travail de destruction méthodique. Mon pubis subit le premier assaut. Le sang gicla sous les morsures des monstres et les bêtes carnivores s'introduisirent à l'intérieur de mon corps. Bientôt, j'étais entièrement vidée. Je ne sentais plus ni mes intestins, ni mon foie, ni ma rate, ni mes poumons, ni mon cœur... Un vide atroce s'était fait en moi. Les fourmis avançaient en masse compacte, détruisant les veines et les fibres sur leur passage. Elles arrivèrent bientôt à la tête et sortirent par le nez, par la bouche, par les oreilles et par les yeux. Chaque bestiole emportait un bout de chair entre ses crocs ensanglantés. Je tremblais de tout mon être. Tapi au fond de ma gorge, le cri ne parvenait pas à se libérer. Au terme d'un ultime effort je réussis à l'expulser hors de moi. Ma poitrine fut soulagée et j'ouvris les yeux, le front brûlant et les membres rompus. Le domestique fit son apparition dans l'encadrement de la porte de la chambre. Il ferma les volets et m'indiqua un baluchon sur une chaise.

– Si Azzouz, le maître des lieux, m'a chargé de veiller sur toi jusqu'à son retour. Il a été appelé d'urgence à la capitale. Ça va mal dans le pays depuis que Saddam donne des insomnies aux Américains et au monde entier. Lui, c'est un homme ! Il rendra sa fierté à la nation arabe et fera triompher l'Islam... Nous avons été assez humiliés par Miricane et l'Occident chrétien. Ce siècle est celui de la revanche des petits sur les grands. Tu vas voir !...

La haine remontait à la surface. Chama avait raison, nous avions besoin de cet exorcisme. Même si la fiction et la réalité se confondaient dans un mélange baroque. Je ne pensais pas être capable d'aligner des paroles pour en faire un récit. J'avais toujours écouté les mots des autres, faisant abstraction des miens. On m'avait toujours appris à me taire, à écouter, à n'émettre aucun jugement, à ne faire aucune réflexion. Ma parole n'avait aucune importance. En parlant aujourd'hui, j'extorquais aux hommes et aux adultes un peu de leur pouvoir. Je faisais mienne une parole qu'on m'avait toujours confisquée. J'existais à travers ces mots de la nuit, même si mon récit n'avait aucune cohérence. Je devais retrouver cette parole et dire le mal de dix années d'errance et de folie. Chama agita les bras brusquement et frictionna la face du mort avec son mouchoir souillé.

Mon errance et ma perte commencèrent cette nuit-là, dit-elle d'une voix étranglée par les larmes. J'aurais aimé que tu sois présent pour voir l'expression de ton visage pendant qu'un homme violait ta fille aînée, cette fille que tu n'as pas vue grandir, dont tu n'as jamais caressé les cheveux. Ta fille aînée, que tu n'as pas conduite à la demeure de son époux, dont tu ne t'es pas occupé lors des préparatifs de ses noces. Ta fille, dont tu as tout ignoré et qui revient aujourd'hui frotter le sang de son innocence contre ta face promise à la géhenne. Le flic a essuyé son doigt sur ma robe après m'avoir craché à la figure. Je te dédie donc cette nuit affreuse que tu n'as même pas soupçonnée. Ce mouchoir t'accompagnera dans ta tombe.

Elle s'empara du mouchoir et le glissa sous le drap blanc safrané, entre la chair en décomposition et le tissu, au niveau du torse.

Garde-le! continua-t-elle. Il te rappellera ton erreur et veillera à ce que tu ne trouves jamais le repos des morts. Cette tache de sang témoignera le jour du Jugement de ce matin de glaise où tu nous as renvoyées comme des malpropres. Tu peux mourir dix mille fois, le sang te poursuivra au-delà de la mort pour te dire et te redire ton crime. Allah est témoin de ce que nous avons enduré. Il sait puisqu'Il est présent partout. Son Livre ne me quitte jamais. Je n'arrête pas de le lire et, à chaque lecture, je lui demande de me venger de toi. Avant de quitter notre cellule, le flic nous a toutes fouillées. Il a confisqué aux filles leurs objets en or et leur argent. Je savais que cet argent et ces objets allaient être partagés entre ceux qui étaient de garde cette nuit-là. Il a voulu me prendre mon Livre. Je l'en ai empêché. Il m'a giflée. J'ai pleuré en serrant très fort le Livre contre ma poitrine. Il a essayé de me l'arracher de force. Je l'ai mordu. Il m'a battue, piétinée, puis il m'a laissée. Les femmes m'ont entourée de leurs bras et de leur affection. Elles ont pleuré avec moi en attendant le lever du jour...

Rien n'est plus insupportable que l'injustice des hommes. Je pensai que je m'en étais tirée à bon compte par rapport à Chama. Dieu était-Il de mon côté? Ou bien avais-je délibérément oublié les détails les plus dramatiques de ces dix dernières années de cavale à travers des villes et des villages dont j'avais jusque-là ignoré l'existence? Chama s'était tue pour chasser d'une main paresseuse les quelques mouches qui s'étaient posées sur son visage en sueur. Tamou gardait sa position rigide, comme une statue de pierre. Je levai les yeux et poursuivis mon récit.

Je ne comprenais pas le discours du domestique. Mes yeux fixaient le baluchon posé sur la chaise. Il comprit qu'il avait omis de m'expliquer son geste et dit :

– Si Azzouz a apporté des vêtements pour toi. Tu dois te laver et t'habiller. Je ne sais pas combien de temps il va s'absenter. Mais tu es en sécurité ici. Je vais t'aimer comme mon fils car le mot « innocence » est inscrit sur ton visage. Je ne sais pas quel destin t'a fait échouer ici mais je lis dans ton regard que tu portes une grande blessure. Qu'importe ! Je suis content de ta présence. Tu rendras ma solitude moins lourde et mes journées moins pénibles parce que j'ai quelqu'un à qui parler à présent. Avant, je parlais aux oiseaux et au chien. Parfois aux arbres et aux fleurs. Mais la politique... j'ai besoin de quelqu'un pour discuter. Tu es encore bien jeune pour comprendre les enjeux de cette affaire. Mais il me suffira de lire dans tes yeux pour savoir. Me sentir écouté est déjà une victoire sur le silence, une offrande du ciel. Je vais t'initier aux problèmes politiques. J'ai un petit poste de radio à piles qui m'aide à glaner les informations sur des ondes étrangères. *Khoutna.* Les nôtres ne diffusent que les informations qui les arrangent. Ils ont la diarrhée depuis le début de cette histoire. S'ils sont du côté de Miricane, ils font dans leur froc parce qu'ils ont trahi leur frère et craignent une victoire spectaculaire de Saddam. Tous les peuples opprimés sont persuadés qu'il va triompher des *kouffar*, des infidèles et des hérétiques car Allah tout-puissant est avec lui. Les signes sont clairs. Tu verras, mon enfant ! Par la main de Saddam, Dieu vengera les peuples des petits potentats à la solde de Miricane et de ses alliés. Allah accorde des répits aux fauteurs et aux tyrans mais ne les épargne jamais. Nous sommes à Dieu et nous retournerons à Lui !...

Il y eut un long silence. L'homme avait passé ses mains sur son visage et baisé le bout de ses doigts. Je l'observais sans faire un geste. Il s'approcha du lit et me tendit sa main épaisse. Je levai la mienne, qu'il secoua énergiquement en disant de sa voix sombre :

– Je m'appelle Kacem. Je travaillais comme gardien dans une école primaire avant de venir ici. Si Azzouz enseignait dans la même école. Quand il est devenu parlementaire, il a sollicité mes services auprès du délégué, qui m'a affecté dans cette maison. Alors je suis devenu l'homme à tout faire de Azzouz. Mais c'est toujours l'État qui me verse mon salaire. Quand il est de bonne humeur, Si Azzouz me donne des pourboires. Je comprends alors qu'il vient de frapper un grand coup. Il est gentil, mais je ne sais pas comment il fait au Parlement. Il est incapable de faire une analyse objective de la situation politique et sociale du pays. Il dit que le peuple n'a que ce qu'il mérite, qu'il n'est pas encore mûr pour la démocratie. Ce qui l'intéresse, c'est qu'on dise de lui qu'il est parlementaire. C'est de profiter au maximum des avantages de sa fonction. Ses électeurs, il les méprise. Ne comptent à ses yeux que sa santé et celle de ses finances. Il fait des affaires à longueur de journée, dit que rien n'est sûr dans le pays et que la situation n'est ni stable ni éternelle. Alors il profite de toutes les opportunités. Avec les autres, il joue à qui deviendra plus riche et plus puissant. C'est une course effrénée vers le pouvoir. Si bien que le pays s'est transformé en une vaste jungle où le fort bouffe le faible et le riche écrase le pauvre. Je prie matin et soir pour que le pays soit sauvé, que ses enfants se réveillent. La corruption est un cancer qui détruit nos valeurs et nos principes. Pour que je vienne travailler chez lui, Si Azzouz est intervenu auprès du gouverneur. Il a obtenu qu'on cède un terrain au délégué, qui voulait se faire construire une villa. Il me faudrait des jours pour te parler de ces grands bandits. Je vais te chercher quelque chose à manger...

Je marquai une pause. Les mouches se préparaient à l'offensive. Je les observais en essayant d'imaginer à quoi elles pensaient ou à quoi elles ne pensaient pas. Difficile de se mettre dans la peau d'une mouche, surtout quand il

LE DEUIL DES CHIENS

s'agit d'une mouche dont la mission est l'exploration et le déchiquetage d'un cadavre. Le sirocco n'avait pas l'intention de diminuer d'intensité. Mon visage était brûlant. Je suais à grosses gouttes et mes mains étaient moites. J'avais un goût de sel sur les lèvres. Ma bouche était sèche et nous n'avions pas songé à nous ravitailler en eau pour cette longue nuit. Nous finirions par nous déshydrater avec cette chaleur d'enfer.

Nous avions emprunté des ruelles étroites, reprit Tamou. Les passants, engoncés dans leur djellaba, confectionnée dans la bure la plus épaisse, nous bousculaient sans ménagement et sans prendre la peine de s'excuser. Nous arrivâmes devant une maison ancienne. Un homme sec avec une moustache broussailleuse se tenait droit à l'entrée. Il eut un sourire affecté et s'écarta pour nous céder le passage. Le conteur baissa la tête pour éviter de se cogner contre les poutres qui soutenaient un pan du plafond à moitié effondré. Je suivis le troupeau. L'Écrivain referma la porte à double tour derrière nous puis la cala avec une barre de fer qui allait du milieu de la porte jusqu'à un trou creusé dans le sol de terre battue. Ma déception était grande. J'avais imaginé un homme digne dans un lieu digne. Je découvrais une loque dans un taudis. L'Écrivain !

– Je me barricade pour empêcher les ivrognes du cul de la nuit de perturber notre tête-à-tête. Vous savez ce que c'est, quand les videurs se débarrassent des consommateurs à quatre heures du matin ! J'ai préparé pour vous des bouteilles de rouge de premier choix et des sardines que le petit va nous griller sur les braises. Qu'est-ce que vous en dites ?

Le conteur hocha la tête en répétant comme un leitmotiv :

– Très bien ! Très bien !

Je jetai un coup d'œil autour de moi. La misère à perte de vue. Des livres jonchaient le sol comme dans un marché aux puces. Il y en avait partout. Même dans des ustensiles de cuisine. Des piles de livres, qui rendaient les lieux presque surnaturels. Devinant mon étonnement, l'Écrivain s'empressa de me dire :

– Ces livres sont mes enfants, mes frères aussi et mes amis. Je n'arrive pas à m'en séparer car je les aime tous du même amour. Chacun d'eux est particulier car il m'apporte quelque chose que les autres n'ont pas. Mais un jour je finirai par les incinérer sur la plage pour que leurs cendres retrouvent le large de la création littéraire. De très grands noms derrière chacun d'eux. Je rêve, moi aussi, de connaître la célébrité, comme Faulkner, Joyce, Tennessee Williams ou Neruda... Mais je commence à sentir la trame de mon roman. Je vais leur en foutre plein la gueule. Un livre à ne pas prendre avec des pincettes !

Il se tut, comme s'il s'apercevait maintenant de ma présence.

– Qui est cette enfant ? demanda-t-il sans détourner de moi ses yeux pétillants.

– Ses amarres sont rompues. Elle n'a personne dans cette ville. Son histoire pourra te donner des idées pour ton prochain roman. A propos, l'Miricani, comment va-t-il ?

– Je l'aime bien, tu sais ! Mais il nous pompe l'air à nous autres qui voulons nous imposer en tant que véritables écrivains. Il te fait venir des illettrés qui lui racontent leur vie et il en fait des écrivains. Le kif, le sexe et le soleil ! Il a trouvé, à deux pas de l'Europe, tout ce qu'il ne pouvait pas trouver chez lui. Mais c'est un type bien !...

– Sans doute ! Mais chaque fois qu'on veut parler de cette ville on l'identifie à lui, si bien qu'elle est devenue un mythe alors que c'est une ville qui vit, qui souffre et qui se bat, comme toutes les villes, contre l'oubli, l'indifférence et la folie... Et toi ? Tu avances dans ton roman ?

– Pas vraiment ! Je noircis des pages et des pages que je déchire aussitôt après les avoir relues. Je ne suis jamais satisfait de mon travail. Et puis la langue n'aide pas vraiment à l'expression des sentiments que j'éprouve. L'Miricani m'a proposé de lui raconter ma vie. Il peut en faire un livre ! Je ne sais pas si c'est une bonne idée. Je suis en train de réfléchir...

– Tu ne dois pas chercher à imiter qui que ce soit. Il faut que tu sois toi-même. Écris tes propres mots, pas les mots des autres !

– Ce n'est pas chose aisée, surtout lorsqu'on a un héritage aussi lourd que le mien !

Il montra les livres accumulés dans tous les recoins de la pièce.

– Tu dois t'en débarrasser, d'une manière ou d'une autre, si tu veux accéder à tes propres mots... Sois simple et authentique !

– Est-ce facile ?

– Essaie toujours ! Pour l'instant, ouvre-nous la première. Tu n'as pas soif ?

– Tu as raison ! Où avais-je la tête ?

L'Écrivain s'empara d'une bouteille de gros rouge et la montra au conteur :

– Pour notre bourse, c'est le meilleur vin qu'on puisse trouver !

– Le peuple ne demande pas mieux ! dit le conteur en dégustant son premier verre.

Le garçonnet s'affairait dans un coin pour allumer du charbon de bois. J'observais tout ce monde sans savoir ce qui m'avait amenée là. Seule parmi trois hommes. Curieusement, je n'avais perçu aucune menace dans leurs regards. N'auraient été les bouteilles de vin, je me serais même sentie parfaitement en sécurité. Les deux hommes bavardaient. L'enfant avait allumé son feu et entrepris de griller les sardines. Une odeur agréable taquina mes narines. Mes yeux restaient fixés sur le brasero, qui dégageait ses effluves de poisson brûlé. Les deux hommes buvaient coup sur coup. A la radio, Oum Kalsoum fredonnait l'une de ses chansons.

– Oum Kalsoum, Mohammed Abdelwahab, Smahâne, Farid al-Atrache... L'Égypte a donné les meilleurs chanteurs arabes ! Notre pays donne les meilleurs corrompus et les meilleurs lécheurs de culs...

Un rire fusa de la gorge du conteur et se répandit comme une traînée de poudre. Je me surpris en train de rire comme les autres. Le garçon s'avança vers moi et me proposa une tranche de pain avec quelques sardines. Je tendis la main dans sa direction en remerciant d'un sourire. Celui qui se dessina sur son visage semblait témoigner d'une amitié sincère.

– Ce sont nos dirigeants qui préfèrent les incompétents, les kleptomanes et les opportunistes aux hommes fiers et intègres ! dit le conteur en avalant d'un trait le contenu de son verre.

– *Blâd ouach man blâd !* Un pays, et quel pays ! s'exclama l'Écrivain après avoir mordu dans une sardine fumante. Personne ne comprend plus rien à ce qui nous arrive !

Tamou s'arrêta de parler, agacée par une mouche qui s'était posée sur son visage. Je poursuivis mon récit là où je l'avais laissé.

Kacem me tourna le dos et s'en fut. Mais, avant de disparaître, il me lança à travers l'entrebâillement de la porte :

– Tu ne m'as pas dit ton nom ! Si tu ne veux pas parler, c'est ton problème. Mais j'ai besoin de mettre un prénom sur ton corps pour savoir à qui je m'adresse. Je vais t'appeler Driss, comme les saints de Zerhoun et de Fès.

Il ferma la porte à clé. Je me levai et ouvris la fenêtre. Le jeune homme à la barbe clairsemée était toujours à sa place, les yeux fixant la fenêtre. Il se leva dès qu'il m'aperçut, tendit les bras vers le ciel et clama ces paroles :

– Je sais qui tu es ! Tu portes un fardeau trop lourd pour toi ! Je sais... Dieu sait... Mais les hommes... Je devine ton mal car tu as fait un long chemin. Celui qui t'attend est encore plus ardu, semé d'embûches et de ronces... Ton regard porte une profonde blessure et ton corps est habité par le secret. Mais Dieu est avec toi ! Tu n'as rien à craindre des humains... Les gens peuvent te donner tous les prénoms qu'ils veulent. Leurs yeux te regardent mais ils sont aveugles du cœur. Dans cette ville où tu es étrangère, moi seul connais ton nom et ton histoire...

Je refermai la fenêtre. Comment avait-il deviné que je n'étais pas un garçon ? La clé tourna dans la serrure et la porte de la chambre s'ouvrit. Kacem entra avec un plateau garni de nourriture qu'il posa sur une table basse. Je mangeai et bus jusqu'à satiété. Pendant que je mastiquais, Kacem me tint ce discours :

– Tu sais, Driss, il paraît que Saddam possède des missiles nucléaires capables de détruire Israël tout entière. Le monde entier a peur. Les gens organisent une énorme manifestation de soutien au leader arabe dans la capitale. Les autorités l'ont interdite, mais elle va avoir lieu quand même car les gens en ont marre de se faire insulter. Les riches commencent à s'organiser pour fuir vers des pays plus cléments. Le fric part par milliards dans des banques étrangères. Mais le jour où on les attrapera, on leur fera bouffer leurs couilles. Les dirigeants ne s'intéressent qu'à leur santé, à leurs affaires et à leurs comptes bancaires. Un jour, ils devront payer cet acharnement à dépouiller le pays.

Je ne dis rien. Je me contentai de regarder l'homme droit dans les yeux. Il me tendit une serviette avant de débarrasser la table. Il fermait à clé chaque fois qu'il quittait la chambre. Les instructions du patron ! Je me levai, irrésistiblement attirée par la fenêtre. Je voulus résister à la tentation mais ce fut plus fort que moi. Je m'approchai alors de la fenêtre et l'ouvris. Le jeune homme était à sa place, me fixant de ses yeux de braise. Aussitôt qu'il m'aperçut, il leva les bras vers le ciel et dit :

– Nous sommes un même et unique destin ! Les barreaux de ta fenêtre ne peuvent nous séparer. Tu dois savoir que je t'attends depuis que je suis né. Je m'appelle Jamal. Ma mère est morte après m'avoir mis au monde. Mon père m'a jeté dehors parce que j'avais peur de Dieu. Sa nouvelle épouse était jeune et jolie. Elle m'a accusé de provocation. J'avais quinze ans. Depuis, j'ai vécu dans la rue en attendant ton arrivée. Tu vois que je te connais et que nos destins sont inséparables...

La porte de la chambre s'ouvrit brutalement sur Kacem. Il se précipita pour fermer la fenêtre puis m'exhorta à le suivre. Il me conduisit dans une salle de bains et me demanda d'ignorer les paroles de Jamal, qui délirait de jour comme de nuit. Je ne devais pas prêter attention à ce qu'il disait. Je devais m'occuper de mon aspect extérieur car Si Azzouz aimait les apparences. Il déposa une serviette neuve, une savonnette et un flacon de shampooing sur le rebord de la baignoire. Puis il entreprit de me déshabiller. Je l'en dissuadai d'un geste de la main. Il n'insista pas et me laissa seule. Je l'accompagnai jusqu'à la porte et tirai le verrou avant de me débarrasser de mes vieux habits. Mes jeunes seins pointaient comme des fruits mûrs. Mon corps me parut beau dans la glace. Je portai une main tremblante à ma poitrine et me caressai le bout des seins. Une sensation étrange s'empara de ma chair. Mes muscles se raidirent et je faillis me trouver mal. Les mots du jeune homme occupèrent soudain ma pensée. Et s'il disait vrai ? Au même moment, d'autres paroles vinrent perturber cet instant de bonheur que je m'apprêtais à vivre. Les paroles furieuses de mon père, celles, fielleuses, de la marâtre, celles du jeune homme à la barbe clairsemée, celles des adolescents et des hommes importants de la cérémonie nocturne, celles de Kacem, celles de Azzi Manégass... Elles m'assaillaient de toutes parts, se bousculant dans ma tête, s'acharnant contre le peu de lucidité qui me restait. Je puisai un seau d'eau froide dans la baignoire et me le versai sur la tête. Je retrouvai alors mes esprits et me lavai avec bonheur.

Tamou avait chassé la mouche qui agaçait son menton. Elle reprit aussitôt sa position rigide. Chama froissait ses doigts nerveusement. Le mur était plongé dans le noir. Le vent secouait avec frénésie tout ce qu'il rencontrait sur son passage. Dehors, le calme plat des jours ordinaires. Je tendis l'oreille dans l'espoir de déceler un bruit. Rien. Chama leva ses yeux dans ma direction et nos regards se croisèrent. Ni la fatigue ni le sommeil n'avaient altéré la violente clarté de ses yeux.

On nous rassembla dans un bureau comme du bétail, dit-elle. Une femme distinguée attira mon attention. Elle était très belle, de la beauté des montagnes. Les yeux noir ébène, la chevelure comme les vagues d'une mer furieuse lui arrivant à la taille, les lèvres plus belles que deux croissants de lune, des cils épais soulignés de khôl, la taille fine dessinée dans une djellaba de soie turquoise. Ses yeux cherchaient de l'aide. Elle était comme une bête traquée. Plus je la regardais et plus sa beauté grandissait. En d'autres circonstances, je me serais blottie contre elle et je l'aurais embrassée sur les joues. Ma détresse me paraissait minime face au désarroi de cette femme. Nous devions subir un interrogatoire de routine. Le brigadier prononça mon nom. Je m'avançai.

– Ôte ta patte de là, sale race! me dit le brigadier, furieux. Tu vas me salir cette chaise…

Je retirai ma main. Je retins mes larmes au bord de mes paupières pour ne pas donner satisfaction à l'homme de l'autorité.

– Pourquoi vous acharnez-vous à rendre notre vie plus difficile qu'elle ne l'est déjà? Les rues pullulent du péché de vos corps habités par le diable. Vous êtes la honte de ce pays. Quels sont ton nom et ton prénom? Ton âge? Ton adresse? Le nom de tes parents?

Occupé à manger des beignets chauds et à boire son thé à la menthe, l'homme m'écoutait à peine. Il se curait les dents avec une allumette éteinte, me toisant des pieds à la tête avec dédain. Je déclinai mon identité et donnai les renseignements qu'il désirait. Son attention était ailleurs. J'entrepris de lui raconter mon histoire. Il m'arrêta au milieu d'une phrase :

– Ne dis pas un mot de plus ou je te fais redescendre à la cave ! Vous êtes toutes des menteuses ! Tu vas me dire, toi aussi, que ton père t'a renvoyée de la maison à cause de sa nouvelle épouse qui te déteste, que ta mère est décédée et que tu n'as plus personne pour s'occuper de toi... Je la connais, la chanson ! Alors boucle-la et laisse-moi faire mon travail !

Quand il eut fini son festin, l'homme de l'autorité s'essuya sur sa tenue après avoir soigneusement léché ses doigts dégoulinant l'huile. Debout devant lui, j'avais le vertige. La fatigue. La faim et la soif. L'humiliation. Je me cramponnai à ma haine et résistai à l'évanouissement. Pour ne pas céder à ce moment de faiblesse, j'essayai de penser aux jours heureux. Les jours de soleil et de tranquillité. Des jours de rire et de pain tendre. Aucun souvenir heureux n'émergea à la surface de ma pensée pour balayer le malheur. Cet homme aurait pu être ton père, me dis-je au fond de moi pour penser à autre chose. Je l'aurais sans doute aimé s'il s'était comporté en bon père de famille. Je n'aurais juré que par lui.

Chama posa sur moi un regard fané avant de rectifier sa position. Le silence régnait. Seuls le tic-tac régulier et assommant de l'horloge, les ronflements intermittents de l'ivrogne et des aboiements lointains perturbaient le calme de la nuit. Tamou ne bougeait pas. Son immobilité me donnait le vertige. Le mur en face de moi retrouva son animation. La rue s'emplit de passants et de marchands. Les enfants couraient dans tous les sens. La fenêtre d'en face avait disparu, laissant la place à une grosse éclaboussure d'humidité. Une bête informe dévala la pente à toute vitesse, piétinant les étalages de fortune des petits commerçants ambulants. Un vieillard traversa la place avec son tapis de prières sous le bras. Des gamins le poursuivirent en gesticulant. Une jeune femme passa en se déhanchant, suivie par le regard avide des jeunes souteneurs des murs. Le vent chaud reprit sa sérénade et cogna contre les portes et les fenêtres, faisant vibrer les planches mal jointes et les volets mal fermés. Chama secoua la tête et le côté droit de son visage se trouva dans la faible lumière des cierges. La régularité de ses traits me surprit. Elle paraissait plus belle qu'à son arrivée, malgré la fatigue. Le cadavre devait nous maudire mille fois pour l'épreuve que nous lui faisions subir au moment même où il s'apprêtait à rendre compte de ses actes devant son Créateur. En prenant le car pour revenir ici, j'avais imaginé que tout serait simple. Le père nous demanderait pardon. Il nous dirait qu'il s'était morfondu à force de remords et que seul Allah pouvait dire l'étendue de sa douleur. Il nous prendrait dans ses bras et pleurerait comme un orphelin... Ou bien il nous chasserait de nouveau, ferait intervenir la police et la gendarmerie. Ou bien encore, il serait mort et enterré depuis longtemps. Son épouse nous montrerait son énorme fessier pour nous jeter un sort, nous insulterait et nous dirait de sa voix de matrone en faillite : « Votre père ! Mais je ne vous connais pas ! Vous croyez que je ne devine pas votre petit jeu ? Vous revenez après toutes ces années pour hériter le peu qu'il a laissé : la maison. Mais vous vous mettez le doigt dans l'œil !... C'est la mienne à présent. Il me l'a léguée avant sa mort parce qu'il n'a trouvé que moi pour s'occuper de lui dans ses moments difficiles, pendant que vous leviez vos jupes dans les ruelles des grandes villes. Où étiez-vous quand il avait besoin de soins et d'affection ? » Nous aurions quitté la ville comme nous l'avions fait la première fois, sans nous retourner et sans nous lamenter sur notre sort. Nous aurions été en règle avec notre conscience. Chama aurait probablement cherché sa tombe pour lui cracher dessus une dernière fois avant de s'en aller. Jamais le scénario que nous étions en train de vivre n'avait effleuré ma pensée. J'étais loin d'imaginer qu'il était capable de nous jouer un tour pareil. Mourir le jour même de notre retour ! Je renonçai au spectacle du mur, oubliai la présence de mes sœurs et l'odeur prenante de la mort, laissai tomber ma fatigue, suspendis mon récit pour ne plus penser qu'à Jamal, le jeune homme à la barbe clairsemée qui était un peu fou, un peu poète, et dont la présence constante avait rendu moins cruelle ma claustration. Il y avait des moments où il me faisait vibrer, d'autres où il m'exaspérait. Mais souvent il trouvait le mot juste pour me faire rire et me faire rêver. Il était loyal et fidèle, en quête de tout ce qui pouvait me consoler et me rendre le sourire. Ses yeux brillaient de ma naïveté et de mon inexpérience. Il riait souvent sans raison et n'arrêtait pas d'écrire dans la poussière avec son roseau. Il traçait des lettres et des signes comme s'il désirait immortaliser quelque secret. Mais la poussière avalait ses traces, irréversiblement, lui offrant un morceau de sol vierge, à peine perturbé par le souffle du vent et les pas des passants.

17

Ghita avait failli au serment du retour. Chama n'avait pas évoqué son nom. Je voulais croire que son absence n'avait aucune incidence sur l'organisation de nos récits. Je me trompais. Présente, elle aurait donné une nouvelle tournure à cette nuit sans limites. Qui sait ? Comme elle était la plus jeune, nous aurions eu quelques scrupules à débiter nos sornettes devant la gravité de ses expériences. Nous l'aurions écoutée avec intérêt et compassion. Nous aurions pleuré sur son sort et Chama aurait ressenti la honte de l'avoir abandonnée sur le chemin poussiéreux. Cependant, Tamou avait repris la parole. Le conteur et l'Écrivain avaient bu jusqu'à une heure avancée de la nuit. Ils avaient mangé leurs sardines grillées et leurs piments soudanais. Le petit garçon dormait sur une peau de mouton. Tamou n'osait pas s'allonger. Elle dormait assise, par intermittence. Les voix s'étaient transformées en chuchotements avant de s'éteindre complètement dans le filet de lumière qui avait traversé la fissure de la petite fenêtre en bois vermoulu.

Des cauchemars avaient assiégé mon sommeil, dit Tamou sans bouger d'un iota. Beaucoup de sang et de violence. Beaucoup de cris, de lamentations, de gémissements, de souffrance... Tous les cris étaient emmurés dans ma gorge. Une délivrance si un seul cri pouvait s'échapper de cette chape qui obstruait ma gorge. Je voulus fuir mais ne réussis qu'à m'enfoncer dans une sorte de glaise. Quand le rêve devenait insupportable, je me réveillais en nage. Les ronflements alternatifs des deux hommes perturbaient le calme précaire de la nuit. Je retombais alors dans le sommeil pour retrouver mes scènes de torture, de cris et de violence. Je me réveillai sur le bruit d'une machine à écrire. L'Écrivain tapait sans discontinuer sur un vieux tas de ferraille. Le chariot faisait un bruit d'enfer à la fin de chaque ligne. Je l'observais travailler, amusée comme une enfant par la découverte d'un objet insolite. Le conteur et le gamin dormaient à poings fermés, sûrement habitués à ce boucan. Les bouteilles de vin gisaient sur le sol terreux. Un cendrier en plâtre était plein à ras bord. L'Écrivain grillait cigarette sur cigarette en vidant au goulot les fonds des bouteilles. L'odeur des sardines grillées persistait en dépit de la fumée des cigarettes et des relents d'alcool. Que faisais-je là ? Jusqu'à présent, ces hommes m'avaient ignorée magistralement. L'Écrivain continuait à écrire en injuriant de temps en temps l'un de ses personnages ou en crachant sur la feuille de papier : « Maudite soit la religion de ta mère ! », « Fils de pute au marché noir ! », « Qu'Allah t'arrache le cul et te le fasse bouffer ! », « Le matin est à Dieu ! », « *T'fou ! Kh'zit !* »... Ses yeux glauques donnaient à son visage émacié une expression d'âpreté qui devait traduire l'impitoyable rudesse d'une enfance vécue comme une erreur ou un péché. Son pouce et son index couraient régulièrement sur sa moustache pour en lisser les poils. Son geste était mécanique. Et il le répétait avec une si grande rapidité qu'on aurait dit qu'il était nécessaire à sa production littéraire. Sa réflexion était conditionnée par trois gestes presque simultanés : fumer sa cigarette, boire son rouge et lisser sa moustache.

Le garçon se réveilla avant son patron et me jeta un regard complice. Je souris. Il se leva en s'étirant avant d'aller se débarbouiller le visage dans une bassine en plastique. L'Écrivain continuait à taper sur sa machine.

Les cierges de mauvaise qualité continuaient à enfumer l'espace. La chaleur imprimait sa hargne sur nos corps meurtris. Mes mains moites gouttaient comme deux chiffons trempés. Le visage du mort virait au gris fer. Le tic-tac régulier de l'horloge perturbait la mort dans son immobilité. Je pensai à Ghita. Était-elle en vie ou avait-elle été victime des fantasmes de quelque maniaque qui avait confisqué sa jeunesse et sa liberté ? Tamou remua la tête et son geste me rassura. Celle-là, au moins, elle était vivante... Les mouches avaient renoncé à leurs assauts depuis que Chama en avait aplati quelques-unes sur la face grise du cadavre. Mais nous devions faire preuve de vigilance car elles étaient capables d'attaquer à n'importe quel moment. Je faisais confiance à la rapidité et à la précision du geste de Chama. Tous les petits bruits devenaient distincts dans cette nuit alourdie de fatigue et de paroles anciennes. J'avais la sensation d'être habitée par la nuit et que les mots que je prononçais appartenaient à la racaille des chiens. Je regrettais mon imprudence. Je n'avais pas su me taire. Un jour, Kacem m'avait fait remarquer que j'avais la sagesse de regarder sans jamais rien dire. « C'est, disait-il, le meilleur moyen pour s'en sortir à bon compte dans ce pays de suspicion et d'incertitude. Tu manges avec un copain aujourd'hui, le lendemain tu apprends qu'il est aux renseignements généraux ! » J'avais de fortes chances de traverser la vie sans désagréments, comme lorsqu'on fait un rêve banal qu'on oublie rapidement. C'était là mon destin et j'aurais dû continuer à me taire.

L'absence de Si Azzouz dura plusieurs semaines, reprisje. Kacem s'occupait de moi. Il me parlait de Saddam et de la folie qui habitait les hommes. Il me disait que la guerre était imminente et que la vérité se manifesterait bientôt. Je l'écoutais avec attention. Ses arguments étaient ceux de tout le monde. La rue se gonflait de mécontentement et de fureur. Les hommes étaient prêts à tout pour manifester leur solidarité avec le grand leader arabe. Il m'avait parlé d'un problème kurde que je n'avais pas très bien compris. Les forces du Mal voulaient discréditer le Sauveur en le rendant responsable de la mort de quelques populations civiles. Des milliers de personnes gazées dans des circonstances obscures. Des opposants ? Le chef arabe n'en avait pas ! La communauté internationale remettait également sur le tapis les cadavres de ces milliers d'enfants envoyés à la guerre contre l'Iran. Dix ans de guerre fratricide. Le paradis les accueillerait en martyrs ! La communauté internationale pouvait bien s'indigner des ravages de la guerre, c'était elle qui armait le bras de la mort ! Nous n'avions pas de leçons à recevoir des autres. Nous étions, d'après Kacem, capables de changer la face du monde et de tracer une nouvelle voie à l'histoire. Il parlait pendant des heures, passionné, infatigable. Le monde musulman allait relever la tête et chasser les Juifs d'Israël, une fois pour toutes.

Quand Kacem s'absentait, je me mettais à la fenêtre et écoutais les discours de Jamal. Celui-ci levait les bras vers le ciel comme pour manifester son bonheur. Les gosses se rassemblaient autour de lui. Quelques adultes se joignaient à eux, restant debout ou s'asseyant sur une pierre. La place se transformait très vite en un lieu de spectacle. Au début, les femmes hésitaient, contournaient le rassemblement et disparaissaient furtivement dans les ruelles. Par la suite, elles ralentirent le pas et tendirent l'oreille. Elles se laissèrent gagner par le charme des mots et finirent par se mêler aux mâles poilus, barbus et moustachus. Jamal parlait sans détourner une seule fois son regard de ma fenêtre :

– Je connais le secret qui habite ton corps. Tes sœurs se sont dispersées à l'aube d'un matin de glaise. Tu as poursuivi le chemin que Dieu avait tracé. Tu as pleuré, erré, souffert... puis ta vie s'est arrêtée un jour à l'entrée d'un douar. Ayant longtemps fait bouillir ta tête, le soleil a fini par mélanger tes idées et tes pensées. Les gamins du douar t'ont découverte inanimée au pied d'un arbre, celui-là même que le saint leur avait indiqué. Les femmes ont accouru et t'ont sauvée d'une mort certaine. Une tranche de vie échappe aux pages de ton existence. Toutes les familles se sont mobilisées pour te soigner. Tous les marabouts du voisinage ont écrit gratuitement des amulettes et brûlé des herbes pour chasser les mauvais génies qui avaient pris possession de ton âme. Toute la vie du douar s'est organisée autour de toi. Ainsi, tu es devenue l'enfant trouvée et les habitants du douar ont vu dans cet événement un signe du ciel. Autrefois, un saint leur avait prédit ta venue et leur avait recommandé de bien s'occuper de toi. Faute de quoi Dieu détournerait son regard de leur terre et les affligerait des pires catastrophes. L'enfant, répétait-il, sauverait la région de la sécheresse et des criquets pèlerins. Il fallait prendre soin de toi et veiller sur ta santé. Tu es restée couchée pendant de longues années. La première semaine, une pluie abondante s'est abattue sur la région. Un présage heureux. Les habitants ont commencé à se disputer. Chaque famille voulait se réserver le privilège de ta présence. On se consulta, on palabra pendant des journées entières... Chacun formula des vœux, fit des promesses, avança des justifications... Aucune solution n'était satisfaisante. On se retourna vers le plus vieux du village, qui décréta que le corps de l'enfant trouvée appartenait à la communauté et qu'il serait sage que chaque famille bénéficie de ses grâces. Deux mois pleins dans chaque demeure, durant lesquels les autres n'étaient pas dispensés d'apporter leur aide et leur soutien. Tu es devenue l'enfant de tout le monde. Lors des prières collectives, les hommes te consacraient un bon chapitre. Les femmes se réunissaient pour pleurer, sûres que leurs larmes irriteraient les démons qui habitaient ton corps et finiraient par te libérer. Même les enfants se rendaient utiles. Ils cherchaient les herbes rares et se procuraient les encens les plus prisés pour la confection de tes philtres et de tes talismans. A longueur de journée, les jeunes filles lavaient à grande eau les murs et les rues pour purifier l'endroit. Une animation inhabituelle s'était emparée des grands et des petits. La demeure qui t'abritait se transformait en lieu saint. Les gens venaient s'y recueillir des villages avoisinants, sollicitaient tes faveurs et ta protection. Tu es devenue le rêve et l'espoir des habitants du village...

Chama ne me laissa pas le temps de terminer ma phrase. Elle parla sans lever la tête.

L'homme de l'autorité, dit-elle, rota deux fois à la manière des cochons avant de prononcer le nom de la jeune dame. Elle s'avança timidement, tête baissée. Il porta la main à son ventre ballonné, visiblement satisfait de cette aubaine. Une main lourde se promena dignement sur ce baluchon monstrueux. Il rota encore deux fois à la manière des cochons avant de s'emparer d'un stylo pour écrire son rapport. Mais le stylo resta suspendu entre les doigts poilus de l'homme de l'autorité. Celui-ci ne savait probablement ni lire ni écrire. A un moment de l'histoire de notre pays, tous les bergers ont abandonné leurs troupeaux et leur campagne pour venir grossir les rangs de l'armée, de la police, de la douane ou de la gendarmerie. Le stylo hésita, traça une courbe et quelques traits incertains. Sans s'en rendre compte, l'homme de la loi se trouva devant le dessin d'une femme nue. Un sexe géant et poilu était prêt à l'engloutir. Il ferma les yeux et froissa la feuille dans sa main droite. Pour se donner plus de personnalité et de consistance, il raconta à son subalterne comment il avait éclairci une affaire de mœurs en vingt-quatre heures. L'enquête n'avait pas traîné. Il disposait de moyens de persuasion efficaces. C'était son premier dossier important. Avant cette affaire, il réglait la circulation sur les routes et aux carrefours. Son premier dossier. Les inspecteurs étaient tous en congé et l'affaire était d'une extrême délicatesse. Il n'y avait que lui pour effectuer l'enquête. Vingt ans au service de la sécurité publique. Il était temps qu'il grimpe un ou deux échelons dans la hiérarchie administrative. Alors le chef l'avait chargé de mener une enquête minutieuse selon les principes propres à la police de chez nous. Fier de pouvoir « montrer le henné de ses mains », l'homme à la tenue kaki n'y alla pas par quatre chemins.

Il convoqua la femme suspecte et écouta son histoire. Mariée à l'âge de treize ans à un homme qui aurait pu être son père, la fillette-épouse eut son premier bébé à quatorze ans : un garçon. Répudiée à seize ans, elle éleva seule son enfant, qui ne s'aperçut pas de l'absence du père. La répudiation n'empêche pas les enfants de grandir ni les femmes de continuer à vivre. La mère élevait son gosse comme elle le devait, faisant abstraction de ses désirs personnels. Pour elle, l'existence s'était arrêtée après la répudiation. Et elle ne voulait pas d'un avenir de seconde main. En se sacrifiant entièrement à son fils, elle avait trouvé en lui l'homme qu'elle n'avait jamais eu. Un petit bout d'homme à elle seule.

J'observais le visage de l'homme à travers le brouillard de ma révolte. Tout aussi frustré que ses semblables, il vivait dans son imagination les scènes que la routine et les exigences quotidiennes lui refusaient. Les yeux mi-clos, la bouche entrouverte, la main au-dessus de la braguette, l'homme à l'importance relative s'était oublié dans son rêve de fesses charnues et de sexes épilés. J'invoquai tout bas le nom d'Allah car je pressentais l'approche d'une catastrophe.

Chama suspendit son récit le temps de se moucher dans un pan du drap safrané. Je ne lui laissai pas le temps de reprendre son histoire.

Le bruit de la clé dans la serrure me fit sursauter, dis-je. Kacem apparut dans l'encadrement de la porte, un plateau à thé entre les mains. Il traversa la chambre à pas précipités et referma la fenêtre avec fracas.

– Si tu continues à écouter cet idiot, tu risques de finir comme lui, murmura-t-il.

Une rumeur monta de la place. Probablement une dispute entre les forces de l'ordre et les marchands ambulants. Kacem versa deux verres de thé à la menthe et m'apprit que les alliés avaient décidé de bombarder Bagdad si Saddam ne se retirait pas du Koweït avant le délai imposé par l'ONU. Ils ignoraient ce qui les attendait là-bas. Le leader arabe, me disait-il, se préparait pour cette guerre depuis longtemps. Tous les Arabes auraient dû le soutenir dans son *jihad* contre l'impérialisme américain. Il allait vaincre. Une Algérienne n'avait-elle pas fait un rêve qui confirmait le triomphe imminent du leader arabe ? Dans son sommeil, le Prophète Mohammed, le meilleur des hommes, lui était apparu le Livre à la main et lui avait dit que quiconque ouvrirait le Livre à la sourate de la Vache y trouverait un cheveu. Tous les convaincus trouvèrent le cheveu. Kacem parlait d'avenir et d'espoir. Je ne comprenais pas comment on pouvait prêcher l'espoir dans la guerre. Je le laissais pérorer. J'attendais avec impatience le moment où il s'en irait pour me remettre à la fenêtre. Les bruits et les paroles de la place me parvenaient comme dans un rêve fantastique. Je me sentais avec les autres sans pour autant être exposée à la fureur et à l'insécurité de la rue. J'étais bien là où j'étais. Mais pour combien de temps ? Le spectacle de la place se déployait sous mes yeux comme sur une scène de théâtre. J'étais une spectatrice privilégiée, consciente de l'aubaine qui m'était offerte et qui prendrait fin avec le retour de Si Azzouz. Les paroles de Jamal circulaient comme des fantômes. Je les répétais au fond de moi comme pour me convaincre de leur véracité. Je devais rester sur mes gardes. Ne jamais faire confiance aux mots des autres. Tous ces mots outranciers qui creusaient leur tombe dans ma mémoire et que je subissais comme une terre recevant les premières pluies de l'année. Mes mots à moi, je les confectionnais dans le silence et dans la haine. Je ne me savais pas capable de tant de répulsion à l'égard des hommes. Kacem affirmait que le délai touchait à sa fin et que Dieu allait montrer la Vérité à la face de l'univers. Nous devions croire en Lui et soutenir le frère arabe. Il jubilait d'aise et frémissait d'impatience. Il était prêt à s'engager dans l'armée irakienne si on le lui permettait. Persuadé que la victoire rendrait leur dignité aux Arabes, Kacem récitait tous les versets coraniques qui faisaient allusion au triomphe de l'Islam sur l'obscurantisme et le paganisme. Le XXe siècle n'était pas mentionné dans le Livre, il serait celui de la fin des injustices et des humiliations qui avaient frappé le monde arabo-musulman.

Les paroles de Kacem m'étourdissaient. Je préférais les paroles de Jamal, même si leur sens m'échappait. Dès que j'ouvris la fenêtre le lendemain, il me dit :

– Curieuse chose que le destin que tu portes ! Ne t'en va pas ! Laisse-moi le temps de combler les blancs de ta vie et les trous de ta mémoire ! En dehors de moi, personne n'est capable, ici, de lire ton mystère. Tu es une écriture indéchiffrable pour le commun des mortels. Tu appartiens au silence émouvant des siècles. Ton nom est découpé dans la rhétorique de la colère. Laisse cette fenêtre ouverte et écoute-moi !

Puis, après un temps qui me parut une éternité, il ajouta :

– Tes yeux restaient ouverts et donnaient des signes de vie. On t'alimentait à la cuillère et les femmes qu'on avait chargées de le faire se sentaient investies d'une noble mission. Pour cette raison, je dis que Dieu est avec toi et que tu n'as rien à craindre des hommes. D'ailleurs, tu dois penser au retour. Le délai que vous avez fixé toutes les quatre arrive bientôt à terme. Pense à ce que je viens de te dire et ne dors que d'un œil. Quand le moment arrivera, je te préviendrai. Pour l'instant, écoute-moi et apprends à connaître les taches d'ombre qui persistent dans ton existence...

Les mouches. Toujours les mouches, et cette terrible chaleur qui les excitait encore davantage. Chama ne les plaqua pas cette fois-ci contre la face noirâtre du cadavre. L'odeur de pourri assiégeait l'espace, où l'oxygène se faisait de plus en plus rare. L'ivrogne avait hurlé quelque chose dans son sommeil. Probablement un cauchemar. Je me demandais comment il pouvait dormir avec une telle chaleur. J'enviais ses rêves. Les mouches taquinaient la face du mort. Chama les ignora, trop fatiguée sans doute. Faire la paix avec elles pour les liguer contre le père. Elle avait compris que les mouches étaient de notre côté, acharnées comme elles l'étaient contre la chair boursouflée de cette momie qui prenait le chemin de l'enfer. Une voix s'éleva soudain dans la nuit :

– Apprivoiser les larmes et la blessure. Mais les larmes ne font pas le soleil. Laissez-moi lire les signes des femmes-mères et ceux des fillettes-épouses sur les rides du temps. Vendues comme du bétail et traitées comme des sacs de viande. Je ne parle pas des privilégiées, qui ont leurs propres lois, leurs propres codes. Je désigne celles qui n'ont pas de voix. Filles voilées, violées, femmes esclaves d'un mari, d'un frère, d'une parole, d'un patron ou d'une matrone. Sexes éparpillés comme la honte dans l'univers carcéral des mâles. La trahison des siècles. La plus grande injustice de notre temps. Blessure toujours ouverte, comme celle du soleil trahi dans son sommeil et troqué contre un vulgaire bec de gaz. Blessure de la plèbe errant à travers ses illusions éventrées par le triomphe des barbares...

La voix s'éloigna. Chama leva sur moi des yeux fatigués. Je baissai mon regard. Elle frotta ses mains l'une contre l'autre.

La belle jeune femme était debout, dit-elle sans changer de ton, attendant un mot, un signe ou un ordre de la part de l'homme de l'autorité qui ne savait ni lire ni écrire et qui tenait notre destin dans le creux de sa main. L'homme pourchassait sans doute l'image de cette autre femme qui avait constitué son premier dossier. Il poursuivait dans sa tête l'image du sexe de cette fillette mariée à l'âge de treize ans et répudiée à seize. Après son infortune, elle s'était arrangée pour ne pas se remarier, malgré les pressions sociales et les colères des siens. Elle savait qu'un remariage ne serait qu'une occasion ou un prétexte à d'autres grossesses, la forme d'esclavage la plus raffinée, la mieux admise par la société. Elle ne tenait pas à être rejetée avec d'autres mioches sur les bras, ni à être la boniche d'un autre vieillard sénile. Son fils comblait tous ses désirs. Je gardai les yeux fermés un moment. Pas un signe. Pas un mot ne fut prononcé par l'homme de la loi, dont les lèvres tremblotaient. Le silence régnait dans le bureau. La jeune femme me jetait de temps en temps des regards effarés.

– Je vis seule avec mon fils, dit-elle en baissant les yeux. J'ai hérité un peu d'argent de mon père – que Dieu ait son âme ! –, c'est ce qui me permet de vivre sans l'aide de personne. Je suis malade depuis quelques mois. Je ne comprends pas ce qui m'arrive. La tenancière du hammam m'a dénoncée parce que j'ai repoussé ses avances. Un adultère, prétend-elle. Je n'ai de relations avec personne depuis mon divorce, je le jure devant Dieu ! Je ne sais pas ce qui m'arrive. Je vous supplie de me croire !...

Chama marqua une pause. Je ne voulais pas regarder dans sa direction. Je savais que nos minutes étaient comptées et qu'il nous fallait débiter la fin de nos récits à la face du mort avant le réveil des tolbas et des pleureuses.

J'avais l'impression, poursuivis-je, d'être embarquée dans une histoire des *Mille et Une Nuits*. Toutes les paroles que j'entendais me paraissaient incongrues, sorties d'un rêve macabre. Pourtant, au fond de moi, quelque chose me disait de croire cet homme et d'écouter ses dires jusqu'au bout. Je n'avais rien à perdre. Rien ne m'obligeait à l'écouter, et rien, non plus, ne m'empêchait de le faire. J'aimais déjà cette parole décousue, faite d'insinuations, de métaphores et de sous-entendus. Je retrouvais au fond de moi tous les mots qu'il prononçait. Comme si j'étais venue au monde avec des bribes d'histoires où chacun déposait ses propres paroles et projetait ses propres fantasmes ainsi que le souvenir de son histoire personnelle. Je recevais les mots des autres comme une agression, une violence faite à ma jeunesse et à ma condition. En écoutant parler les gens, j'avais l'impression que chacun voulait m'introduire malgré moi dans le territoire de son délire. Ma voix n'intéressait personne. J'étais condamnée à subir le viol verbal de tous les autres sans réagir.

Kacem me parla de Saddam jusqu'à une heure avancée de la nuit. Son discours était enflammé, ponctué d'incantations et de prières vibrantes. Je faisais semblant d'écouter ses fariboles en me concentrant sur les bruits de la rue. A cause de la chaleur, les gens restaient tard dehors. Les enfants faisaient toujours leur boucan d'enfer. Les adolescents jouaient au foot, obligeant les passants à raser les murs ou à faire de grands détours pour rentrer chez eux. Les injures et les éclats de rire des joueurs de cartes et de dames s'entrechoquaient avec les hurlements des enfants et les appels incessants des adolescents. Excédé, sans doute, par la fureur des uns et des autres, quelqu'un alluma son magnétophone et mit le volume à fond. La voix de Kaoukab Ascharq Oum Kalsoum emplit l'espace. Les cris diminuèrent d'intensité. Kacem hocha la tête de satisfaction et dit :

– *Iih ya m'Kalsoum !* Ça, c'était une dame ! La plus grande que l'histoire de la chanson arabe ait connue ! Sa voix est une mine d'or ! Elle a relevé la tête des Arabes et leur a rendu la fierté !...

Kacem se tut et essuya une larme qui s'était échappée de ses yeux. Il abandonna le plateau à thé et disparut. J'ouvris la fenêtre. Jamal était à la même place et répétait, avec de

larges gestes, les paroles de la chanson *Fakkarouni* de
Saydat Attarab al-Arabi. Dès qu'il m'aperçut, il suspendit
ses gestes et s'avança de quelques pas dans ma direction.
Son visage était en sueur et ses yeux luisaient. Oum Kalsoum serinait devant une foule déchaînée les derniers
refrains de sa chanson. Il ne fit preuve d'aucune patience,
leva les bras vers le ciel et déclama :

– Chacun t'appelle comme il veut, mais personne ne sait
ce que tu as enduré... Écoute ! Je vais te raconter tout ce
que tu ignores de ta vie. Je vais combler les pages blanches
de ton passé. Mais avant, et pour les besoins du récit, je vais
te baptiser Fatma ! Ton prénom est bien trop doux, trop fragile, pour que je me permette de le livrer à des voix guttu-
rales. Désormais, tu t'appelles Fatma. Et je donne à ce
prénom la profondeur de l'océan, le bleu du ciel, la nites-
cence des étoiles, l'enchevêtrement des vagues et des forêts,
le souffle du vent au petit matin, la pluie salvatrice et
l'odeur du foin ! Fatma ! Un ᵖ ͬ ᵉ ͤ nom dont les racines pulvé-
risent la légende et t'insᵗ   ᵗ dans la fulgurance du
poème. Fatma, Fatma, jusq   ᵃ fin des temps...

Il se tut, pris soudain d'ᵘ   ᵘx nerveuse. Sa silhouette
se tordit au milieu de la plᵃ   ᵐme un pantin désarticulé.
Je l'observai avec pitié. ᴵ   ᵗ par se calmer, passa ses
mains sur son visage avaᵗ   ᵗcontinuer son monologue :

– Ne fais pas attention   stupide crise d'asthme ! Je
disais donc que, pour mᵉ   ᵗ appelais désormais Fatma.
Tu peux rire si tu veux. Mais je sais que tu n'en feras rien
car tu portes le nom des fraises et celui des mûres. Un morceau de fromage blanc assaisonné de fines herbes... Tu vois
bien que je te connais et que je peux parler de toi pendant
des jours et des nuits sans discontinuer...

Le brouhaha des footballeurs s'éleva de nouveau et enveloppa les paroles de Jamal. Je le voyais gesticuler sans
entendre sa voix. Quand la foule se calma, je l'entendis dire
qu'il m'avait vue allongée sur mon lit, la première fois,
entourée par les notables du village, qui voulaient décider

197

de l'emplacement du marabout qui accueillerait ma dépouille quand je disparaîtrais. Les voix s'étaient élevées plusieurs fois au cours de cette nuit. Les visages étaient aigris, les mâchoires serrées. Des intérêts étaient en jeu et chacun mettait beaucoup d'énergie à défendre son point de vue. Profitant de l'effervescence du moment, il s'était approché de moi et avait pris ma main dans la sienne. Il avait embrassé mon pouce et chuchoté à mon oreille qu'il désirait que je considère ce membre comme faisant partie de son corps, qu'il était sien. Je ne comprenais pas ce qu'il disait. Il prétendait que ce n'était pas important et que, dans sa tête, le pouce de ma main droite lui appartenait. Les hommes du village avaient palabré jusqu'à l'aube sans parvenir à une solution qui contenterait tout le monde.

Il avait parlé toute la nuit. Kacem avait disparu, me laissant seule face à la fenêtre et aux mots de Jamal, qui provoquaient une grande confusion dans ma tête.

Une violente dispute éclata soudain entre deux adolescents ivres et leurs voix criardes étouffèrent celle de Jamal. Des injures, des appels et des cris fusèrent de toutes parts. La foule grouillante et bigarrée inonda la place en un clin d'œil. Des couteaux à cran d'arrêt armèrent le bras des protagonistes. Pleine d'ivresse assassine, la multitude encourageait le meurtre. Un épais nuage de poussière s'éleva dans le ciel et plana au-dessus des corps exaltés. Seul Jamal ne partageait pas l'euphorie de la masse en transe et continuait son manège verbal en gesticulant avec encore plus d'énergie. Je refermai la fenêtre.

18

L'Écrivain déchira toutes les pages qu'il avait noircies, dit Tamou. Le conteur rigola en avalant ses beignets et sa bière.

– Jamais, dit-il à l'intention de l'Écrivain, tu n'arriveras au bout de ton roman. Depuis le temps que je te raconte des histoires, tu aurais pu écrire des dizaines de livres. Pour le prix que ça te coûte! Des bouteilles de gros rouge et de la bière. Je crois que tu perds ton temps. Tu devrais chercher autre chose. Apprenti dans un four public t'irait bien. Ou alors, je te vois parfaitement masseur dans un bain. Tiens, tu pourrais éventuellement servir dans les grandes cérémonies! Tu mangerais et boirais à l'œil!... Écrivain! C'est un peu trop pour ton étoffe. Tu sors des quartiers les plus bas et tu veux devenir écrivain. Comme si l'écriture était donnée à n'importe qui! Réveille-toi et fais preuve de plus de sérieux si tu veux arriver à tes fins. Écris avec tes viscères et laisse ton lecteur être ton seul juge!

Les deux hommes partirent d'un rire complice.

– Tu sais très bien, répondit l'Écrivain au conteur, que l'écriture pour moi n'est pas un luxe mais une exigence de la vie. Je réussirai à écrire et mes romans connaîtront le succès.

– Je n'en doute pas, mais si tu continues ainsi, nous risquons de lire ton premier roman dans l'au-delà.

Un deuxième rire fusa et les deux hommes joignirent leurs mains dans une accolade fraternelle. Le gamin me lança un regard complice. Je souris. Le conteur se tourna vers moi, une expression de ravissement sur le visage :

– C'est toi, ma fille, qui feras sortir ce phénomène d'écrivain de l'impasse où il se trouve. S'il n'arrive pas à faire un roman de ton histoire, c'est qu'il n'est pas un écrivain. Il prétend que je ne lui raconte que des contes, des fables, alors qu'il a besoin d'histoires de femmes et d'hommes qui vivent, qui souffrent et qui traversent des expériences. Raconte-lui ton histoire, et espérons qu'il saura en faire bon usage ! Ici, tu n'as rien à craindre. Ce n'est pas un palace, mais il y a de la chaleur humaine. Et, pour toi, la sécurité. Tu vivras ici en attendant qu'on te trouve une famille de confiance où te placer !...

Je ne dis rien, me contentant de sourire. L'Écrivain approuva d'un hochement de tête. Le petit déjeuner était simple mais agréable. L'enfant savait faire le meilleur thé à la menthe. Personne ne me posa de questions sur ma famille, sur ma destination, mes origines... L'Écrivain m'avait juste demandé mon nom avant de retourner à ses longues discussions avec le conteur. Le grand cendrier en plâtre débordait de mégots. Les bruits de la rue nous parvenaient, nets et distincts, comme si les passants avaient traversé la pièce. Comme si nous avions habité dans la rue.

Le conteur et son compagnon nous quittèrent dans l'après-midi. Ils retournaient sur la place raconter aux gens l'histoire rocambolesque de Radia et de son cousin. La flûte magique ! L'amour impossible ! L'Écrivain sortit quelques heures après le conteur. Il me conseilla de caler la porte et de n'ouvrir à personne :

– On ne te connaît pas encore, et je ne veux pas qu'on te manque de respect. La vie ne m'a donné que des amis de nature très spéciale. Des ivrognes comme moi et des drogués. Tant qu'ils ne seront pas habitués à ta présence, ils risquent de montrer quelque agressivité. Je vais faire ma tournée des bars et je reviens quand je peux. Je ne suis pas un homme libre. Je suis écrivain. Un homme public !...

J'entendis un grognement au loin. La meute des chiens affamés était probablement de retour et s'acharnait contre les poubelles dégarnies des habitants. « Si tu veux connaître un peuple, dit-on, jette un coup d'œil dans ses poubelles ! » Les nôtres reflétaient nos conditions d'existence. Nos poubelles ressemblaient à nos vies.

La nuit avait pris des proportions gigantesques. Je crus que le jour ne se lèverait jamais. Les ténèbres, chauffées à blanc par le souffle du sirocco, qui écumait de rage contre les murs, s'épaississaient autour de nous au fur et à mesure que les cierges de mauvaise qualité versaient leurs larmes silencieuses sur le sol terreux. Comme le sommeil m'était interdit, je marquai une pause pour réfléchir à la suite. Chama me foudroya du regard. Je baissai les yeux et voyageai dans ma mémoire à la recherche de quelques détails pour fignoler la fin de mon récit. Je me rendis compte que j'avais peu de choses à raconter sur moi. Passée de main en main, enfermée, supportée... L'histoire de dix années de ma vie s'était constituée à partir des débris d'histoires d'autres personnes. Je n'étais qu'un comparse dans une pièce de mauvais goût qui me concernait cependant et que j'étais obligée de jouer jusqu'au bout.

La face du mort avait, une fois de plus, changé de forme et de couleur. J'avais l'impression que la peau du visage, devenue très foncée, craquelée par la chaleur, commençait à se détacher des os et que, bientôt, le macchabée allait nous montrer sa réalité décharnée. Je me représentai les bestioles en plein travail de destruction avant d'émerger à la surface du corps pour nous surprendre dans notre fatigue et dans la chaleur accablante de cette nuit fatidique.

Je devais faire de grands efforts d'imagination pour poursuivre les déambulations de mon histoire, prise entre le silence miraculeux de Chama, la voix sépulcrale du sirocco charriant le feu, l'odeur suffocante de la mort et le calme impressionnant de la rue. Raide, les yeux fermés, Tamou ne bougeait pas, respirait à peine. Mais je savais qu'elle ne dormait pas. Elle écoutait en attendant son tour pour débiter à la face du vieux la suite de son récit. Même quand elle parlait, elle avait la faculté de rester immobile, faisant à peine bouger ses lèvres, mettant l'accent sur les détails les plus négatifs et les événements les plus douloureux. Chama ne bougeait pas. Le mouvement nerveux de ses doigts sur le drap safrané avait cessé. Une épaisse pellicule de sable recouvrait à présent nos habits, la surface du sol, le visage de la dépouille et le drap blanc. Demeurée libre, la meurtrière laissait pénétrer la fureur du vent. Les chiens n'aboyaient plus. Ils avaient probablement quitté la ville ou bien ils étaient occupés à dévorer la carcasse d'une bête crevée. A moins qu'ils n'aient choisi de faire comme les habitants de la ville : dormir la gueule ouverte. Seule l'horloge continuait à assommer le temps avec le tic-tac régulier de son mécanisme. Rien ne laissait prévoir l'approche du soleil, ni même l'appel du muezzin à la prière de l'aube. Je devais donc me contenter d'organiser mon récit pour en faire une histoire à la hauteur de notre malheur.

Je n'attendis pas le signe de Chama pour continuer mon discours. Je savais qu'elle finirait par me foudroyer du regard avant de me lancer son injonction burlesque : « Raconte ! »

Les bruits de l'aube m'arrachèrent au sommeil, dis-je. Je me levai et regardai par la fenêtre. Pressant le pas, les hommes se rendaient à la mosquée pour assister à la première prière de la journée, celle qui rend meilleur le musulman et agrémente ses actions. L'air frais du matin caressa mon visage. Jamal dormait contre le tronc d'un arbre, la bouche ouverte à la haute voltige des mouches. Les gamins avaient posé des pierres autour de son corps comme pour tracer les frontières de son espace. Pour la première fois, je me rendis à l'évidence de sa solitude. La place, déserte à cette heure de la journée, me parut comme un tombeau fait pour recevoir le cadavre de Jamal, qui pourtant se réveilla

et s'étira en bâillant. Il suspendit son geste dès qu'il m'aperçut à la fenêtre, étendit ses bras dans ma direction et
s'adressa à moi en ces termes :

– Que la paix accompagne chacun de tes pas ! J'espère
que tu vas me laisser le temps de te raconter ce que tu dois
savoir. Dans le village, ton sommeil se prolongea. Pour t'éviter la solitude, les femmes s'étaient engagées à te raconter
des histoires : les leurs puis celles de leur progéniture.
Celles qui n'avaient pas ce genre de préoccupation te récitaient les épopées de Kaïss et Laïla, d'Antar Bnou Chaddad,
de Seïf Dou Yazal... ou te racontaient les épisodes des *Mille
et Une Nuits* entendus à la radio. Souvent aussi, on te rapportait, dans de grands éclats de rire, des histoires drôles
afin de rendre ton repos moins lourd et tes journées plus
supportables. Plus réalistes et plus efficaces, les hommes
t'entretenaient de problèmes aussi importants que divers.
Ils te racontaient l'histoire passée et présente du pays, te
parlaient des maux et des hommes qui menaient le pays
vers la catastrophe, avec sang-froid et application. Ils te
racontaient l'espoir déçu de tout un peuple exilé dans sa
colère et tatoué à jamais du signe de la fatalité.

Il marqua une pause qui dura quelques secondes avant
d'ajouter :

– Lâchée dans le silence de la nuit, la parole des hommes
glissait sur ta peau, s'imprimait dans ton corps et attendait
le moment propice pour refaire surface et agir comme une
abréaction à la face du monde. Tu es habitée par le discours
pluriel des hommes et des femmes. Que tu le veuilles ou
non, ta mémoire est peuplée de cette parole, multiple et
subversive, à ton insu. Comme la mer qui reçoit l'eau des
ruisseaux et des rivières souterraines. C'est ton destin,
Fatma, et, si tu refuses de parler, tu ne peux échapper à
l'agression des mots des autres... La parole est de cendre,
éparpillée sur la dépouille du monde, raclant les gosiers
desséchés et la paroi des consciences en ruine. Tu dormais,
les yeux ouverts. Les gens du village avaient l'impression de

renaître à la vie grâce à toi. Ils portaient tous l'espoir dans leur regard clair, convaincus que tu étais l'envoyée annoncée par cet homme de bien voilà quelques décennies. Toutes les paroles sacrées furent récitées à ton chevet par les meilleurs *fouqahas*, le Coran psalmodié à maintes reprises par des *fqihs* chevronnés, des veillées rituelles organisées avec la participation des *hmatcha* et *issaoua*, les récitations saintes modulées par l'élite des lecteurs, les amulettes confectionnées par les plus distingués de nos sorciers à partir d'insectes rares, d'herbes introuvables, de produits rarissimes, *dabana l'hindiya*, la mouche indienne *zghab l'fâr litîme*, les poils de rat orphelin, la première fleur du laurier-rose, des clous de girofle, la langue de l'alouette... Tous ces éléments devaient subir diverses opérations de nettoyage, de lavage, de pilonnage, de séchage, de broyage..., selon des rites complexes ponctués par des formules sacrées et des récitations saintes. Les habitants du village ne reculaient devant rien pour t'arracher à ton absence... Rappelle-toi ces paroles ! Le village avait connu la pluie et la prospérité. Certains même espéraient que tu ne sortirais jamais de ton affliction, persuadés que ton départ provoquerait une catastrophe qu'ils subiraient dans leur chair et dans leurs biens. Voilà ! Cherche au fond de toi ! Tu y trouveras des paroles qui ne t'appartiennent pas, des mots qui ne sont pas de ton âge. C'est que des hommes et des femmes ont fait voyager leurs discours en toi afin de briser le mystère qui te séparait de la vie, ils ont peuplé tes rêves de leurs secrets et ton vide de leurs voix. Tu es habitée par la magie du verbe. C'est pour cette raison que tu refuses de parler.

La voix de Chama s'éleva après la mienne, comme un léger vent de sable.

Le flic releva la tête, dit-elle, et ses yeux lancèrent des éclairs. La femme en face de lui fut prise de panique.

– Vous dites toutes ça, aboya-t-il, l'air mauvais. Vous dites toutes que vous êtes des filles de bonne famille alors que vous n'êtes que des putains ! Vous avez le feu au vagin et le diable au corps. Vous regrettez quand il est trop tard, une fois que le pic s'est planté dans le crâne ! Mais je suis là pour remettre de l'ordre dans tout ça. Vous allez me dire la vérité si vous ne voulez pas que toute la ville soit au parfum. D'ailleurs, j'ai les moyens de vous faire avouer. Ma carrière dépend de cette enquête. Il vaut mieux pour vous que vous parliez. N'abusez pas de ma patience ni de mon indulgence !

La jeune femme baissa les yeux. On lui avait toujours dit qu'il fallait baisser les yeux devant un homme. Elle ne savait ni quoi dire, ni quoi faire. Elle était incapable de leur indiquer un éventuel coupable. Le policier était décidé. Une femme seule qui tombe enceinte ! La morale était dans la boue. Il fallait donner une leçon aux fautifs pour l'exemple. Punir l'infamie pour que chacun respecte ses limites. Pas de liberté individuelle. C'est une menace pour la cohésion du groupe. Quand chacun pense à soi, la communauté risque la désintégration. L'amour ? Quel amour ? Il n'y a que l'amour de Dieu, de la patrie et du... La force et le pouvoir ligués pour mater la populace. Mais la jeune femme était sincère. Elle ne comprenait pas ce qui lui arrivait. Peut-être avait-elle chopé cette saloperie au hammam. C'était la seule éventualité possible. Autrement, comment expliquer cette grossesse incongrue ? Et la tenancière du hammam avait été assez salope pour la dénoncer à la police. L'homme de l'autorité ferma les yeux et envoya son imagination à la recherche de quelques détails. Sa mémoire s'emplit de caresses et de halètements. Une ombre grimpa sur le lit. Une main rugueuse et impatiente parcourut le corps féminin. Un sexe géant se dessina dans le regard de l'homme frustré. Sa mémoire trembla. La main velue arriva sur la touffe noire et s'attarda dans l'entrecuisse béant. Les caresses succédèrent aux gémissements et les gémissements aux baisers. Le lit grinça et ce bruit occupa toute la viande de l'homme

frustré. Son subalterne le tira par la manche de sa veste :
– Dis, patron, je crois que tu t'es assoupi un moment
devant l'ennemi. Ta première enquête m'intéresse parce
que c'est une belle réussite, et je veux apprendre le métier à
partir de tes innombrables exploits. Raconte-moi la suite de
l'enquête, patron !...
Le gros hocha la tête et envoya sa frustration glaner
quelques détails pour la suite de son enquête. J'observais
cette mascarade en ravalant ma rogne et ma salive. La
jeune femme ne savait pas quoi dire. Des larmes jaillirent
de ses yeux. L'homme de la loi caressa sa bedaine puis posa
sa lourde main sur l'épaule de la jeune femme et lui dit sur
le ton de la confidence :
– Je veux bien étouffer l'affaire pour tes jolis yeux. Tu sais
qu'il y va de ma carrière et de l'avenir de mes enfants. Mais
si tu consens à m'offrir tes charmes, je suis prêt à mettre le
délit sur le dos d'un imbécile et je te sortirai comme un cheveu de la pâte. C'est moi qui décide de tout dans cette
enquête. Je pense que tu n'as pas le choix parce que j'ai le
pouvoir de te faire plier. Tu n'auras qu'à t'ouvrir à mon bon
plaisir chaque fois que j'en ai envie si tu ne veux pas te couvrir de honte. J'ai la possibilité de t'enfermer ici et de te violer, comme on le fait pour les autres. Mais tu ne mérites pas
ça, toi. Tu mérites que je te baise bien ! Je cherche l'amour
avec toi !

Chama se tut. J'avais le vertige en écoutant ces paroles.
Tous les hommes de pouvoir sont obsédés par le sexe. Déci-
dément, c'est une race inventée par Dieu pour remplacer
Satan sur terre ! Je continuai.

J'écoutais parler Jamal, dis-je, et son discours produisait
en moi un malaise indéfinissable. J'avais la sensation que
mon corps était fissuré, contenu dans une peau trop étroite.
Un corps hanté par le destin des mots et la légende des
conteurs. J'étais affolée à l'idée de trouver en moi autre
chose que moi-même. Pourquoi s'acharnait-il à créer le

désordre dans ma tête ? Je me disais secrètement qu'il était dérangé et que je devais lutter contre cet état d'intoxication verbale où il m'installait malgré moi. Pourtant, si peu que je devenais attentive à ma voix, j'avais l'impression que ma mémoire avait emmagasiné plusieurs voix et plusieurs discours, si bien que je n'arrivais plus à distinguer mes paroles de celles des autres, ces hommes et ces femmes hypothétiques qui m'auraient remplie de leurs mots et de leurs histoires. Où se trouvait la vérité ? Et l'homme gesticulait dans le matin clair de cette journée qui annonçait la folie. Mes certitudes vacillaient comme la flamme de ces cierges de mauvaise qualité et toutes mes convictions s'infirmaient dans la fabulation inarticulée de Jamal. Et si c'était vrai ? Et si mes mots n'appartenaient qu'à d'autres voix et à d'autres lieux ? J'étais d'emblée jetée dans la fragmentation du doute. Je désirais retomber sur mes pieds et savoir qui j'étais en réalité. Mon nom, parmi tous ceux dont les autres voulaient m'affubler. Cette histoire de sommeil relevait plus de la fiction que de la réalité. Pourtant, au fond de moi, j'acceptais le déséquilibre dans lequel la parole implacable de chacun me plaçait.

Une mouche bleue se posa à ce moment précis sur le nez du père. D'un geste mou, Chama chassa la bestiole, qui prit son vol dans un bourdonnement sourd. La bête revint à la charge deux ou trois fois. Chaque fois, Chama refaisait le même geste engourdi. Puis je la vis s'emparer d'une serviette, en enrouler un bout autour de son poignet et, de l'autre, assener un coup sec et précis sur le visage du mort. L'insecte fit un bond de plusieurs centimètres puis retomba sur le dos en tournoyant sur lui-même avant de s'immobiliser sur le drap blanc. Tamou leva sur moi des yeux interrogateurs puis sombra de nouveau dans son absence majestueuse. Je me tournai vers Chama et attendis patiemment son injonction, qui ne se fit pas attendre :

– Raconte ! m'adjura-t-elle de sa voix la plus empruntée.

Si Azzouz revint un matin à l'aube, continuai-je, fulminant de colère contre tout le monde. Il hurla pendant de longues heures, injuriant, menaçant, beuglant, baragouinant dans sa barbe avec une grossièreté épouvantable. J'avais peur, enfermée comme un rat dans cette pièce et attendant la foudre qui s'abattrait sur moi. J'avais oublié le traquenard que Azzi Manégass m'avait si habilement tendu. Les paroles de Jamal m'avaient éloignée de ma propre réalité. Je vacillais entre l'enchantement métaphorique de Jamal et la fantasmagorie rigide de Kacem. Je voulais oublier car cela atténuait le désordre qui déambulait dans ma tête depuis que j'avais été chassée de la demeure paternelle. Ces deux hommes, avec leurs différences, constituaient pour moi un chemin vers moi-même.

Je ne vis pas Si Azzouz ce jour-là. J'allais apprendre qu'on l'avait convoqué à la capitale pour lui signifier que sa réélection au Parlement avait été vivement désavouée par les partis de gauche et que, face à l'opinion internationale, étant donné la conjoncture politique actuelle du pays, il était prudent de refaire les élections dans certaines circonscriptions pour expliquer à ceux qui ne nous connaissaient pas que nous étions un pays démocratique et un État de droit. Kacem m'apporta mon dîner et me fit ces quelques confidences :

– Le patron, me dit-il, est comme un chat sur une gouttière qui vient de perdre sa queue dans une rixe sauvage. Même si ça n'a l'air de rien, c'est un coup dur pour le gouvernement. C'est la première fois dans l'histoire politique de ce foutu pays que l'État est obligé de faire machine arrière. Lui qui s'est tout le temps rempli les joues de démocratie et de justice, de liberté et de droit, d'égalité et d'impartialité, il reconnaît par cet acte que les élections ne se sont jamais déroulées dans la transparence, comme il le prétend. Ça va être une nouvelle mascarade. Mais c'est à force d'accumuler les erreurs que les régimes faiblissent.

On nous dit : « l'Algérie », mais nous marchons sur les traces de nos voisins ! On veut fermer les yeux et prétendre que le problème ne nous concerne pas. Erreur ! Tous les ingrédients sont réunis pour une explosion prochaine. Les inégalités sociales, les injustices, l'abus de pouvoir, le vol, la corruption, le détournement des deniers publics, la misère, le chômage, le mépris du peuple... L'Algérie, nous y sommes déjà. Ne manque plus que l'assassinat des intellectuels et des innocents. Nous, nous sommes le pays de la diversité et du multipartisme. Comme si le peuple ignorait comment ces partis ont été constitués et dans quelle optique ! D'ailleurs, les gouvernements se succèdent, mais sont incapables de sortir de cette langue de bois du début du siècle. Nous régressons, avec ces hommes, de manière vertigineuse, adoptant la médiocrité et la veulerie comme une stratégie politique et une ligne de conduite pour faire sombrer le pays dans l'irrémédiable. Ils sont bas, flagorneurs, menteurs, voleurs, sans foi ni loi, méprisants et méprisables, arrogants, corrompus et corrupteurs, indignes dans la communauté des humains. Le pays est en danger et personne ne veut lui prêter main-forte. Demain il sera trop tard. Demain, ce sera l'Algérie, à feu et à sang, à cause de tous ces hommes vivant dans le mépris du peuple et dans le luxe provocateur des mafieux. Il faut purifier le pays de la racaille avant qu'il ne soit trop tard. Mettre fin à la corruption qui nous ronge comme un cancer, stopper cette hémorragie et placer le Marocain qu'il faut là où il faut. Jusqu'à quand ce peuple va-t-il supporter ses misères avec résignation ? Quel destin atroce nous attend !...

Que nous réservait l'avenir ? La voix de Si Azzouz se fit entendre et Kacem se tut en me faisant signe de rester calme. Sa grosse voix, exaltée par l'alcool, couvrait tous les autres bruits.

– Les temps ne sont plus sûrs, disait-il en martelant chaque syllabe. Chacun espère jouir comme les autres des richesses de ce pays. Il faut être riche et puissant. Mais

Allah n'accorde les fèves qu'à ceux qui ne possèdent pas de dents ! Rien que des fils de putes ! Tous. Ils veulent m'avoir... Ils auront mes couilles sautées dans l'huile d'olive. *Oulad laqhâb !* Moi, je suis un homme honnête. Je suis passé d'un parti politique à un autre. J'étais de gauche, ils m'ont demandé de passer à droite pour décrocher un siège au Parlement. J'ai tout fait pour leur plaire : marché sur mes principes, vendu les miens, piétiné les autres, payé en espèces et en nature... Je me suis prostitué pour gagner la sympathie des autorités et arriver là où je suis. Ils disent que nous devons faire des concessions à cause de l'Occident... Mais je m'en fous, moi, de l'Occident ! Ils ne feront pas couler de bronze sur mon cul ! Ce n'est pas moi qui ai inventé Tazmamart ! Qu'ils se débrouillent à présent avec cette merde ! Mais qu'ils ne viennent pas me déloger de mon siège au nom de principes fallacieux. « La démocratie », qu'ils disent, alors que rien ne les arrête dans le vol, le mensonge, le mépris des gens, l'exploitation, la corruption, l'abus, le clientélisme... Tout cela avec une indignité impeccable. Prêts à ramper comme des vers de terre pour arriver à leur but ! Rien que des moins que rien... Et ils veulent me faire avaler ça, à moi ! Je n'ai pas bossé toute ma vie comme un chien pour qu'on me jette à la première occasion. Le pays est comme ça, il ne changera pas avec un geste ridicule. Ce sont tous ces hommes, vieux comme la vieillesse, et qui ont mal dirigé ce pays, qui doivent partir. Pas moi ! Alors, qu'on arrête la mascarade et qu'on dise clairement que le gouvernement c'est du ciné, le Parlement c'est du ciné, les partis politiques d'opposition c'est du ciné... Tout ça n'est qu'un vaste théâtre d'ombres où des gens sans scrupule tirent les ficelles dans le mépris total de la scénographie, de la mise en scène, du texte, du fond sonore, des acteurs, des spectateurs... Je refuse leur logique. Car ils n'ont que la logique pour arranger leurs affaires... Personne n'ignore que la situation est désespérée, mais ils savent si bien faire briller la vitrine... Ils croient que l'étranger ignore ce qui se passe chez nous alors qu'il dîne avec notre déjeuner !

Tamou laissa passer son tour de parole. Par inadvertance. Ou par fatigue seulement. Nous attendîmes un long moment. Rien. Chama me lança son regard interrogateur et je ne sus quoi répondre. Elle entreprit alors de poursuivre son récit pour ne pas permettre au silence de s'installer.

J'avais la sensation étrange d'être sur une planète autre que la nôtre, dit-elle. Une planète où les humains étaient des bêtes de somme et où la dignité et la fierté n'avaient plus aucune valeur. Je regardais, impuissante. Les larmes de la jeune femme déferlaient en silence sur ses joues. Quel crime avait-elle commis ? Et moi ? Et les autres ? De quels forfaits étions-nous accusés ? D'être des victimes ! Et les victimes n'ont pas de place dans cette société de chacals et de scorpions. Nous n'avions ni argent ni pouvoir. Voilà notre crime.

Le gros flic caressa une fois de plus sa bedaine corrompue et rota plusieurs fois. Il remercia Dieu pour les bienfaits dont il l'avait comblé. Son subalterne lui lança un « *Bassahha !* », « A ta santé ! », réglementaire. L'homme frustré ne répondit pas. Il se contenta de passer sa main poilue sur son visage et ferma les yeux. Probablement occupé à glaner des images nouvelles pour sa frustration, il n'avait pas entendu son subalterne lui poser une question. Son imagination devait le faire voyager entre les sexes des femmes sans défense. Il avait la main crispée sur son pantalon, juste au niveau de la braguette. La jeune femme répéta, entre deux sanglots, qu'elle ne comprenait rien à cette situation. La honte. Elle jura qu'elle n'avait fréquenté personne. Un doute. Et si elle s'était assise sur le sperme d'un mâle qui se serait masturbé au hammam ? Et si c'était l'œuvre d'Iblis ? Non, ce n'était pas possible ! Elle prenait toutes les précautions nécessaires pour éviter les mauvaises surprises. Elle lavait à grande eau la place où elle s'asseyait et se baignait avec son slip. Elle invoquait également le nom d'Allah à chaque occasion. Surtout avant de s'endormir, puisque le fidèle est vulnérable pendant son sommeil : les génies du Mal peuvent l'atteindre quand ses défenses sont moins alertes. Elle ne comprenait pas. Elle avait fait toutes les suppositions, imaginé tous les incidents possibles... Elle n'avait pas trouvé une seule faille qui aurait pu la mettre dans cet état. Les somnifères qu'elle prenait auraient-ils pu y être pour quelque chose ?

L'homme frustré leva ses yeux glauques sur moi et mon corps fut terrassé de frissons. Une sueur chaude glissa le long de ma colonne vertébrale. Le sang avait séché sur mes jambes. Je pensai que tous les hommes étaient des êtres indignes. A commencer par toi.

Chama donna un coup de poing sur la civière. La poussière s'éparpilla et le drap safrané se froissa au niveau du visage du mort.

Je te déteste autant qu'il existe de feuilles sur les arbres, autant qu'il existe de poissons dans les rivières, autant qu'il existe de pierres sur terre, continua Chama en prenant sa voix la plus grave. Dans ce lieu, au milieu de ces gens, je considérai que tu avais fait de moi une criminelle malgré moi. En me chassant de ta vie, tu m'exposais à tous les dangers. Je regardai les autres autour de moi et me dis qu'ils étaient tous dans la même situation que moi, ou presque. Dans ce pays, les vrais bandits et les vrais criminels bénéficient de respect et de protection. Je me répétais que tu aurais dû être à ma place. De nous deux, c'était toi le criminel. Mais nous vivons dans une société qui a mis tous les droits de ton côté. Tu pouvais donc sévir en toute tranquillité. On enferme et on juge les innocents alors que les vrais coupables jouissent de leur liberté et de la protection des classes dirigeantes de ce pays. Tu étais un père injuste parce que la société patriarcale avait placé entre tes mains un pouvoir que tu assumais et gérais mal.

La flamme de l'un des cierges vacilla si fort qu'elle faillit rendre l'âme. Elle se stabilisa avec quelque difficulté. Je profitai du silence de Chama pour continuer mon récit.

Si Azzouz fut pris d'une toux nerveuse, dis-je sans trop de conviction, et faillit s'étrangler avec sa propre salive. Il renifla plusieurs fois, se moucha entre le pouce et l'index de sa main droite, qu'il essuya sur sa cravate défaite. Sa panse tressauta au rire houleux qu'il amorça avant de sangloter avec frénésie. J'étais tout à la fois amusée et médusée par cette scène ahurissante. J'étais perplexe, un peu désorientée, et je ne savais plus si je devais en rire de dépit ou en pleurer de rage. Dans mon intérêt, je devais surtout garder mon sang-froid et éviter de me faire remarquer. Kacem ne disait rien. Il se contentait de secouer la tête en signe de dénégation, comme pour dire : c'est ça les hommes qui tiennent la destinée du pays entre leurs mains ! L'homme faisait pitié à voir. On aurait dit quelqu'un qui venait de perdre l'espoir et l'équilibre de sa vie. Le jour se levait lentement sur une parole fétide, engoncée dans l'amertume et la haine. En bas, sur la place, les mendiants aveugles commençaient déjà à réciter leurs prières pour les fidèles qui regagnaient la mosquée. Hargneux, Si Azzouz s'étranglait dans ses larmes. Il s'offusquait de ne plus faire partie des privilégiés de ce pays. Réintégrer son poste d'instituteur et affronter les vicissitudes de l'existence. Un salaire de misère. Des conditions de travail lamentables. Ranger ses rêves de puissance et de richesse. Couper les ponts avec les grandes figures de la société et faire une croix sur les affaires en or que facilitait son rang. Si Azzouz était un homme brisé, et, comme le disait si bien Kacem, quand on place sa tête dans de la paille de seigle, on doit s'attendre à être picoré par les poules.

– Rien qu'une bande de pédérastes! *Rbâ't azzaouamîl*, répéta Si Azzouz de sa voix pâteuse en faisait signe à Kacem de s'approcher.

Il le prit par le cou et lui fit ce long sermon :

– Toi qui me connais bien, tu sais que je suis un type comme il faut. Je t'ai toujours bien traité, n'est-ce pas? Pourquoi tu ne leur dis pas que je ne mérite pas ce sort injuste? Pourquoi tu ne vas pas voir ce parent influent que tu as à Rabat pour qu'il intercède pour moi auprès des grands pédés de la capitale? Je suis prêt à y mettre le prix... Ne m'abandonne pas! Toutes les portes se ferment devant moi et tous ceux qui venaient boire et manger ici autrefois m'évitent désormais dans les couloirs des ministères... Ils ont brisé mon rêve et fauché l'herbe sous mes pieds! C'est vrai que je ne m'occupe pas assez de mes électeurs, mais qui s'en soucie dans ce bled? Au moins, moi, je ne fais de mal à personne. Je mène ma vie sans trop de remous. Tout ça c'est du cinéma. C'est pour faire croire que nous vivons en démocratie et que le peuple prend des décisions qui engagent son présent et son avenir. Balivernes! Tout le monde sait qui dirige le pays! Pourquoi moi alors? Je ne suis pas des leurs et je dois retourner d'où je viens. *Oulad laqhâb!* Ils manipulent tout le monde. Le multipartisme et la démocratie parlementaire, c'est juste pour continuer à flouer l'Occident et bénéficier de ses dons, de ses prêts et de ses appuis. Qu'est-ce que j'ai fait pour en arriver là? J'étais fidèle et discret. J'ai toujours fait ce qu'ils m'ont demandé de faire et voté toutes les lois du gouvernement sans poser de questions car ça ne me regardait pas. J'ai ouvert ma maison et mon portefeuille à leur progéniture et à leurs maîtresses, participé à leurs orgies, partagé leurs difficultés, défendu leurs points de vue les plus absurdes, contre l'intérêt général du pays et du peuple. Alors? Tu peux me dire, toi, ce que j'ai fait de mal pour être jeté comme un malpropre?

Kacem ne réagit pas aux paroles de son maître. Les mendiants continuaient à réciter leurs litanies pour mériter quelque aumône. Le jour avait installé sa lumière sur la ville. Le soleil promettait d'écraser l'univers sous une vague de chaleur. Si Azzouz redressa la tête et je vis ses yeux sortir de leurs orbites. Il leva péniblement un bras qu'il laissa retomber, tel un pantin mal articulé, puis se plia en deux avant de se laisser choir sur le carrelage froid. Kacem se chargea de le transporter dans sa chambre. Je me précipitai vers la fenêtre et l'ouvris. Jamal était debout au milieu des pierres.

– Je te salue, fille du désert tourmenté, et je baise chacun de tes dix doigts. Le pouce de la main droite en particulier car il m'appartient. Rien n'est plus atroce pour moi que de te voir derrière cette fenêtre, de te parler comme je le fais à présent pendant que tout le monde me prend pour un cinglé. Mais tu dois savoir tout ce qui manque au récit de ta vie avant de prendre le chemin du retour. Quand le moment viendra, Dieu te fera un passage dans la roche la plus résistante. Apprends à te connaître et comble les blancs de ton itinéraire. Ton sommeil a duré longtemps. De longues semaines. Des mois. Des années. Qui peut dire exactement combien de temps tu es restée dans cet état ? Les habitants du village qui t'avaient recueillie avaient fini par croire que ton sort était désespéré et s'étaient habitués à cette idée. On t'appelait la Dormeuse, l'Aubaine, la Généreuse, la Bonne Étoile… On t'avait affublée de ces surnoms pour attirer la chance et chasser les mauvais génies. Tout était rentré dans l'ordre. Tu faisais partie de ce nouvel espace que les gens avaient pris soin d'organiser avec amour et espoir. Tu étais le centre d'intérêt des grands et des petits, des femmes et des hommes, des jeunes et des vieillards. Grâce à toi, le village connaissait une cohésion qu'il n'aurait jamais soupçonnée. Tu devenais le ciment de la communauté. Le sourire était revenu sur les lèvres des jeunes filles. Tu étais dans toutes les conversations. Les projets les plus fous trouvaient, dans l'évocation de ton nom, quelque prétexte à leur réalisation. Les filles qui embrassaient ton front étaient mariées dans l'année. Le commerce devint florissant. Les enfants réussissaient leurs examens sans trop de difficultés. Les moissons étaient chaque année plus foisonnantes. Les troupeaux augmentaient en nombre et respiraient la santé. L'eau des puits et des rivières était aussi pure qu'un diamant. Tous les bébés naissaient sous une bonne étoile et les habitants étaient devenus des amis, des frères, les uns pour les autres. Toi, tu continuais à vivre hors du temps, dans cette demi-obscurité, cette demi-mort, qui te plaçait entre deux espaces aussi opaques que précaires. La vie et la mort. Comme si tu avais aboli les frontières entre les deux, rendant la proximité possible entre ces deux éléments antagonistes. Tout allait très bien. Ta vie et ta mort cohabitaient dans une harmonie parfaite. Les gens étaient heureux. Tout le monde te vénérait. Hommes, femmes, enfants et vieillards récitaient des prières saintes quand ils évoquaient ton nom. Les cœurs débordaient de fraternité et de générosité. J'ai alors compris que c'était la misère qui rendait les hommes mauvais et aiguisait leur haine. Le soleil et la pluie donnaient à la terre ce dont elle avait besoin. Grâce à ta présence, disaient les gens, avec une fierté à peine simulée. Puis l'inévitable se produisit un matin avant le lever du soleil.

19

Je pressentis l'approche du jour. Le sirocco avait diminué
d'intensité. Des pas furtifs et incertains traversaient la rue.
Quelques chiens grognaient au loin. La lumière commençait déjà à bousculer l'obscurité pour permettre au jour
de prendre la place de la nuit, selon le rite. La démocratie
de la nature. Nous, disait Kacem, nous étions un peuple
condamné à vivre dans les ténèbres de l'obscurantisme, de
la corruption légalisée et généralisée, de l'abus de pouvoir,
du mépris total des lois et des petites gens, de la fatuité et
du luxe provocateur, de l'argent sans odeur, de l'exploitation du pays par une poignée d'escrocs...

J'aurais pu continuer longtemps ainsi si Chama ne
m'avait transpercée du regard. Je ravalai mes réflexions et
donnai congé aux idées de Kacem et des autres. Le regard
lourd de ma sœur aînée m'invitait à poursuivre mon récit.
La face du mort avait pris d'autres couleurs. Une odeur de
pourriture commençait à s'emparer des lieux. Serions-nous
capables de tenir longtemps dans la putréfaction ? Je sentais mes viscères se nouer dans mon ventre et tous les
objets tourner autour de moi. Le tic-tac régulier de l'horloge me parut soudain plus éloigné. Des efforts de concentration m'étaient nécessaires pour distinguer le bruit de la
mécanique. Nul doute que le jour n'était pas loin. La ville se
réveillait pour accompagner le temps à travers ses misères,
ses pérégrinations, ses ruses, ses falsifications, ses injustices, ses irrégularités, ses caprices, ses défis...

Chama me lança un deuxième regard, plus accusateur que le précédent. Il me fallait donc poursuivre mon récit, même si pour cela je devais inventer les pires mensonges. Heureusement que je me souvenais de certains détails, qui me permettaient d'avancer dans cette histoire sans verser dans des contradictions flagrantes. Avec ma sœur, il valait mieux ne pas prendre de risques. Elle aurait été capable de m'assassiner au moindre faux pas. Jusque-là, mon récit se tenait dans sa structure globale, malgré l'aspect imprévu de certaines séquences. J'étais consciente de mon attitude ludique dans la construction de mon univers narratif. Lors des intervalles de silence, je m'étonnais de la facilité avec laquelle j'adaptais mon histoire aux situations environnantes. Nos paroles avaient peu d'importance. Être enfermées dans cette pièce avec la dépouille du père était plus signifiant pour Chama que tous les mots de la terre. Être là, dans ce tête-à-tête macabre, dans cette atmosphère suffocante, dans cette mise en scène inepte, valait toutes les formules d'exorcisme. Nous étions revenues pour guérir de notre passé, cicatriser nos blessures, étaler nos maux une fois pour toutes devant l'homme qui avait été la cause de notre déchirement, lui jeter dix années de souffrance et d'égarement à la figure pur nous libérer du poids de nos démangeaisons, de la folie qui nous guettait à chaque pas, nous affranchir de nos misères, de nous-mêmes, pour devenir adultes.

L'Écrivain rentra à l'aube du premier jour, entièrement saoul, dit Tamou. Il se mit à sa table de travail et commença à parler à sa machine à écrire :
– C'est l'histoire d'un homme qui quitte son bled pour venir consoler sa viande en ville. Sa peau paysanne grouille de projets, de déceptions, d'attente, d'espoir, de promesses, de regrets, de révolte latente... Il part, les mains vides et la tête pleine des lumières de la ville. Le départ de cet homme peut constituer le début du roman. La campagne désolée,

abandonnée, comme une femme stérile. Terre ingrate qui ne donne plus rien que la désolation et chasse ses enfants. Les entrailles de la terre sont desséchées. Plus rien n'en sort. Beaucoup de peine et de fatigue pour rien. Le chemin va jusqu'à la ville, des rêves éparpillés tout au long. Rêves d'argent. Rêves de travail. Rêves de femmes. Rêves de voitures et de luxe... La jument, le camion et l'âne ont contribué à transporter la fierté paysanne et la virilité jusqu'aux flancs de l'empire de la fumée et de la pollution. Et le petit fellah arrive à bon port, le torse gonflé et l'œil pétillant. L'attente se prolonge, s'éternise. Les recherches d'un travail se multiplient, les obstacles se dressent, énormes, infranchissables. Les chances s'amenuisent. Les économies s'épuisent. Le petit fellah s'abrutit devant les usines, les administrations, les cafés, les restaurants, les fabriques, les commerces... Rien. Tous les jours, les mêmes réponses et les mêmes déceptions. Il essaie tous les petits métiers pour continuer à exister. Il devient tour à tour marchand de pois chiches et de pépites, vendeur de cigarettes au détail, cireur, porteur à la criée, vendeur de billets de cinéma au marché noir, crieur à la station des grands taxis... La concurrence est impitoyable. Il faut payer pour mériter de vendre ses pépites et ses cigarettes. Payer le *mokaddem*, le *mokhazni*, le flic... Il faut passer à autre chose. Voir plus grand pour satisfaire la boulimie de ces gens. La médiocrité gagne l'histoire de ce pays qui pleure de chagrin devant la déroute de ses enfants. La prospérité et le progrès marchent à reculons dans la tête de nos dirigeants. Le petit fellah se métamorphose alors en voleur à la tire ou en contrebandier, devient un danger public. On l'arrête. On l'enferme. On le juge. Et on en fait un hors-la-loi. Les murs s'élèvent entre le soleil et lui. La colère prend naissance dans les cendres. Prisonnier, le petit fellah plein de fierté paysanne tisse dans l'ombre des rêves faits de vols plus importants, d'actes plus spectaculaires, d'agressions plus sanglantes. Le meurtre habite son regard, durci par les épreuves. Il pense parfois à la campagne, mesure l'ampleur de l'erreur commise. Mais comment retourner là-bas sur un échec ? Que dire aux autres ? Que penseraient de lui les siens ? Il doit aller jusqu'au bout de son parcours. Tout se mélange dans sa tête. Et quand il quitte la prison de l'État, il est plus aigri, moins optimiste, plus révolté. Il efface la campagne de son esprit, s'installe définitivement dans le doute et aiguise son couteau à cran d'arrêt, l'effile si bien que ses victimes ne sentent même pas la lame entrer dans leur chair. Le petit fellah devient criminel et oublie qu'un jour il a eu de l'orgueil et de la fierté...

L'Écrivain parla longtemps à sa machine. Lui demanda son avis sur ce projet, descendit deux bouteilles de gros rouge avant de sombrer dans un sommeil profond, la tête posée sur le clavier de sa machine. Le jour commençait à poindre.

Tamou se tut et rectifia sa position. Je renouai avec mon récit. Il ne fallait pas perdre de temps.

Kacem apparut soudain dans l'embrasure de la porte, dis-je. Je me retournai après avoir soigneusement refermé la fenêtre. Tout dans son regard exprimait la déception et la colère.

– C'est pas croyable ! Et dire que c'est des sous-fifres comme ce con qui dirigent le pays ! Notre destin est entre les mains d'une bande de mafflus et de rebondis qui ne voient pas plus loin que leur trou du cul. C'est pour cette raison que les postes clés sont colonisés par les incompétents, les parvenus, les méprisés et les méprisables. Les hommes intègres et fiers ont été contraints à l'exil, assassinés ou jetés dans les prisons les plus sombres de l'État. Personne ne comprend plus ce qui arrive à ce pays. On dit que nous sommes à l'abri... Mais à l'abri de quoi si le mécontentement est général, si les conditions de vie des couches moyennes sont déplorables, si la pauvreté est bien installée, si l'analphabétisme atteint des proportions alarmantes et si le sourire commence à déserter les lèvres des gens ? Rien n'est plus faux que l'apparence, et les étrangers ne reçoivent de nous que cette façade drôlement nickel que l'État s'acharne à astiquer systématiquement pour préserver son image de marque. Là, il ne regarde pas à la dépense. L'argent des petits contribuables (car les riches sont « exonérés » d'impôts) est dilapidé sans pudeur dans des cérémonies orgiaques, des dépenses onéreuses et puériles. Et il n'y a personne pour dire : Assez ! Assez de gaspillage et de mépris ! Assez d'injustice et d'irrespect pour les gens et les biens de ce pays ! Assez d'irresponsabilité politique ! Nos invités d'honneur étrangers doivent savoir que les billets d'avion première classe, les hôtels de luxe, les voitures climatisées avec chauffeur sexuellement excitant, les enveloppes généreuses..., tout ça c'est du vol caractérisé parce que cet argent appartient au peuple, auquel on retire le pain de la bouche pour que des étriqués, imbus de préjugés, retournent dans leur pays avec des souvenirs féeriques plein la tête et du sperme à profusion entre les fesses...

Un cri de fureur retentit dans la rue. Kacem se tut et se précipita vers la fenêtre. Une bouffée d'air chaud fouetta mon visage. La place grouillait d'une foule confuse. Dans la force de l'âge, un homme hurlait en gesticulant dans tous les sens. Autour de lui, sa femme et ses cinq enfants pleuraient devant leur voiture.

– Si c'est pas malheureux ! disait l'homme, hors de lui. Ça fait quatre ans que je n'ai pas remis les pieds dans mon pays, et le jour de mon arrivée on me fauche mon portefeuille ! Quatre années d'économies perdues en un clin d'œil. C'est injuste ! Les gens pensent que nous déféquons argent et pissons or là-bas ! Rien n'est plus faux ! Nous vivons comme des rats pour faire des économies et nous bossons comme des esclaves, dans le froid et la haine. Là-bas on nous méprise, ici on nous vole. On est des pauvres types qui n'avons de place nulle part. Ici comme ailleurs, nous vivons l'exil. C'est pire que la folie, pire que la mort.

Mais nous sommes trop fiers pour étaler nos misères devant vous. Si vous saviez ! Le racket entrepris à notre arrivée par les douaniers et les gendarmes est achevé par les voleurs à la tire. Sachez qu'il n'y a plus de travail pour moi chez eux. Hier, ils avaient besoin de ma force de travail. Ils m'ont pris à dix-huit ans. Je faisais partie de ces tonnes de muscles envoyés de l'autre côté de la Méditerranée. A présent, ils me méprisent et me chassent parce qu'ils n'ont plus besoin de moi. Je suis devenu la cause de leurs problèmes. La crise politique, c'est moi. Les difficultés économiques, c'est encore moi. L'inflation et le déficit de la Sécurité sociale, c'est toujours moi. On me dit de rentrer chez moi. Mais où est-ce, chez moi ? Et mes enfants, qui sont-ils ? Chez eux je ne suis pas chez moi. Et chez moi je suis un étranger. Alors où aller ? Ici, les responsables ne voient en moi qu'un paquet de devises. Que font-ils, là-bas, pour mes enfants terrorisés, agressés, assassinés en plein jour ? Des coups de fusil partent régulièrement ces derniers temps et on met ça sur le compte de l'énervement, du bruit, du stress. Est-ce une raison suffisante pour tuer un enfant ? Comme par hasard, c'est toujours un jeune Maghrébin qui tombe puisque les balles perdues savent où se loger. J'espère que vous êtes satisfaits de vous à présent, et dites-vous que le type à qui vous avez fauché son portefeuille n'est ni heureux ni riche. C'est un con qui se bat tous les jours contre la haine, contre la misère et contre la mort. Je n'ai plus dix-huit ans, j'ai le dos courbé, j'ai des rhumatismes et de l'asthme. Et si vous voulez tout savoir, je ne bande même plus. Alors, à l'intention de celui qui m'a volé, je souhaite que la foudre lui tombe dessus ! Que les fourmis rouges lui crèvent les yeux ! Que la fièvre grise s'empare de sa tête ! Que la vérole, le chancre et le sida détruisent son corps ! Que la folie se saisisse de sa raison ! Que la malédiction de Dieu s'abatte sur lui ! Que la rage des chiens habite sa viande ! Que les sangsues lui sucent jusqu'à la dernière goutte de sang qu'il a dans les veines !...

Le vent chaud continuait à tout brûler sur son passage. Les cierges de mauvaise qualité commençaient à donner des signes de fatigue. Leur flamme chancelait comme un homme ivre dont le visage ne tarderait pas à faire connaissance avec la poussière de la rue. Les mouches voltigeaient par petits groupes en attendant l'heure de l'assaut final. Le tic-tac régulier de l'horloge ponctuait le silence de la nuit. Le mort dormait du sommeil des traîtres. Entendait-il nos voix irritées par dix années d'errance ? Écoutait-il nos mots chargés de tant de haine et façonnés par la malchance de nos élucubrations ? J'en doutais. Chama, quant à elle, était sûre qu'il écoutait chacune de nos paroles et souffrait de ne pouvoir répondre à nos invectives. Il emporterait la résonance de nos voix dans la tombe et rejoindrait ceux dont l'âme ne connaît jamais le repos.

J'ai vécu les jours les plus sombres de mon existence dans ce commissariat, reprit-elle. Violée plusieurs fois par des flics différents. Ils ont fini par nous présenter au juge sous diverses accusations : vagabondage, prostitution, occupation de la voie publique sans autorisation spéciale, mendicité... Les hommes étaient tous accusés du même délit : consommation d'alcool. La jeune femme ne comprenait rien à son état. Le flic frustré la renvoya chez elle en lui recommandant de se préparer pour le recevoir à la fin de la semaine. Il ne serait pas de service. Pour l'enquête, il avait déjà trouvé une victime sur mesure. Une femme qui passerait inaperçue. La jeune femme était fatiguée, déçue par la vie. Le soir, elle oublia de prendre ses somnifères. Au cœur de la nuit, son fils s'approcha d'elle et remonta sa chemise jusqu'au nombril. La femme pleura toutes les larmes de son corps. La déchirure qu'elle avait ressentie était pire que la mort. Elle n'osa même pas bouger. Elle ne cria pas, ne hurla pas son indignation. Elle pleura. En silence. Son cœur se déchirait dans sa poitrine. Son corps saignait de partout. Elle n'était plus qu'une blessure et son ventre un abcès qui puait la honte, la pire ignominie. Elle ne dit rien. Et dire quoi et à qui ? Elle tut son mal. Emmura son cri dans sa gorge. Le lendemain matin, elle embrassa son fils sur le pas de la porte, lui souhaita bon voyage et lui fit quelques recommandations. Elle retourna s'allonger sur le lit et se rendormit. Quelques jours plus tard, les voisins sentirent une odeur de pourriture. Ils signalèrent cette anomalie à la police et attendirent le dénouement de l'affaire. Ils attendirent longtemps. Finalement, l'homme frustré arriva dans sa Jeep, flanqué de son second. Les deux hommes enfoncèrent la porte d'entrée et furent obligés de se boucher le nez. Sur le lit défait, un cadavre en décomposition et des boîtes de somnifères vides.

L'homme frustré rigola à la fin de cette histoire lugubre. Il expliqua à son subalterne comment il avait ficelé son rapport avec l'aide d'un collègue de travail, et comment il avait été chaudement félicité par ses supérieurs.

– Elle était belle, la salope ! expliqua-t-il à son subalterne. J'étais prêt à la disculper si elle avait accepté mes avances. Mais elle est partie avant de goûter aux délices de mes fornications. Dommage !

Le subalterne se crut obligé de dessiner sur sa face émaciée un sourire béant et approuva par un hochement de la tête. La jeune femme m'envoya un regard éploré. Je baissai les yeux.

– Je suis juste sortie acheter des médicaments pour mon enfant malade, expliqua-t-elle timidement. Son père est en voyage. Avant même que je sois arrivée à la pharmacie, une fourgonnette de police s'est arrêtée à ma hauteur et un policier m'a demandé ma carte d'identité. Je ne l'avais pas sur moi. Ils m'ont embarquée. Mon fils est malade. Et si vous me gardez longtemps, son diabète risque de le tuer…

Chama marqua un temps d'arrêt et avala sa salive.

L'homme à la voiture, essoufflé, le front en sueur, s'arrêta de gesticuler, poursuivis-je. Un « Amen ! » collectif et désespéré monta vers le ciel. La femme et ses enfants pleuraient. Un homme d'un certain âge s'avança et exhorta la foule à la compassion. Sa voix perçante disait :

– Cet homme est notre frère en Dieu. Nous n'avons pas le droit de l'abandonner dans le malheur qui vient de les frapper, lui et sa famille. Soyons solidaires et faisons la quête pour l'aider. C'est dans des épreuves comme celles-ci que Dieu éprouve notre foi et sonde nos cœurs !...

Les hommes s'avancèrent dignement. Des pièces et des billets de banque s'amoncelèrent sur le capot de la voiture. Le vieil homme remercia chaleureusement, donna l'accolade aux donateurs. Une femme lança des youyous en signe de satisfaction pour ce moment de réconciliation avec les préceptes coraniques. La foule compacte se rassembla autour de la famille pour lui serrer la main et lui souhaiter bonne chance. L'homme remercia. Il ne trouvait pas de mots pour exprimer sa reconnaissance. Il essuya ses larmes, leva les bras vers le ciel et dit aux présents :

– Je ne sais comment vous remercier. Vous venez de sauver toute ma famille et Allah vous rendra cette bonne action au quintuple. Qu'Il dégage votre chemin de tous les obstacles ! Qu'Il protège vos foyers et votre progéniture ! Qu'Il rende florissant votre commerce et profuse votre moisson ! Qu'Il illumine vos demeures et éloigne de vous le mauvais œil ! Qu'Il bénisse vos biens et réalise tous vos projets...

Les hommes avaient les mains jointes et répétaient « Amîn ! » à chaque incantation. L'homme s'empara de l'argent, engouffra femme et enfants dans la voiture, mit le moteur en marche et démarra dans un nuage de poussière, poursuivi par les cris de la ribambelle et les prières des adultes. Kacem referma la fenêtre avec fracas en grognant comme un chien blessé :

– *Oulad laqhâb !* Enfants de putes ! Rien ne les arrête ! Ils ont trouvé cette astuce pour soutirer du fric aux crédules.

Bien fait pour les candides et les imbéciles ! Le *chibani* est de connivence avec eux. Je connais bien ces gens et leurs ruses ! Ils jouent la même scène plusieurs fois par jour à des endroits différents.

La voiture avait disparu. Les enfants qui l'avaient suivie sur un kilomètre de piste rebroussèrent chemin, haletants mais fiers d'avoir réalisé un tel exploit. Les hommes vaquèrent à leurs occupations, le sourire aux lèvres et la conscience tranquille. Ils venaient d'accomplir une action charitable qui serait comptabilisée sur le registre des vertus. J'observai, à travers les vitres de la fenêtre, la vie qui reprenait son cours normal sur la place. Les hurlements des joueurs de football et les cris stridents des enfants fusèrent de partout. Jamal regardait dans ma direction sans dire un mot. Une sensation désagréable s'empara de moi. La peur ? Plutôt une angoisse indéfinissable. Comme si un danger imminent m'avait guettée. Je ne savais pas. J'étais entre les mains d'un destin capricieux et je me remettais entièrement à son éloquence. Je n'avais pas le choix.

Absorbée dans mes réflexions, je ne m'étais pas rendu compte que Kacem me parlait. Il fut vexé de constater que je ne l'écoutais pas. Au lieu de laisser exploser sa colère, il me regarda avec douceur et murmura avec un brin d'emphase :

– Tu es une énigme colossale à toi tout seul, Driss ! Tu as vu la scène de l'immigré volé… C'est la réalité du pays. Les gens ici ne peuvent plus vivre que du vol. Les uns volent les autres. Les plus grands volent l'État et l'argent de l'État, les plus petits se volent entre eux, et ainsi de suite. C'est un immense chantier où la magouille et la malhonnêteté sont de mise. Il n'y a plus rien à espérer des hommes de notre temps parce qu'ils font partie de cette nouvelle race qui n'a plus de principes, plus de modèles, plus de règles de conduite, plus de repères, plus de valeurs. Leur seule loi, c'est le fric. Et pour ça nos hommes, sans distinction aucune, sont capables de vendre mère, filles et épouses. Pire ! Ils sont prêts à donner leur cul à Satan. Le haut devient le

bas et le noir le blanc. Nous sommes sur le chemin de l'irrémédiable...

Je l'écoutais sans donner crédit à ses paroles. J'essayais
d'imaginer ce qui pouvait m'arriver de pire. Le commissariat, la prison, la mort... Qu'est-ce qui pouvait m'arriver de
plus que tout ce que j'avais déjà enduré ? La chaleur commençait à embraser la ville. Une déflagration de voix indiqua que l'une des deux équipes venait de marquer un but.
Cette manifestation violente me ramena au jour de notre
départ de la maison. Je nous revis, toi en tête, Tamou et
Ghita marchant sur tes pas et moi derrière. Je revis nos
larmes et le désarroi qui lancinait nos poitrines. Tout me
revint d'un coup. La marâtre engoncée dans sa graisse, le
père écumant de rage contre nous, la haute muraille encer-
clant la ville, les chiens, la brise du matin, nos pieds nus
mordus par les pierres, les débris de verre et les épines... Je
revis ce carrefour qui avait séparé nos destins, le Livre étalé
sur la pierre et notre serment solennel. Les paroles de
Jamal vinrent se mêler à ces souvenirs. Je compris que la
date du rendez-vous était proche et que je devais agir vite
pour retrouver la liberté et revenir à temps.

Kacem continuait son discours mais ses paroles n'arrivaient pas jusqu'à moi. J'étais ailleurs, dans d'autres mots
et d'autres lieux. J'essayais de deviner les changements que
le temps aurait produits sur vos corps, vos voix, vos gestes.
D'imaginer les endroits où vous habitiez. Les expériences
que vous traversiez. Les larmes que vous versiez. Les joies
que vous connaissiez. Les douleurs que vous ressentiez...
Vos visages s'égaraient souvent dans les dédales de mes
vieux souvenirs. Je ne revoyais que vos visages d'enfants
baignés de larmes, notre mère sur son lit de mort, la peur et
la voix criarde de la marâtre. Je me dirigeai vers la fenêtre
et l'ouvris d'un geste nerveux. Kacem ne réagit pas. Jamal
était debout à la même place, au milieu des pierres disposées en cercle par les gamins. Il ne fit aucun geste, prononça cette ultime phrase :

– Il ne te reste que peu de temps, Fatma ! Prépare-toi !

J'attendis qu'il me dise autre chose, qu'il m'éclaire, m'indique ce que je devais faire, où aller et, surtout, comment quitter ce lieu maudit. Il ne prononça pas un mot de plus, se contentant de passer ses mains sur son visage. Puis il déserta la place. Je restai seule face à moi-même et cette disparition soudaine creusa un vide dans ma poitrine. Je me sentais abandonnée, trahie. Je retrouvai mes larmes d'autrefois et la peur tenailla mes viscères. Kacem se précipita et referma la fenêtre. Il s'approcha de moi, posa sa main sur mon épaule et me dit dans un sourire :

– Ne crains rien, mon fils ! Personne ne touchera à un seul de tes cheveux tant que je serai avec toi. Le cochon est à moitié abattu. Tu ne risques plus grand-chose. C'est presque terminé pour lui à présent. Ils ont signé son arrêt de mort. *M'almîn*, des maîtres et des professionnels ! Je vais te raconter une histoire qui explique pourquoi le pays est devenu ce qu'il est aujourd'hui. Mais avant, sèche tes larmes et offre-moi un de tes sourires !

J'essuyai mes larmes mais ne réussis pas à dessiner la moindre expression enjouée sur mon visage.

Aucun signe n'indiquait encore la fin réelle de la nuit, mais je sentais que le jour n'était plus très loin. Encore quelques instants de patience et notre calvaire prendrait fin. Celui du mort commençait à peine. Il rencontrerait Dieu avec le poids de notre haine et la violence de nos discours. C'est la tête plus bas que terre qu'il se présenterait devant celui qui l'avait créé de poussière, qui avait insufflé la lumière dans son être et en avait fait un être indigne et méprisable. Le souffle chaud du vent brûlait toujours nos visages. Le mur gardait son mutisme inquiétant. Mais je ne perdais pas espoir. Des silhouettes jaillirent des fissures et des plaques d'humidité pour animer la scène et me tenir compagnie. Je ne désespérais pas des murs. Je n'en dirais pas autant des humains, qu'ils soient morts ou encore en vie. Les cierges de mauvaise qualité s'étaient transformés en ratatouille de cire noircie par la fumée. Leurs mèches tordues continuaient à vaciller au son de nos voix et au souffle du sirocco sans se résigner à rendre l'âme une fois pour toutes. L'absence de Ghita m'intriguait. Comment avait-elle pu faillir au serment du retour? Ignorait-elle les conséquences d'un tel manquement? Peut-être était-elle dans l'impossibilité de se déplacer. Aurait-elle oublié? Ou tout simplement n'avait-elle pas envie de ranimer les cendres du passé? Remuer le couteau dans la plaie ne servirait à rien. Tamou parla, et sa voix calme montait de sa gorge comme un vent frais du matin.

Je me suis endormie, dit-elle, en me demandant ce que je faisais là. L'Écrivain passa la nuit sur sa machine à écrire. Je ne voulais pas déranger son sommeil. Ses ronflements perturbaient le silence de la nuit. Avait-il oublié ma présence? Il continuait sans doute à vivre avec ses personnages dans un rêve fait d'intrigues, de compromissions, de rebondissements... Devenu un véritable gangster, le petit fellah met au placard sa fierté et ses scrupules. Les gros coups lui rapportent quelques bénéfices. Il engage des adolescents paumés. Revendeurs de drogues et d'objets volés. Le marché est florissant. On réussit l'exploit de revendre les objets volés à leurs propriétaires à prix raisonnables. Les flics? Plus voleurs que les pires des bandits. Mieux vaut les éviter! L'affaire tourne bien et l'argent rentre de tous les côtés. Le petit fellah devenu gangster n'est pas bête. Il cherche la protection des hommes puissants. Il achète tout le monde. Ses bars et ses cabarets font la joie des autorités, qui se rincent le gosier et la pupille sans bourse délier. L'homme devient important. Entreprend de s'aligner chaque vendredi avec les notables de la ville dans la mosquée la plus prestigieuse. Sa générosité est sans limites. Il est invité dans les grandes familles. On lui demande son avis sur les projets sociaux et on sollicite sa contribution. L'argent du vol, de la corruption et de la drogue sert à la construction des mosquées et des écoles. Il va à La Mecque, frotte son front contre la pierre noire et le monde oublie son passé. Ses amis de la police et de la justice se chargent de faire disparaître toutes les charges retenues contre lui dans le passé. Sid el-Haj est un homme intègre. Le voilà plus blanc que le meilleur des détergents. Il se fait une réputation en béton d'homme généreux, toujours prêt à aider un haut fonctionnaire en difficulté dans la construction d'une villa ou l'acquisition d'un immeuble, l'achat d'une nouvelle voiture pour l'épouse, la fille ou la maîtresse, le privilège de passer son congé à l'étranger ou dans les meilleures suites de nos hôtels, la prise en charge des études des enfants dans un pays de l'Est... Sid el-Haj donne avec la main gauche sans compter. Il reprend avec la droite sans aucune mesure. Les générosités des autorités à son égard en matière de passe-droits sont juste quelques témoignages de reconnaissance pour les multiples services que Sid el-Haj rend à la nation. Les carrières de sable, les licences de transport et d'import-export, les terrains, les autorisations de complaisance, l'attribution de tous les marchés importants aux entreprises de Sid el-Haj... sont peu de chose face à la prodigalité de l'homme. Il est bien vu de tous. Il ne rate jamais la prière collective du vendredi et on lui a aménagé une place au premier rang, juste à côté du gouverneur de la province. Les deux hommes ont pris l'habitude de partager le couscous de ce jour béni. Les élections municipales approchent. Fort du soutien des autorités, l'homme devient président du conseil municipal. Il gère les affaires des citoyens comme s'il s'agissait de sa propre entreprise dans ce système où la corruption est une loi. Les hautes autorités du pays sont satisfaites des performances de cet homme. Il ne mange jamais seul. Il sait faire profiter les autres de ses repas. Il excelle dans l'art d'écraser les petites gens pour qu'ils ne relèvent jamais la tête. Le temps passe. Les petites rivières font les grands ruisseaux. L'ex-petit fellah devient milliardaire en l'espace de quelques années. Le miracle de ce pays où la verrue hideuse maîtrise l'économie et la politique. Personne n'est capable de lever la voix devant Sid el-Haj, devenu un notable respecté. Le temps passe. Les élections parlementaires le consacrent député grâce au soutien inconditionnel des hautes autorités du pays. Sa sphère d'influence s'élargit considérablement. Un parti politique fraîchement inventé par l'État lui cligne de l'œil. Pourquoi pas? Son compte en banque parle, lit et écrit pour lui. Il a le respect des grands et des petits. Avec sa nouvelle étiquette politique, il est assuré d'un portefeuille ministériel. Ministre de la Justice, des Droits de l'homme ou de n'importe quoi. L'ascension est assurée. Le petit fellah oublie qui il était. Il habite désormais les plus beaux quartiers de la capitale et ne fréquente plus que les hautes sphères de la société. Ses énormes camions transportant des conserves ou des cocottes ne sont jamais inquiétés à la douane. De temps en temps, la rumeur colporte le bruit que le contenu des boîtes de conserve ou des cocottes serait de la drogue. Qui le croirait? La réputation de Sid el-Haj est en béton. Ce sont les ennemis de la nation qui veulent salir la réputation d'un honnête homme. Quelle bassesse! Nous sommes un pays au-dessus de tout soupçon. Les cours de justice nationales trouvent les requêtes des pays étrangers déplacées et infondées. Ces camions n'ont jamais appartenu à Sid el-Haj. Il n'y a qu'à vérifier les cartes grises de ces véhicules pour se rendre compte que c'est une machination montée de toutes pièces par des mercenaires afin d'entacher l'honneur et la crédibilité de nos institutions. Qui veut nettoyer doit d'abord faire le ménage devant chez lui! Nous n'avons pas de leçons à recevoir des autres en matière de justice et de droits de l'homme. Nous sommes un État de droit, un État libre et souverain. L'étranger aurait-il oublié cette réalité?...

L'Écrivain raconta le lendemain au conteur que son rêve avait été interrompu par un bruit de bottes venant de l'extérieur. Des *mokhaznis* étaient venus l'arrêter pour rêve subversif. Les deux hommes partirent d'un rire généreux. L'Écrivain affirma qu'il était content parce qu'il tenait la suite de son histoire pour un prochain roman...

Une mouche se posa sur le visage de Tamou et taquina son œil droit, l'obligeant à interrompre son récit. Elle agita à peine la main pour faire fuir la bestiole, qui revint à la charge une deuxième, puis une troisième fois. Chaque fois, Tamou agitait mollement sa main pour chasser l'insecte impertinent. Je pris la relève et racontai la suite de mon histoire.

Kacem essuya mes larmes de sa main et dit :
– Dans une école coranique de la capitale, sous le protectorat, le maître Si Baddou avait l'habitude de s'absenter une demi-heure par jour. Quand il revenait, le calme régnait et les mômes étaient penchés sur leur planche avec sérieux, ce qui rassurait le *fqih*. Un jour, il revient avant l'écoulement de la demi-heure et il est surpris par le vacarme qui provient du *m'sid*. Il regarde à travers la fenêtre et il est renversé par le spectacle qui se présente à ses yeux. Djellabas retroussées et déculottés, les enfants sont les uns sur les autres dans des positions scabreuses. Embarrassé, il repart et revient à l'heure habituelle. Les mômes sont courbés sur leur planche, ânonnant leurs versets comme si de rien n'était. Les jours suivants, il est témoin de la même scène. Il prend alors une feuille de papier et consigne au recto le nom de ceux qu'il a pris l'habitude de voir au-dessous et au verso le nom de ceux qui sont au-dessus. Le temps passe. Si Baddou prend sa retraite et retourne dans son bled, un coin perdu dans la montagne. Le pays acquiert son indépendance. Vingt ans plus tard, maître Si Baddou retourne en ville et tombe sur une nouvelle dans le journal local annonçant la réunion du gouvernement sous la présidence du Premier ministre, M. Ben Oui-Oui Karim. Ce nom paraît

familier au *fqih*, qui tire la feuille de sa poche et se rend compte que le nom figure au recto de la feuille, c'est-à-dire au-dessous. Il allume la radio et entend que l'ambassadeur du royaume en Chine, M. Ben Ouakha Fouad, a été décoré du turban des Sages pour services rendus à la nation. Le *fqih* prend son papier et s'aperçoit que le nom existe sur le recto : au-dessous. Le soir, il voit le ministre de l'Intérieur, M. N'âame Sidi Driss, lire un discours à la télévision. Il consulte sa liste et voit...

Je ne comprenais pas où il voulait en venir. Son histoire ne m'intéressait pas. Mais j'étais obligée de l'écouter jusqu'au bout pour ne pas le vexer. Les bruits de la rue me parvenaient par intermittence. Kacem continua son histoire :

– ... le nom au recto de la page : au-dessous. Plus tard, les informations annoncent que le gouverneur de la province de Fès, M. Ine Mika Rachid, a reçu les familles des victimes de la falaise qui s'est effondrée sur un quartier populaire et leur a présenté ses condoléances. Le *fqih* tire sa feuille de papier et voit le nom au recto... Il sort le matin et rencontre une épave humaine couchée sur le trottoir. Il s'approche et l'homme dit : « Bonjour, Si Baddou ! Donne-moi quelques sous pour mon litre d'alcool de la journée. – Tu me connais ? demande le *fqih*. – Oui, j'étais l'un de tes élèves. Je m'appelle Barigou. Tu ne te souviens pas de moi ? » Il tire la feuille de papier de sa poche et découvre le nom au verso de la feuille. Il était au-dessus. Quelques heures plus tard, un marchand à la sauvette le bouscule dans sa fuite : « Pardon, Si Baddou, je ne l'ai pas fait exprès. – Tu me connais, mon fils ? – Je suis Hammou Doudou, votre élève ! » Hammou Doudou ? Il prend sa feuille et lit le nom sur le recto : au-dessus. Un autre jour, un balayeur lui envoie de la poussière sur les babouches : « Je suis désolé maître, excusez mon inattention ! – Tu me connais, mon fils ? – Je suis Moha Nammi, l'un de vos anciens élèves ! » Le *fqih* prend sa feuille et trouve le nom au recto : au-dessus. Le *fqih* s'étonne que le pays soit devenu sens devant derrière. Il reprend le car et

regagne son coin perdu dans la montagne. Tu comprends ?
Je n'avais rien compris. A peine si j'avais deviné ses
intentions. Il avait besoin de parler à quelqu'un, j'étais là.
Le reste n'avait pas d'importance. Je crois qu'il ne s'attendait même pas à une réponse ou à un sourire de ma part. Il
parlait. Je brisais sa solitude et lui servais de comparse. La
chaleur commençait à prendre possession des êtres et des
choses. Les oiseaux avaient déserté les trous des murs pour
l'ombre des arbres et la fraîcheur des vallées. Il ne restait
plus que les enfants dans les rues, la peau hâlée par le soleil,
mais imperméables à la canicule qui incendiait l'air et
liquéfiait le goudron des routes. De temps à autre, un
silence irréel s'abattait sur la ville comme une chape de
plomb. Le bruit me tenait en éveil. J'avais l'impression que
le soleil était descendu dans la ville et circulait parmi nous.
Jamais nous n'avions connu une journée aussi menaçante.
Je repensai à l'histoire cynique que venait de me raconter
Kacem. Déceptions amères et têtes chargées de haine et de
pensées violentes. Un frisson de peur traversa mon corps.
Aujourd'hui, le triomphe de l'injustice et de la répression.
Mais demain ? La religion est le refuge des foules. Les murs
froids. Les regards sombres. Les mots exprimant l'exil et la
nostalgie partent dans tous les sens. La muraille du silence
tombera d'elle-même. Ce peuple n'avalera pas sa révolte ni
ne portera éternellement le deuil de sa parole. L'histoire ne
tardera pas à retrouver ses vraies lignes. Les regards chargés de colère tissent une couverture tragique pour le pays.
Le triomphe du mépris a fait son temps. Demain, la confusion des corps en transe. L'incertitude, la confusion et le
sang...

20

Les minutes s'écoulaient lentement en poussant la nuit de l'autre côté des ténèbres. La roue de la vie continuait à nous entraîner dans son sillage sans se préoccuper du malheur des uns, de la puissance des autres. Elle n'a aucun contrat avec les hommes, sinon celui de les accompagner à bon port avec son infidélité habituelle et imperturbable. Elle écrase tout sur son chemin : vanité et égoïsme, pudeur et fierté... Le contrat d'éternité que certains croient avoir passé avec elle est impitoyablement broyé sous ses chenilles géantes qui défient le temps et font courber l'échine aux plus autocrates d'entre nous. Le vent chaud était tombé d'un coup. Comme si l'approche du jour l'avait chassé hors de la ville pour céder la place aux reflets cuivrés du soleil. Fermenté sous l'effet de la chaleur, le cadavre dégageait une puanteur agressive. Je me demandais comment Chama supportait encore la proximité pestilentielle de la dépouille. Était-ce par défi ? Par paresse ? Ou bien était-elle devenue insensible au point que la fétidité ne l'indisposait nullement ? A la manière dont elle respirait, j'avais compris qu'elle acceptait cette épreuve comme une rédemption de ses péchés ou l'exorcisme du mal qui rongeait son être. Elle avait toujours été têtue par principe et par tempérament. Résister sans défaillance à la puanteur de la dépouille paternelle, c'était supporter l'idée de la mort et assumer jusqu'au bout l'adversité de notre sort. Les cierges de mauvaise qualité arrivaient au bout de leur peine. Je voyais leur flamme vaciller comme un homme malade qui ne tarderait pas à trépasser. Je devinai leur dernier soupir rendu dans une effusion de fumée excessive. Je repensai à Azzi Manégass, à Kacem, à Jamal, à Zouhir, à Azzouz, à tous les visages qui avaient traversé mon existence comme un rêve et avaient rejoint les archives du passé, mais pas celles de l'oubli. La scène de *n'qich attarma*, comme ils disaient, calligraphie et enluminure au henné sur les fesses du plus bel adolescent de Marrakech, traversa mon esprit. Je revis nos hommes importants dans leur tenue légère, truffés de drogue et d'alcool, la bedaine pendante, la nuque rebondie et la peau flasque, se mouvoir dans le ridicule de leur âge, de leur richesse et de leur puissance. Tous ces adolescents livrés au mutisme du destin, à la folie et à la vieillesse. Je me demandai si j'avais réellement vécu cette scène ou si mon imagination avait construit et développé cette histoire comme une justification à ma présence en ce lieu et à ce moment. Même si c'était un tour de mon esprit, je prenais un malin plaisir à soupçonner les hommes importants de ce pays dans des attitudes qui ne pouvaient inspirer que le dégoût ou la pitié. Ils sont si obséquieux, si rampants qu'ils donnent une piètre image de l'homme. Médiocres, ils arrivent à tout par leur servilité. La race des hommes debout est en voie de disparition. Bientôt, elle deviendrait si rare qu'on la mettrait dans les musées et la consignerait dans les Livres des records.

Chama ne parla pas tout de suite. Elle se contenta d'abord de se racler la gorge et de cracher par terre une grosse boule de salive jaune que quelques mouches prirent aussitôt d'assaut. Elle s'essuya les lèvres avec le revers de sa main droite.

Tu passes la plus terrible nuit de ton existence! déclarat-elle à l'intention du cadavre. Nous te conduirons à ta dernière demeure avec le poids du remords sur la conscience. Tu retrouveras Dieu avec cette tache d'infamie sur le front.

Pour toi, ce n'est jamais qu'une nuit. La dernière. Pour nous, c'est dix années de notre existence complètement foutues en l'air. Si tu avais vécu un jour de plus, rien qu'un jour de plus, nous aurions réglé notre problème avec toi, définitivement. Mais tu as toujours su renverser les pires situations à ton profit. Et tu nous laisses aujourd'hui avec nos mots suspendus à ta mort comme des fils d'araignée qui ne servent plus à rien. Même, tu accompagneras ces paroles plurielles jusqu'à la dernière limite de ta métamorphose. Les anges doivent te maudire pour le mal que tu nous as fait. Le juge de Fès écouta nos dires dans une indifférence magistrale. Il feuilleta ses papiers, grogna dans sa barbe plusieurs fois :

– Faites vite ! Résumez votre pensée ! Ne dites plus rien !

Nos larmes étaient plus nombreuses que nos mots. Nous trébuchions dans nos sanglots, à chaque début de phrase.

– Les rapports de police qui sont devant moi disent le contraire. Dois-je vous croire alors que des documents officiels disent que vous étiez en état d'ébriété, que vous vous livriez à la prostitution ou à la mendicité ?... Des délits très graves, passibles d'emprisonnement. Il se trouve que vous avez de la chance. Les responsables du pénitencier me font savoir qu'ils n'ont plus un centimètre carré de libre. Vous mettre à la foire ? C'est une possibilité. Mais nous manquons de gardiens, tous partis en renfort à Casablanca, où va avoir lieu la conférence internationale sur les droits de l'homme.

La jeune femme me jetait des regards furtifs. Tout le monde attendait dans l'inquiétude. Certains avaient leur famille dans la salle. Des vieilles femmes et des bébés pleuraient. Des hommes levaient leurs mains jointes dans la direction du plafond en demandant la justice de Dieu. Le juge réclama plusieurs fois le silence dans la salle. Des voix chuchotées s'élevèrent : « *Allah yakhoud al haq !* », « Que Dieu rende sa justice ! », « *Allah oumma hâdâ mounkar !* », « Dieu est témoin que ceci est injuste ! » Le juge frappa avec force sur la table du *makhzen*. Ses yeux lançaient des éclairs.

– Ils ont pris mes deux garçons lors de la dernière grève, aujourd'hui ils veulent me priver de ma fille ! dit un vieillard entre deux sanglots.

Des voix s'élevèrent. Des injures aussi. « Organes corrompus de la nation ! », « Justice de merde ! », « Bande de voleurs ! », « Justice partiale et dissolue ! », « Gangrène ! », « A bas les dépravés et la corruption ! », « La responsabilité incombe aux dirigeants ! », « *Allah oumma hâdâ mounkar !* », « *Allah yakhoud al haq !* »...

Le juge ordonna l'évacuation de la salle d'audience. Les *mokhaznis* usèrent de leurs gourdins pour mettre fin à ces agissements incontrôlés. Le juge gesticulait dans le désordre de sa pensée et de sa trouille. La grande porte se referma. La salle retrouva son calme. Le juge prit sa tête dans ses mains et sombra dans une longue méditation. Nous attendions, debout dans notre propre peur. Je n'avais rien à perdre. Le juge, si. Une carrière. Des avantages. Ces montagnes d'argent pris dans la manipulation des affaires et des dossiers... Il releva enfin la tête, les yeux humides :

– Partez tous ! D'ailleurs, il n'y a plus de place dans les prisons. Je garde vos dossiers, ainsi que les charges retenues contre vous. Si l'un de vous répète ce qui s'est passé dans cette salle, il aura affaire à moi ! Répétez ce que vous venez d'entendre à cette bande de déchaînés qui était là tout à l'heure ! Et répétez aussi que les tribunaux font correctement leur travail puisque vous êtes libres grâce à la justice de ce pays !

L'appel du muezzin à la prière de l'aube nous fit sursauter. Chama leva sur moi des yeux rouges comme des braises. Elle ne dit rien, se contenta de froisser un pan de drap avant de cracher par terre. Le regard de Tamou suivit la trajectoire du crachat et s'immobilisa un moment sur le carrelage recouvert d'une épaisse couche de poussière et de sable. L'horloge continuait à égrener le temps comme un saint ou un derviche assis à l'ombre de l'éternité alors que le tic-tac implacable de son mécanisme ponctuait la marche du monde vers son terme. Recouverte de poussière et de sable, la face du mort avait perdu toute expression. J'avais l'impression d'être en face d'un buste en terre cuite. Aucune ressemblance avec le père. Aussitôt, tous les souvenirs d'enfance m'assaillirent, tourbillonnant dans ma tête comme des feuilles mortes prises dans un typhon. Des souvenirs de larmes et de mort, moi qui espérais trouver dans le maquis de mon existence quelques fragments de bonheur à introduire dans mon récit. Jamal? En dehors de sa présence, aucun autre plaisir n'était venu marquer ma solitude. Il y avait cet état comateux que Jamal m'avait révélé et durant lequel j'avais été entourée de soins et d'affection de la part des habitants de ce village dont j'ignorais le nom. Un village et des hommes sortis de l'irréalité d'un monde à la merci de la haine, de la misère, de l'exploitation et de l'intolérance. Comment convaincre les autres d'un tel phénomène si le doute subsistait encore en moi? J'acceptais ce mystère sans curiosité et sans état d'âme. Jamal m'avait appris qu'en reprenant conscience j'avais demandé où je pourrais trouver un endroit tranquille pour y passer une ou deux nuits. Les habitants du village étaient affolés. Je ne comprenais pas pourquoi tout le monde me regardait avec curiosité, comme si je débarquais d'une autre planète. Il paraît que les uns voulaient m'enfermer pour m'empêcher de partir. D'autres préféraient me mettre au courant de mon état et suggérer que je m'installe parmi eux. Le plus vieux du village leur avait conseillé la plus grande discrétion sur ce qui m'était arrivé. Ils ne devaient en aucun cas, selon lui, me révéler mon histoire ou influencer ma décision. C'était une nouvelle épreuve. Les femmes étaient prises de panique. Certaines pleuraient en serrant leur progéniture contre leur poitrine. Personne ne répondait à mes questions. La journée était dominée par la clarté de la

lumière, par le bleu du ciel et le vert ondoyant des pâtu-
rages mouchetés de pâquerettes, de coquelicots, de boutons
d'or, de violettes, de marguerites et de bleuets. J'étais
impressionnée par la beauté et la diversité du paysage.
J'étais sous le charme. C'est pour cette raison que je n'ac-
cordais que peu d'importance à ce qui m'entourait. Des
groupes s'étaient formés pour se concerter. Les enfants
avaient cessé leurs jeux et observaient de loin dans l'inquiétude et l'étonnement. Personne n'osait s'adresser à moi. La
matinée se déroula entre larmes, jérémiades et palabres. Un
homme à la barbe blanche arriva, accompagné d'autres
hommes. Il se prosterna devant moi et embrassa mes
mains. Je n'avais rien compris à ses gestes. Il me regarda
un long moment avant de s'adresser à moi dans ces termes :
  – Tous les hommes et toutes les femmes de ce village te
sont redevables de l'harmonie et de la prospérité qu'ils ont
connues pendant le temps que tu as passé ici. Nous n'avons
pas le droit de te retenir si Dieu ne l'a pas décidé. Nous te
considérons comme une sainte et invoquons ton indulgence
si nous avons failli aux règles de l'hospitalité et de la bien-
séance. Toutes les demeures te sont ouvertes et nous
sommes tous tes humbles serviteurs !...
  Je n'avais rien compris aux paroles de l'homme à la
barbe blanche. Je pensais qu'il se payait ma tête avec la
complicité des siens, dont les yeux creusaient des puits
dans le sol. J'avais la sensation de sortir d'un long sommeil.
Je ne savais pas où j'étais ni ce que je faisais dans ce lieu.
Les personnes qui m'entouraient me paraissaient bizarres
et leur comportement à mon égard ne m'inspirait pas
confiance. Je savais que j'étais vulnérable et que les
hommes étaient capricieux. Aux premiers pas, les corps
rompus me cédèrent le passage. Je marchai vers la sortie du
village, suivie par une foule vibrante et perplexe. Je décidai
de ne pas me retourner car mon corps tout entier était agité
d'inquiétude. Tête baissée, je marchais sans me retourner.
La foule suivait mes pas, hébétée et pitoyable. A chaque

pas, je m'attendais à être jetée à terre, violée et lynchée. A ma grande surprise, rien de cela ne se produisit. Mon regard ne rencontrait que des visages durs et affligés. Le village marchait comme pour un enterrement. Soudain, des plaintes et des sanglots jaillirent autour de moi comme dans une procession funèbre.

Le sirocco. Les portes de l'enfer s'étaient ouvertes pour accueillir la dépouille du père, qui avait commencé à gonfler à tel point que le drap safrané avait perdu ses plis au niveau du ventre. J'imaginai le travail méthodique des vers à l'intérieur du cadavre. La flamme des cierges de mauvaise qualité tenait par un minuscule bout de mèche à peine visible. Le mur refusait d'ouvrir sa scène à mon imagination. Aucune ombre ne venait animer la face du mortier mangé par le temps et les intempéries. Les mouches commençaient à s'organiser. Leurs vrombissements se firent plus nets, plus désinvoltes, plus précis. Je compris alors que le jour n'était pas loin. Il nous fallait donc boucler nos récits avant l'aube. Après la première prière, les hommes ne patienteraient plus. Ils réclameraient ce cadavre pourri pour être en règle avec leur conscience et avec Dieu. Le mettre sous terre et lui rendre les honneurs dus aux morts. Nous devions donc faire vite. Tamou leva la tête.

Je ne savais pas entre quelles mains j'étais tombée, dit-elle. Rien dans le comportement des deux hommes ne m'inquiétait. C'était comme si je n'avais pas existé pour eux. Et ma présence ne dérangeait pas leurs habitudes. J'étais dans un coin. Je n'en demandais pas plus. L'Écrivain et le conteur bavardèrent pendant de longues heures. L'un et l'autre étaient intarissables. Leurs éclats de rire redonnaient du soleil à la vie. J'écoutais, amusée par les aventures extraordinaires que se racontaient les deux hommes.

– Pourquoi n'écrirais-tu pas l'histoire de ma flûte? interrogea le conteur.

– Qui croirait de nos jours à la magie d'un bout de

roseau ? Les lecteurs ne sont pas naïfs. Si les chemins de la fable sont tortueux, ils restent plus rassurants.

– Alors écris l'histoire des deux amants sans même faire allusion à la flûte. C'est un sujet qui tient la route.

– C'est vrai ! Mais je ne veux pas écrire sur l'amour. Je veux écrire sur la misère de mes semblables. C'est ça la vraie littérature. Balzac, Zola, Hugo et les autres ont eu du succès parce qu'ils ont écrit sur la condition humaine de leur époque. Je cherche une histoire qui bouleverse les gens et dérange leur sommeil. Je veux écrire un roman qui continuera à travailler dans la tête des lecteurs longtemps après qu'ils auront refermé le livre. Je ne veux pas de ces histoires mièvres qu'on oublie aussitôt arrivé à la dernière page. Cette littérature-là ne m'intéresse pas. Elle a ses adeptes. Mais ce que je veux, moi, c'est dégoûter les gens de la vie, les brutaliser, les prendre au collet et leur foutre la gueule dans la fange des petites gens. Immortaliser la douleur du peuple et hurler mon indignation contre l'ignorance, l'analphabétisme, le chômage, l'injustice, l'inégalité, la corruption, le sida, la misère... Dire « non » à toutes les formes d'exploitation. Dire « assez » au viol et au vol de ce pays... Mettre en scène des hommes et des femmes que l'histoire oublie, les petits que la machine écrase...

– Mais, ma parole d'honneur, tu te transformes soudain en justicier ! Ce n'est pas ton rôle. Si tu veux t'engager, engage-toi dans l'armée.

– Je ne comprends pas !

– L'acte d'écrire est déjà un engagement. Quand tu parles ou quand tu écris, tu te places en marge du discours officiel. C'est la position que tu choisis d'occuper qui te confère ton statut d'être engagé ou rangé. Le choix, c'est toi qui le fais, car tu choisis le poids à donner à tes mots. Il y a le poids des viscères et celui de la complaisance. Si tu as des intérêts politiques, tu peux être conciliant !...

– J'ai besoin de puiser dans la réalité du pays. De donner au lecteur l'image putride de la société. De parler de ses misères individuelles et collectives, certes, mais aussi et surtout de ses silences, de ses contradictions, de ses résignations, de ses attentes, de ses pleurs, de ses multiples lâchetés... Montrer que le pays n'est pas fait uniquement des villes impériales, des palmeraies, du soleil, de la pastilla, du Club Med' et de la place Jamaâ Lafna. Le Maroc, c'est aussi des hommes et des femmes qui souffrent dans leur dignité, qui se battent et qui contribuent par leur courage à ce que le pays reste debout malgré l'acharnement de certains à vouloir le ruiner...

– Prends le maquis alors! Une plume ne suffit pas dans ce cas-là...

– Mon maquis c'est mon stylo! Je veux me battre pour ce pays avec les armes qui sont les miennes!

– Mais n'ouvre pas trop ta gueule! Tu sais ce que c'est... Quand on vous suggère de répéter que l'année est bonne malgré le déficit budgétaire, la sécheresse, les dettes extérieures... ne t'amuse pas à dire le contraire de ce que fredonne la majorité!...

– Je ne suis pas la majorité.

– Et le troupeau.

– Rien à foutre!

– Te laissera-t-on écrire ce que tu veux? Il y a tellement de tabous qu'à la première page on interdira ton roman et peut-être même qu'on...

– Ce n'est pas important. L'essentiel est d'abord de parler. Les comptes viendront après.

– De quelle manière aborder la sexualité, le problème de la femme, la religion, les traditions, les institutions... sans heurter la sensibilité des uns et des autres?

– Mais je me fous des uns et des autres! Si personne ne brûle pour ce pays, nous attendrons plusieurs générations avant que les choses évoluent. Tu veux que les gamins de ce pays n'aient d'autre destin que celui de vendre des sacs en plastique sur les places publiques, ou des cigarettes au détail, des pépites, des marchandises avariées provenant d'Espagne, ou encore d'aller se faire noyer dans les eaux de la Méditerranée en emportant avec soi l'espoir d'échapper à la suffocation et à l'humiliation qu'ils vivent dans leur pays ? C'est humain de se mobiliser pour la Palestine. C'est nécessaire de prendre position dans la guerre en Bosnie. C'est indispensable de hurler contre la misère en Éthiopie... Ma Palestine à moi se trouve ici. Mon Éthiopie est chez moi. Ce n'est pas encore la Bosnie ni même l'Algérie, mais qui nous assure l'avenir face aux injustices sociales, aux magouilles politiques, au mensonge, au mépris du peuple, à la corruption, l'analphabétisme, la ségrégation ?... Si le pays est encore debout, personne ne comprend par quel miracle. La situation est désespérée. C'est notre rôle que de le dire !

– Les héros des causes perdues !

– Des témoins !

– Et la révolte ?

– Elle est dans le ventre.

– L'écriture, c'est la modestie. La prétention est dangereuse.

– Je n'ai jamais été autre chose qu'un homme modeste.

– Le succès et la célébrité tuent la modestie.

– Ce n'est pas mon cas !

– Tu n'es pas encore reconnu comme écrivain. Tu n'as encore rien publié. Tu es déjà prétentieux avant même d'être écrivain !

– Ça t'amuse ?

– Pas tant que ça. Je sais... j'ai une intuition. Un jour tu publieras un roman.

– Un roman ?

– Un roman !

– Quelle générosité !

– Je suis l'homme d'une seule histoire, tu seras l'homme d'un seul roman...

– Très bien... Ouvre-nous une bouteille !

– Il n'en reste plus. Tu as tout bu...

– Envoie le môme nous en chercher !
– A propos, cette jeune fille a une merveilleuse histoire à te raconter.
– Quelle jeune fille ?

Il avait oublié ma présence. La veille, il m'avait adressé quelques paroles. Il était ivre, ne s'était pas rendu compte qu'il parlait à une étrangère. Peut-être m'avait-il confondue avec l'un de ses personnages romanesques. Il releva ses yeux glauques sur moi et fixa mon visage. Je ne savais pas s'il me voyait ou si j'étais une simple représentation de son imagination. J'avais l'impression que son regard me transperçait et allait se poser ailleurs. Comme si je n'existais pas sur sa trajectoire. Le conteur sourit et me demanda de m'approcher.

– Ici, tu es chez toi, me dit-il en prenant ma main dans la sienne. Cet animal est très gentil. Je voudrais que tu l'aides à écrire son roman. Raconte-lui ton histoire !

Dehors, la vie commençait à sortir de son silence. Des pas traversaient la rue et je devinai des ombres rejoindre la mosquée, enveloppées dans des tenues pieuses et blanches. L'ivrogne grogna contre ces silhouettes qui dérangeaient son sommeil. Il cracha par terre avec violence et menaça les passants avec son bâton. Impatiente, Chama froissait un pan du drap safrané. J'attendais sa colère et ses remontrances. Les cierges de mauvaise qualité étaient noyés à présent dans leur propre suie. Je regardais leurs flammes exécuter leur danse macabre à l'aube de ce jour nouveau. Les mouches reprirent leur voltige au-dessus de nos têtes avant d'atterrir, dans un vrombissement synchronisé, sur la face terreuse du mort. Chama les ignora. Elle se contenta de froisser le pan de drap entre ses doigts sans discontinuer. Les mouches n'étaient pas préoccupées par nos soucis, ni par nos mots, qui venaient de traverser la nuit dans la solitude de nos voix. La puanteur devenait de plus en plus insoutenable. C'était sa manière à lui de se venger de nous.

Nous avions pollué son sommeil avec nos paroles, son odeur rendait pénible notre respiration. Je voulais pourtant croire à un miracle.

Des chuchotements se firent entendre dans la pièce à côté. La vie et le bruit prendraient bientôt le dessus sur le calme et le sommeil. Des formules saintes furent prononcées à la hâte par les hommes du Coran. Je les devinai faire leurs ablutions dans des gestes lents et désordonnés, trempant à tour de rôle leurs doigts fatigués dans le seau d'eau des toilettes. Je les entendis se racler la gorge et débarrasser leur nez de ses mucosités avec énergie. Ils s'étaient lavé les parties génitales avant d'entreprendre la purification des parties supérieures et de terminer par les pieds dans un rituel rigoureux. La voix de la marâtre s'éleva et ses pleurs étouffèrent les différents bruits. Les autres femmes se réveillèrent et accompagnèrent la Grosse dans ses larmes et ses lamentations. Les enfants dormaient sans doute puisque leur vacarme ne s'ajoutait pas encore au tintamarre qui s'organisait déjà à côté, grâce à la vigilance des femelles. Les mendiants firent entendre leurs jérémiades et appelèrent la bénédiction de Dieu sur la tête de ceux qui leur offriraient un pain au beurre rance ou des beignets aux œufs pour leur petit déjeuner. Mal réveillés, les hommes ne répondaient pas à leur appel. Les prières redoublaient et les voix se faisaient plus pressantes, plus vibrantes. Quelques bruits de mon enfance surgirent soudain. Les poubelles qu'on sortait avant le passage de la charrette, le cri perçant du vendeur de menthe, les salamalecs mornes des fidèles, les querelles acharnées des chats sur les terrasses... Tout cela me ramena vers le passé. Au temps où chaque bruit avait sa place et son importance. Chama leva sur moi ses yeux de braise.

Je suis incapable de vous dire où se situe le rêve et où commence la réalité, continuai-je. Je ne suis même pas sûre de pouvoir faire la part de mes propres paroles et de celles des personnes qui ont croisé mon chemin. Je sens que les mots de Jamal occupent une bonne partie de mon corps et se greffent sur mes propres pensées. J'ai longtemps marché, talonnée par mes poursuivants. Leurs larmes et leurs lamentations m'exaspéraient. Je regardais devant moi sans me retourner. Le klaxon d'un véhicule me fit sursauter et je vis surgir dans la clarté du soleil un homme trapu et robuste. Il me fit grimper dans son camion et je laissai derrière moi le souvenir déchirant de ces visages crispés par la douleur et la désolation. Je sais que mon histoire est banale, mais sa tragédie réside dans mon âme et dans mon cœur. Vivre dans la peur et dans l'attente. Imaginer le pire à chaque instant. Sursauter à chaque bruit de pas, à chaque son de voix. Traverser la nuit sans savoir ce que le jour apportera de nouveau et vivre le jour dans l'angoisse de ce que vous réserve la nuit. Trembler tout le temps et pour n'importe quoi. Vivre incessamment dans la terreur et s'attendre à être agressée par n'importe qui et à n'importe quel moment. Vendue comme du bétail! Enfermée! Menacée! Je vivais dans une profonde appréhension. Si Azzouz ne tarda pas à dessoûler. Il vint dans ma chambre, qu'il arpenta fiévreusement en long et en large. Il s'arrêta soudain, pointa son index menaçant dans ma direction et m'apostropha en ces termes :

– Tout le monde m'abandonne ces derniers temps. Il ne me reste que toi pour mes jours sombres. J'espère que tu ne décevras pas mon attente ni mon espoir. Tu seras tout pour moi : mon enfant chéri, mon amant et ma joie. Mais je ne veux pas bâcler ce bonheur. Cette nuit sera la tienne. Prépare-toi au vertige des sens et au paradis vibratoire des âmes. Tu es aussi beau que la lune, aussi frais qu'un bouquet d'absinthe, aussi délicat qu'un plat de gombo! Mon bébé aux mille secrets!...

Je tremblais de toutes les fibres de mon corps. Kacem cligna de l'œil dans ma direction pour me rassurer. Rien ne pouvait écarter ma terreur ni me faire oublier ces moments d'intense frustration. Des voix confuses s'élevèrent dehors. Probablement une dispute entre les joueurs de cartes ou le passage d'une bande d'adolescents désœuvrés.

Le jour arrive, dit Chama à voix basse, et il te sauve de la haine de nos mots. Il nous faudra dix ans pour te raconter nos malheurs. Tu as bien fait de déposer le bilan aujourd'hui. Vivant, tu nous aurais empêchées d'ouvrir nos gueules ! La vie est vraiment étrange... Je n'ai jamais imaginé cette situation. Tous les scénarios possibles et imaginables ont traversé mon esprit. Celui-ci, jamais. Je te croyais immortel, indestructible, comme tous les hommes injustes. Vous êtes de la race du chiendent. Vous portez le mal très loin sans quitter le masque des convenances hypocrites. Ma vie a basculé au seuil de cette maison. Je revois ta silhouette et j'entends encore tes cris à l'aube de ce jour triste. Ton épouse nous regardait par-dessus ton épaule, libérée enfin de la culpabilité de nos regards. Elle pourrait désormais étendre sa viande sans avoir à se cacher de nous. Emporte le poids de la honte, et quand Dieu te demandera ce que tu as fait de nous, montre-Lui ce mouchoir maculé du sang de mon innocence ! Au cas où quelqu'un là-bas te réclame la suite de mon histoire, dis-lui que l'iniquité des hommes n'a pas de limites. Le juge nous a relâchés parce qu'il n'y avait plus de place dans les prisons de la ville et parce que des instances internationales avaient soulevé le problème des droits de l'homme dans ce pays. Les prisonniers politiques, les exilés, les disparus... J'ai quitté ce lieu maudit avec la conviction que tous les lieux devaient être maudits. La jeune femme marchait à côté de moi. Je ne comprenais pas pourquoi elle tenait à ce que je reste avec elle.

– Ils ont ruiné ma vie ! me dit-elle enfin dans un souffle. Je t'en supplie, viens avec moi !

– Non merci ! Le commissariat et le tribunal, je les connais à présent. Je n'ai pas envie de connaître autre chose aujourd'hui !

– Ce n'est pas ce que tu crois ! Mon malheur commence à peine et j'ai besoin d'une présence à mes côtés. Tu peux comprendre ça puisque tu connais la souffrance et vis l'injustice...

– Cherche-toi une autre victime !

Elle pleura. Je fus sensible à ses larmes. Je m'approchai d'elle et, sans m'en rendre compte, pris sa main dans les miennes. Elle leva vers moi un visage plein de reconnaissance. Je l'accompagnai. La rue où elle habitait était bondée de gens qui gesticulaient dans tous les sens en prenant leurs voix des mauvais jours. La main de la jeune femme trembla dans la mienne. Je compris qu'un drame était en train de se jouer. Une vieille femme accourut vers nous en agitant une canne menaçante :

– *Oulidak mât !* Ton fils est mort ! C'est ta faute, tu l'as laissé seul pour aller traîner dans les rues ! J'ai toujours su que tu n'étais pas une épouse convenable pour mon fils ! Tu viens de le briser à jamais ! Les putains qui se respectent ne s'acharnent jamais sur les hommes de bonne famille ! Retourne là où tu étais pendant que ton fils agonisait seul !...

Un coup de bâton s'abattit avec force sur la tête de ma compagne. Elle s'écroula par terre. Alerté par les cris des femmes excitées, un homme à la corpulence bestiale arriva en brandissant une feuille de papier dans sa main droite. Il cracha plusieurs fois sur le corps inerte avant de laisser choir son morceau de papier :

– *Qahba Loukhra ! Bant Lahrâm !* Putain ! Fille de l'adultère ! Il ne t'a pas suffi de m'ensorceler, il t'a fallu assassiner mon fils pour ruiner tous mes espoirs ! *Rabi Yakhoud fik al haq !* Dieu me vengera de toi ! Lui seul est capable de t'octroyer la punition que tu mérites. Va ! Je te laisse à Dieu ! Il saura te récompenser !...

La feuille de papier était un acte adoulaire de répudiation. Les hommes se rassemblèrent et formèrent un cortège funèbre. Les lecteurs du Coran et les notables occupaient les premiers rangs. Le cercueil traversa la rue et le cortège se dirigea vers le cimetière. Je ne savais pas quoi faire. Vidée de ses hommes, la rue se transforma en ruche de femmes. Les conversations étaient passionnées, virulentes et contradictoires :

– Elle n'avait qu'à rester chez elle !

– La pauvre ! La voilà à présent dans la rue et elle n'a personne dans cette ville. Toute sa famille est à Oujda !

– Une prostituée reste toujours une prostituée. Il l'a épousée, a couvert sa tête, et elle traîne son visage dans la boue ! *Had achi machi mâ'qoul !* Ce n'est pas normal !

– Vous êtes des femmes et vous condamnez cette pauvre plus que ne le font les hommes ! Vous êtes des êtres ignobles ! Aucune d'entre nous n'est à l'abri de l'injustice du destin ! Soyez plus clémentes et plus tolérantes !

– Elle a raison ! Au lieu de nous unir, nous plantons nos griffes chacune dans la chair de l'autre !

– *Alli dar addanb istahal lâ'qouba !* Qui a accompli un forfait mérite le châtiment ! Et chaque brebis est suspendue par sa patte !

Les commentaires fusaient de toutes les bouches. Chacune avait son opinion sur l'événement. La jeune femme revint à elle et laissa échapper un hurlement inhumain. Sa blessure saignait. Les femmes indignées regagnèrent leur domicile. Les autres patientèrent pour ne rien perdre du spectacle. La femme se releva avec peine, chercha des yeux un visage ami ou une main secourable. Elle s'accrocha à mon bras, avançant comme dans un brouillard. Ses larmes mouillaient ses joues et son cou. Elle accéléra le pas, finit par se mettre à courir, les cheveux au vent. Elle quitta la ville, emprunta un chemin poussiéreux avant d'arriver au cimetière. Je la suivis, ne sachant que faire. Elle s'arrêta à l'entrée du cimetière et dénoua le ruban qui attachait sa lourde chevelure. Elle déchira le haut de ses habits et se griffa le visage jusqu'au sang en répétant ces bribes de phrases :

– Mon fils ! Mon sang ! Ma chair ! Hier, les ténèbres...
Hier, la merde des hommes ! Aujourd'hui, la mort et la
merde réunies. Montrez-moi mon fils ! Les oiseaux pleurent
comme des orphelins ! Je ne sais plus où sont mes rêves...
La mer balance ses vagues contre la misère des gens. Je suis
orpheline de mon fils. Orpheline de son enfance. Orpheline
de ses mots, de ses caresses, de ses coups de gueule, de ses
caprices. La mer. Toujours la mer et ses vagues de misère...
Les temps sont devenus des temps de chien, et les chiens
bouffent le temps des humains... Les chiens et les humains,
quelle différence ? Rendez-moi mon fils, la lumière de mes
yeux ! Les hommes ont ruiné mon existence. Dieu n'a pas
montré la vérité. Je suis morte à présent, morte à la bassesse des gens. Morte à la haine !...

Elle continua longtemps. Des hommes s'adressèrent à
Dieu dans leurs prières pour qu'Il la prenne en miséricorde.
D'autres encore lui jetèrent des pièces de monnaie, des
figues séchées ou des croûtes de pain. Impuissante, je la
regardai se griffer le visage et s'administrer des coups de
poing sur la poitrine. Je quittai les lieux et l'abandonnai à
sa folie et à sa furie.

J'ai connu toutes les humiliations qu'un être humain
peut supporter. La domesticité ? La prostitution ? La mendicité ?... J'ai tout connu, tout supporté. J'aurais pu me trancher les artères avec une lame de rasoir pour en finir avec la
détresse et le malheur. Je renonçai à mettre fin à mes jours
pour ne pas faillir au serment du retour. Ce jour noir que tu
as choisi pour déposer le bilan de ton existence. Qu'importe ! Ma parole s'achève ici car les croque-morts ne tarde-
ront pas à venir te chercher. Le jour est déjà là et il te libère
des détails. Pourtant, tu es sûrement curieux de savoir ce
qui s'est passé durant ces dix années. Savoir ce que tes
filles, sorties de tes entrailles, ont vécu loin de toi, pendant
que tu te prélassais dans la chair grasse de ton épouse. Va à
présent, et que Dieu te réserve le châtiment des traîtres et
des indignes. Je n'ai plus rien à ajouter. Tu peux partir à

présent. Je n'ai aucun regret car ton sommeil sera peuplé de scorpions et de têtes de serpents...

Chama se tut, essoufflée. Elle regarda dans ma direction et je distinguai une lueur humaine dans ses yeux. Elle venait de se libérer et de libérer cette parole qui assiégeait son esprit. Elle n'avait rien raconté sur elle, à part ce viol abject au commissariat. Mais l'essentiel était ailleurs. Il fallait empêcher la dépouille du père de profiter du dernier sommeil. La sueur perlait le long de ma colonne vertébrale. Le sirocco soufflait avec désespoir contre les portes et les murs des maisons. Les cierges de mauvaise qualité agonisaient. Je les observais avec pitié. L'odeur du cadavre putréfié devenait insupportable. J'espérais un miracle qui nous sauverait de l'asphyxie. L'oxygène s'était raréfié à tel point que j'avais du mal à respirer. Les mouches effectuaient des vols de reconnaissance. Le mur en face de moi exhibait fièrement ses taches d'humidité dans une indifférence magistrale. Le jour se levait et je devais trouver un aboutissement à cette histoire que j'avais commencée en toute inconscience. Le piège s'était refermé sur ma naïveté. Chama passa une main fatiguée sur son visage avant de poser son regard sur moi. Les signes extérieurs annonçaient la fin définitive de la nuit.

La porte d'entrée s'ouvrit et se referma avec violence. Je distinguai le pas des hommes qui regagnaient la mosquée pour accomplir leur devoir envers Dieu. Je toussai pour m'éclaircir la voix. Tamou posa sur moi un regard surpris. Son visage me parut très beau. Les cierges de mauvaise qualité avaient rendu l'âme dans une mare de cire molle. Ma pensée alla vers Ghita. Je me demandais quel obstacle l'avait empêchée de revenir. Était-elle toujours en vie? Avait-elle quitté le pays? Beaucoup de questions occupaient mon esprit, si bien que je ne remarquai que tard le coup précis que Chama avait assené à l'escadron de mouches qui avaient pris d'assaut les parties visibles du cadavre. Un nuage de poussière s'éleva vers le plafond. Chama agita un pan du drap safrané devant son visage, soulevant davantage de poussière. La puanteur me prenait à la gorge. Les sanglots de la marâtre et ceux des pleureuses reprirent de plus belle. Les voix se mélangeaient dans ma tête. Les bruits se confondaient dans un charivari indéfini. Je sentais le poids des années peser des tonnes sur mes épaules. A quoi bon tout cet artifice ? J'étais fatiguée. Chama l'était sans doute plus que moi. Pourquoi s'acharner sur ce tas de viande inutile ? A quoi servaient désormais nos mots, qui ne laissaient aucune trace ni sur le drap safrané, ni sur le mur, qui avait donné congé à ses ombres, ni même sur le visage du mort, qui s'était réfugié derrière une couche de poussière et de sable fin. J'étais dégoûtée. Mais j'étais persuadée que Chama ne me laisserait pas en paix tant que je n'aurais pas été jusqu'au bout de mon récit. Les croque-morts ne tarderaient pas à venir tambouriner contre notre porte. L'odeur infecte du cadavre rendait l'air irrespirable. Assassinées par le coup fatal de Chama, les mouches gisaient par terre et sur le drap comme les victimes d'un cataclysme. J'interrogeai le mur en face de moi. Sa face, à présent éclairée, ne renfermait plus aucun mystère. Il était devenu un mur comme un autre. Je poursuivis mon récit.

Pour me divertir, Kacem me raconta la déconfiture de Saddam Hussein dans des termes de profonde désolation. Il ne comprenait pas. Personne ne comprenait.

– Mon frère m'a expliqué qu'on ne fait pas la guerre au monde entier avec quelques bombes, des chars et des avions en carton. Au lieu de relever la tête, les Arabes viennent de subir la défaite la plus désastreuse de leur existence. N'ont-ils pas encore compris que la guerre a changé de visage et de tactique ? Aujourd'hui, la vraie victoire, c'est celle de l'intelligence sur l'obscurantisme, celle du droit, de la justice, de la tolérance, de l'équité... sur la bêtise, la médiocrité, la vanité et le mépris des droits de l'homme.

L'humanité est aujourd'hui vaincue par le sida et autres maladies, par le chômage de ses cadres et de ses jeunes, par la misère morale et matérielle de ses peuples, par le racisme et l'exclusion...

Kacem parla longtemps. Je l'écoutais parler dans l'espoir de rencontrer dans ses mots quelques motifs à l'apaisement de mon âme. Il ne réussit qu'à me perturber davantage. Mais, bien que mon moral fût bas, sa présence m'incitait au calme et à la confiance. Depuis que Jamal avait disparu, je m'accrochais à cet homme comme un naufragé qui s'agrippe à tout ce que ses doigts peuvent saisir. J'étais une naufragée et j'avais besoin d'une main secourable pour sortir de la houle furieuse de l'existence.

La poisse enveloppait l'atmosphère. Un silence gênant se fit après mes paroles. Chama avait bouclé son récit. Au tour de Tamou à présent de boucler le sien. Silencieuse et grave, elle regardait devant elle sans faire le moindre geste. Je l'observai de biais. Son visage sortait timidement de l'ombre et je surpris ses traits fins, sa peau douce, ses yeux noirs et sa chevelure brillant de mille éclats. Sa voix pure brisa le silence qui s'était installé.

Le jour va bientôt te libérer de l'angoisse de nos paroles, dit-elle sans élever la voix et sans amertume. Tu as choisi ta vie et ta mort. A Dieu ne plaise ! Il est vrai que je n'ai pas connu les mêmes misères que mes sœurs, mais j'ai vécu la même anxiété et la même errance. J'ai eu la chance de tomber sur un homme qui ne ressemblait pas à tous les hommes. Il disait que nous étions tous les deux nés de la même erreur. Une erreur du destin signée par la folie des hommes. Il me parlait souvent de sa mère, de la vie qu'elle avait menée. Je l'écoutais avec émotion, tant sa sincérité me touchait. Il répétait que c'était le roman qu'il aurait aimé écrire. L'histoire de son enfance. Quand il n'était pas ivre, il me demandait de lui raconter mon histoire. Il pre-

nait des notes avec une incroyable dextérité en fumant cigarette sur cigarette. L'exercice dura des jours entiers. Les
notes s'empilaient. Il jubilait, affirmant qu'il tenait une
belle histoire pour un grand roman. J'étais contente pour
lui, si contente qu'il m'arrivait d'inventer des épisodes à
son intention. Il écrivait sur du papier d'emballage parce
qu'il n'avait pas les moyens d'acheter du papier moiré. Il
disait qu'avec les droits d'auteur de son premier roman il
déménagerait et s'offrirait l'une de ces machines sophisti-
quées pour gagner du temps. Quand il était fatigué, il
m'emmenait au bord de la mer, là où la bêtise humaine est
frappée de ridicule face à l'immensité et à la générosité de
la nature. Il me faisait passer pour sa nièce, ou sa cousine,
ou sa sœur... Le conteur nous rendait visite de temps en
temps et lui recommandait de prendre soin de moi.

– Ne t'inquiète pas, lui répondait l'Écrivain, elle est ma
fille !

Le gamin était plein d'attention pour moi. Il me ramenait
des biscuits, du chocolat et du chewing-gum. Nous bavar-
dions ou nous allions nous promener dans les rues de la
ville pendant que les adultes descendaient leurs bouteilles
de rouge. Les jours passaient, les semaines, les mois. A
l'Écrivain, je racontais toujours la même histoire. Il prenait
des notes avec la même dextérité, m'exhortait parfois à plus
de précision. Il me posait des questions sur ma mère, sur
toi, sur vous. Il voulait savoir de quelle couleur étaient les
yeux de chacune de vous, votre âge, vos rêves... Les pages
s'accumulaient sur sa table. Il posait son stylo après plusieurs heures de travail, épuisé mais satisfait. Il reprenait
ses notes, les relisait en donnant des coups de crayon
rageurs à certains passages. Il buvait et fumait sans discontinuer. Je le regardais sans réagir. Quand il avait assez bu, il
prenait ses feuilles et les déchirait.

– Je suis insatisfait de mes notes, lançait-il de sa voix
pâteuse. Je ne peux pas présenter quelque chose de médiocre
à mes lecteurs ! Je veux écrire un texte fort. Marquer le coup.

Un premier livre, c'est très important. S'il n'est pas réussi, ça risque d'être fatal... Nous avons tout notre temps. Nous reprendrons dès demain matin ! Va te coucher à présent. Tu dois être rompue de fatigue...

Il ne s'endormait jamais avant le lever du jour. Quand il se réveillait, quelques heures plus tard, il regrettait son geste, tournait dans la pièce comme un fauve, les mains derrière le dos. Il répétait qu'il n'était qu'un vaurien et qu'il n'écrirait jamais rien. Écrivain raté, il réfléchissait à la possibilité de quitter la ville et même le pays pour aller ailleurs, n'importe où, dans un endroit où il passerait inaperçu. Quand il se calmait, il allait au marché, rapportait de la viande ou du poisson, préparait un tajine en mon honneur, disait-il. Au cours du repas, il me lançait :

– Je suis désolé pour mon comportement incontrôlé. Je suis comme ça, je n'y peux rien. Demain j'écrirai un grand roman ! Tu vas voir. Je dois le faire parce que je ne sais rien faire d'autre. Ce pays est le mien avant d'être celui des incompétents et des opportunistes. J'écrirai pour les dénoncer. C'est mon devoir. Je dirai au monde entier qui sont ceux qui nous gouvernent !...

J'ai vécu ainsi pendant dix ans, et je mesure la chance que j'ai eue de rencontrer des hommes simples mais honnêtes. J'étais jeune et sans aucun avenir. L'Écrivain m'a appris à lire et à écrire. Il voulait que je sois sa première lectrice. En fait, j'ai trouvé chez cet homme ce que je n'ai pas trouvé chez toi, mon propre père. Je m'arrête ici et te laisse retourner vers Celui qui t'a créé puis a repris ton âme en te disant que je ne te pardonne pas !...

Tamou se tut et croisa ses bras sur sa poitrine. La face du père avait pris la couleur de la terre battue. Le ventre avait considérablement enflé. Les tournoiements des mouches ne laissaient aucun doute sur l'imminence d'une attaque. Avec l'approche du jour, le sirocco avait redoublé de férocité et de force. J'avais du sable partout, et il s'accrochait à ma peau en une fine pellicule qui, entrée en contact avec ma sueur, se transformait en glaise gélatineuse. Le mur en face de moi n'était plus qu'une surface vaincue par le temps et par l'humidité. Je regardai autour de moi et fus surprise de ne reconnaître aucun détail dans cette pièce. Je n'étais plus qu'une étrangère dans le lieu de ma naissance et de mon enfance. J'entrepris de continuer mon récit.

Si Azzouz donna des instructions précises à son domestique, dis-je calmement. Je reçus l'ordre de me laver, de me parfumer et de passer une tenue de soie fine. Je m'exécutai en appréhendant la catastrophe. Je dissimulai ma chevelure sous mon bonnet et attendis. Le dîner était copieux mais je n'avais aucune envie de manger. Kacem me raconta des histoires pour me faire rire. Il ne réussit pas à desserrer mes dents. Si Azzouz arriva vers minuit. Il était à moitié saoul, fredonnait une chanson de Farid al-Atrache. Je tremblais de la tête aux pieds. L'homme s'installa sur le lit à côté de moi et se mit à caresser mes joues et mes fesses. Kacem n'était pas là mais je sentais sa présence. Je savais qu'il n'était pas loin. Je ne bougeais pas. Je récitais des prières au fond de moi pour que l'homme cessât son manège avec mon corps. Il porta une main flasque à ma tête et arracha mon bonnet. Mes cheveux tombèrent comme une cascade sur mon dos. Ahuri, il poussa une exclamation de déconvenue. Je reculai au fond du lit. Il releva ma tunique et s'assura que j'étais une fille. Il se frappa les mains l'une contre l'autre. Les larmes déferlèrent sur mes joues. Il me gifla si fort que je laissai échapper un hurlement d'effroi. Kacem accourut, s'immobilisa dans l'encadrement de la porte. Mon corps fut pris de convulsions. Si Azzouz hurlait, jurait ses grands dieux d'étrangler Azzi Manégass de ses propres mains. Kacem ne prononça pas un mot, se contentant d'observer la scène.

– Fils de pute ! *Ouald al qahba* de nègre ! répétait Azzouz, hors de lui. Une fille ! Il m'a fourgué une femelle et je ne m'en suis pas rendu compte. Le salaud! Mais il m'entendra. Je lui ferai payer cher sa trahison! Il doit se moquer de moi à présent et répéter à ses amis la mauvaise blague qu'il m'a faite. Je n'ai pas de chance! Ni avec mes amis ni avec mes ennemis. Mais je ne me laisserai pas faire par un macaque dégénéré! En attendant, tu vas payer pour ta complicité car tu étais de mèche avec lui. Tu voulais te payer ma tête! Bien! On va voir qui va rigoler à présent!...

Il se saisit d'un ceinturon en cuir qu'il agita au-dessus de sa tête. Le premier coup s'abattit sur mon dos. Le second zébra mon visage. Je hurlais comme une bête blessée en essayant de protéger ma figure. Les coups pleuvaient. L'homme frappait, beuglant, injuriant, crachant de dépit sur mon corps endolori. Je ne sentais plus mes membres brisés. La douleur lacérait mon corps. Tous les mots qui traduisent l'injustice et disent la haine montèrent à la surface de ma peau. Je les tournai et les retournai dans ma tête, qui ressemblait à une outre remplie de cailloux. Mes idées s'embrouillèrent. Je n'entendis pas Kacem crier au scandale. Les coups s'arrêtèrent soudain. J'ouvris les yeux. Kacem s'était précipité et avait arrêté le bras criminel. Les deux hommes roulèrent par terre dans une lutte sans merci. Des meubles se renversèrent. Des injures fusèrent. Le combat dura une dizaine de minutes, à l'issue desquelles le parlementaire fut vaincu. Kacem le ligota solidement et m'intima l'ordre de quitter les lieux sans trop tarder. Je ramassai mes affaires à la hâte et dégringolai les escaliers quatre à quatre. Je fus arrêtée dans ma course par un cri rauque venant du premier. Je rebroussai chemin pour m'assurer que Kacem n'avait rien. Mon cœur palpitait de frayeur. Le spectacle qui se présenta à moi me laissa perplexe. Kacem avait grimpé sur le dos de son maître et le violait en martelant ces phrases:

– Ça, c'est pour la haine que tu as dans le cœur! Ça, c'est pour l'exploitation des petits, le vol et l'abus de pouvoir! Ça, c'est pour les coups que tu viens d'administrer à cette

enfant ! Ça, c'est pour la modestie et la fierté que tu as perdues ! Ça, c'est pour le mal que tu as rendu au pays en tant
que représentant du peuple ! Ça, c'est pour la fortune illé-
gale que tu as amassée en peu de temps ! Ça, c'est pour la
fausse image que vous donnez du pays ! Ça, c'est pour votre
arrogance et votre mépris de ce peuple ! Ça...

Je l'abandonnai à son action et dévalai les marches à
toute vitesse. L'air chaud fouetta mon visage. J'ouvris le
grand portail et me retrouvai dehors, libre et légère. Je ne
ressentais plus ma douleur, ni ma fatigue, ni ma peur.
Adossé contre le mur du jardin, Jamal m'attendait. Il vint
vers moi, le sourire aux lèvres, et me dit dans un tremble-
ment de voix :

– Viens ! Je vais t'accompagner chez toi. Le délai arrive à
son terme. Demain, tu reverras tes sœurs. Ne me pose pas
de questions parce que je ne possède pas de réponses. N'oublie pas mon visage ! Sache surtout que Dieu est avec toi et
que tu ne crains rien des humains. Allons à la station de
taxis !...

21

Le soleil qui se levait sur la ville promettait d'être impitoyable. L'horloge sonna soudain et je comptai les cinq coups dans ma tête, exactement comme je faisais lorsque j'étais petite fille. La chambre puait. L'air était pollué. Le cadavre du père gisait sur la civière et j'imaginais les vers grouillants à l'intérieur s'attaquer à la moindre parcelle de chair. Tamou toussa et se boucha le nez avec son mouchoir. L'odeur de l'encens et du benjoin avait disparu depuis longtemps. Ne restaient plus que l'odeur du pourri, la fatigue et la haine. Les mots ne voulaient plus rien dire. Les lecteurs du Coran revinrent de la mosquée et leurs voix se mêlèrent aux lamentations des femmes et aux incantations des mâles indignés. L'ivrogne se réveilla et injuria tout le monde, choisissant les termes les plus grossiers. Le mendiant repassa sous notre fenêtre en répétant à qui voulait l'entendre que la vie n'est qu'un clin d'œil et que la mort n'est jamais loin. Nous sommes à Dieu et nous retournerons à Lui! Le tic-tac de l'horloge se noya dans les bruits de la rue et les jérémiades des pleureuses. Si personne ne se décidait à enfoncer la porte, nous finirions asphyxiées dans cette chambre qui avait épuisé son oxygène. Chama ne bougeait pas. Ne disait rien. Ne regardait pas dans ma direction. Dehors, le jour s'était installé dans le tumulte et l'agitation. La lumière avait effacé la nuit et je me retrouvais à mon point de départ, le corps entièrement vidé et la tête remplie de pensées criminelles et de répulsion. La mort rôdait dans la maison comme une chienne enragée. Le temps passait sur nos corps fissurés et imprimait sa hargne sur les murs et dans les cœurs. Tamou était aussi tendue que moi. Je n'avais qu'une envie : que cette mascarade finisse et qu'un homme ait le courage de faire voler cette porte en éclats pour conduire la dépouille mortelle à sa dernière demeure. Poussière ! Nous sommes poussière et poussière nous redeviendrons !...

Je ne voulais pas quitter la chambre, de peur de vexer Chama. Mais elle devait comprendre que même le défi a ses limites. Et nos limites ne pouvaient souffrir ni la chaleur ni l'odeur de la pourriture. Dans l'autre pièce, la foule se faisait de plus en plus dense. C'était l'heure du petit déjeuner. J'imaginais les vieilles cuisinières exhibant des têtes d'enterrement et chassant négligemment les mouches agglutinées dans le fond des bols. La ribambelle ne tarderait pas à se joindre aux affamés pour marauder quelques victuailles. Séparées des hommes, les femmes mangeaient dans la cuisine ou sur la terrasse. Les hommes occupaient la pièce des invités et étaient servis les premiers. Ainsi, Dieu a donné sa préférence à l'homme sur la femme ! Le comble de la dérision serait que nous crevions avec le père dans cette pièce transformée en four crématoire. Le temps passait, infernal. Mais pour nous, pour moi en tout cas, il n'existait pas. J'étais assez naïve pour faire confiance à Chama et croire qu'elle m'avait cédé la parole sans insolence et sans arrière-pensée. Quand arriverait l'heure de la délivrance ? Pour nous tous. Pour les vivants et pour les morts. J'imaginai les lecteurs du Coran, assis comme des montagnes dans des djellabas en laine malgré la menace de l'étouffement, la commissure des lèvres blanchie par une écume visqueuse. Charlatanisme et dégénérescence. La canne du père était accrochée à un clou au-dessous d'une photo jaunie. Je n'avais remarqué ni l'une ni l'autre. Une canne en bois de noyer qui détenait sans doute des secrets invraisemblables. N'avait-elle pas mis sa main dans celle du père et ne l'avait-elle pas accompagné pendant les dernières années de sa vie en portant le poids de son corps, dans le silence, avec fidélité et sans jamais se plaindre ? La photo avait aussi ses secrets. J'essayais de démêler les miens sans y parvenir. J'étais une énigme à jamais insoluble. Chama et Tamou aussi. Je repassai dans ma tête le récit de la nuit et me rendis compte, avec stupéfaction, du bien que la parole m'avait procuré. Je me sentais en règle avec moi-même, riche de mots et d'imagination, capable de rivaliser avec les conteurs de Jamaâ Lafna.

Les bruits ordinaires du quotidien occupaient l'espace. Cris, appels, pleurs, lamentations, aboiements, disputes, chocs... Je vis Tamou se trémousser sur sa peau de mouton, le mouchoir collé sur la figure. Elle résista longtemps à l'envie de vomir et finit par se laisser aller à son désespoir. Chama leva sur elle des yeux inquisiteurs avant de détourner son regard. Pâle et les membres tremblants, Tamou se redressa, enjamba le cadavre et se dirigea vers la porte. Chama ne regarda pas dans sa direction, se contentant de relever le drap safrané sur le visage du mort. La récitation du Coran se fit plus enflammée. Les larmes et les hurlements plus sonores. L'heure était au recueillement et au désespoir. Les croque-morts étaient debout derrière la porte. La marâtre poussa un gémissement outré et tomba dans les pommes. Toutes les femmes avaient accouru à son secours. L'un des lecteurs se proposa de la relever. Il enfonça ses bras maigres dans la chair épaisse sans parvenir à bouger la masse de viande effondrée sur le sol. Son visage rayonna de bonheur et c'est avec difficulté que les autres l'arrachèrent à cette étreinte. Tous les regards étaient accusateurs à son égard. Des chuchotements circulèrent de bouche à oreille. Les autres femmes ne manquèrent pas de montrer leur colère. Jalouses, peut-être. Elles auraient voulu se retrouver entre les bras d'un homme autre que l'époux. Je les devinai excitées par le geste du vieillard, mais étouffant leur désir pour continuer à porter le masque des convenances.

263

– Le vieux singe ! dit l'une d'elles. C'est quand il a les cheveux blancs qu'on lui fait porter une amulette !

– *Ichouini fih !* s'exclama une deuxième. Il porte difficilement ses os et veut soulever une femme ! Si c'est pas misérable ! Il pense peut-être avoir affaire à un squelette ou à une poupée !...

Une troisième éclata d'un rire mauvais et dit d'une voix sonore, dénuée de toute féminité :

– Quand on le supplie de danser, il refuse. Mais quand il entreprend de le faire, personne ne peut plus l'arrêter ! S'il avait un peu de dignité, il ne serait pas engoncé dans les fesses des femelles, tripotant leur chair comme si elles étaient des putains ou des veuves ! Des conduites pires que celles de Satan !...

– Rien ne doit plus nous étonner d'eux ! Ils sont vicieux et n'ont pas de cervelle ! Mais nous n'allons pas nous laisser intimider par des marionnettes calcinées ! Nous avons un mort à honorer, et il ne faudrait pas qu'on dise de nous que nous avons occasionné un scandale pour souiller l'âme d'un cadavre. Soyons des femmes et donnons à ces minables la leçon de leur vie en les ignorant ! Il ne faut plus prêter attention à leurs actes. Il faut les ignorer !...

Les femmes jubilèrent. Les hommes plaquèrent sur leur visage leurs masques des mauvais jours. Mais ils se résignèrent au silence. Une fois l'incident clos, les croque-morts s'avancèrent en se bouchant le nez avec le pouce et l'index, les joues gonflées et le front plissé de bourrelets. J'enviais Tamou pour son audace. Chama ne bougea pas. Elle se racla la gorge de façon provocatrice et cracha par terre. Aussitôt, les mouches s'agglutinèrent sur le liquide gluant. Les hommes firent semblant de n'avoir rien remarqué. Le temps n'était pas aux disputes ni aux règlements de comptes. Il fallait garder son sang-froid. Mériter le paradis n'est pas chose aisée. Ne pas perturber le repos du défunt, accompagner son âme dans la dignité et le respect jusqu'à la tombe, n'accomplir que les actions consignées par le Prophète dans son Livre et aimées de Dieu, agir avec sagesse et éviter tout ce qui est susceptible de créer des complications. L'âme doit reposer en paix. Amen !

Les mendiants avaient pris d'assaut l'entrée de la demeure. Ils réclamaient, en reniflant, leur part de soupe et de beignets. Les enfants s'étaient réveillés et couraient dans tous les sens, comme des moustiques. Les femmes réussirent à soulever la marâtre. La masse de viande fut étendue sur le sofa. Une femme éplucha un oignon avec les doigts et le plaça sous le nez de l'évanescente. Une autre arriva avec un bol de goudron fin. Elle y trempa son index et marqua d'une croix le front de la marâtre. Celle-ci retrouva aussitôt ses esprits. Elle se redressa d'un coup et poursuivit son scénario de pleurs, griffes sur le visage et tapes sur les cuisses. Ce n'était pas le chagrin qui la mettait dans cet état. Elle réagissait physiquement à notre présence. Dix ans lui avaient laissé le champ libre et donné le temps de nous enterrer parmi ses anciens souvenirs. Notre retour à ce moment remettait en question tout l'acharnement qu'elle avait mis à nous haïr. Elle aurait mieux fait de s'évanouir une bonne fois pour toutes. Son frère hypothétique orchestrait le groupe des récitants en lorgnant les grosses femmes. Le père mort, la marâtre était menacée dans l'héritage familial. Nous étions là. Nous avions les droits que la loi nous accordait. Elle n'était pas seule. Elle le savait, et cela augmentait sa hargne.

Les lecteurs levèrent leurs mains jointes vers le ciel et répétèrent en chœur les prières des morts lues par le plus âgé d'entre eux.

– Qu'Allah le préserve des flammes de la géhenne comme il a su préserver sa progéniture et son honneur ! Amen ! Qu'il fasse partie de ceux qui habitent le paradis ! Amen ! Qu'il trouve la paix et la fraîcheur là où il va aller ! Amen ! Qu'Allah lui pardonne ses péchés et le fasse vivre à ses côtés, parmi les fidèles, les martyrs, les prophètes et leurs compagnons. Amen ! Que la bénédiction divine lui soit un lit et une couverture pour sa droiture, sa dévotion et sa charité ! Amen ! Que sa femme et ses enfants continuent l'œuvre qu'il n'a pas pu terminer pour le rejoindre à leur tour en bons croyants ! Amen !...

Ils continuèrent longtemps à proférer des contrevérités, à inventer des aberrations pour gagner plus de sous. Chama ne cessait pas de se racler la gorge et de cracher par terre. Debout, les hommes ignoraient notre présence. Les femmes avaient elles aussi les mains jointes dans la direction du ciel et répétaient leur « Amen ! » monotone en même temps que les hommes. Seuls les enfants n'étaient pas de la fête. Ils vaquaient à leurs jeux en ignorant les adultes, leurs préoccupations et leurs hypocrisies naturelles.

A la dernière prière, tout le monde porta ses mains à son visage et baisa le bout de ses doigts. Les croque-morts placèrent la civière sur leurs épaules. Au moment où le cortège funèbre quittait la maison, Ghita apparut, habillée de noir et portant des lunettes de soleil. Elle ne salua personne, s'agrippa d'une main au cercueil et, accompagnant le cortège qui psalmodiait ses prières, elle déclara d'une voix distincte et profonde :

– Tu nous as chassées dans le feu de l'aurore et tu as continué ton sommeil criminel dans la chair grasse de ton épouse. La peur et les larmes étaient nos seules compagnes. La haine a pris possession de nos cœurs d'enfants. Nous étions des cadavres errants dans les paroles grises de ta trahison. Tu es mort aujourd'hui, mais la mort est incapable de te protéger contre la violence de nos paroles et de notre haine. Tu peux mourir autant de fois que tu veux, nous exhumerons ton souvenir pour t'accabler de nos souffrances. Tu emporteras dans ta tombe le récit de nos blessures. Dix ans déjà ! La haine épaisse et la rage sourde. Rien ni personne ne peut m'empêcher de suivre ton cercueil jusqu'au cimetière, rien que pour rendre ton enterrement illicite puisque les femmes n'ont pas le droit d'accompagner un mort lors de ses funérailles. Nous sommes revenues pour rendre ton repos insupportable et ton sommeil noir. Le temps s'est arrêté pour nous tous, pas seulement pour toi...

Chama suivait Ghita de près. Tamou et moi arrivions derrière. Le soleil était brûlant et l'air rare. A l'entrée du cimetière, les mêmes mendiants dormaient au milieu des tombes, la bouche ouverte, le corps jonché de mouches et de fourmis. Je les observai avec une sorte d'envie et de pitié mélangées. Ils avaient réussi à annuler en eux la limite entre la vie et la mort.

RÉALISATION : PAO ÉDITIONS DU SEUIL
IMPRESSION : S.N. FIRMIN-DIDOT AU MESNIL-SUR-L'ESTRÉE
DÉPÔT LÉGAL : JANVIER 1998. N° 32051 (40806).